〈言語社会〉を想像する

一橋大学言語社会研究科25年の歩み

中井亜佐子　小岩信治　小泉順也――【編著】

小鳥遊書房

はじめに――くにたちの森の片隅で

中井亜佐子

ＪＲ中央線国立(くにたち)駅を降り、南口側に出て最初に目を惹くのは、駅前のロータリーに面して建っている、赤い三角屋根と白壁のかわいらしい建物だろう。まるで人形の家のようなこの建物は、二〇〇六年に取り壊された国立駅の旧駅舎が復元されて、二〇二〇年に国立市の公共施設としてオープンしたものである。ロータリーの中央からは、まっすぐに「大学通り」と呼ばれる大通りがのびている。あまりにまっすぐなので、飛行機の滑走路としてつくられたのではないか、などと噂されているほどだ。この通りの両側は、毎年春になると桜色に染まる。新型コロナウイルス（COVID-19）の感染拡大のため近年は花見もままならないが、人間側の事情がどうであれ、桜は毎年ちゃんと咲いている。

大学通りのどちら側でもよい、桜並木に沿ってまっすぐ歩いていくと、通りの両側にこんもりと茂った森のようなものが見えてくる。それが一橋大学のキャンパスだ。キャンパスは大学通りをはさんで、西と東に分かれている。有名な兼松講堂があって、ときどき学園ものの映画やテレビドラマのロケ地になったりするのは、西キャンパスのほうだ。池を挟んで兼松の向かいには西本館、右手奥には時計台のある図書館、その奥に続く森はなにやら秘境めいている。西キャンパスに比べると、東側はもっとずっとこぢんまりとしている。東正門を入って左手にある東本館も一九二九年竣工のれっきとした歴史的建造物なのだが、荘厳にそびえたつ兼松講堂や西本館ほどには目立たない。近年に建築された建物群も本館のイメージに合わせた赤レンガ風の地味な佇まいで、東京大学の駒場キャンパスに見られるような、ガラス張りのおしゃれなホールなどない。言語社会研究科のある国際研究館は、この東キャンパスの右手奥にひっそりと建っている。

言語社会研究科、通称言社研（ゲンシャケン）は、社会科学の総合大学である一橋大学では唯一、人文学の教育と研究を任務として掲げる独立研究科として、一九九六年五月一一日に設立された。二〇二一年がちょうど、設立二五周年にあたる。日本の大学には一〇〇年以上の歴史を誇る文学部がいくつもあるのに、たかだか四半世紀なんてたいしたことない、と思われてしまうかもしれない。しかし、言社研の二五年はそのまま、迷走する日本の大学行政の歴史であり、人文学の教育・研究が逆境に抗って生き延びてきた歴史でもあるという点で、振り返ってみるに値するだろう。

そもそも言社研が誕生するきっかけとなったのは、大学設置基準の大綱化（一九九一年）によって、教養課程のあった小平分校の廃止が決定されたことだった。その後、国立大学の独立法人化（二〇〇四年）、独法化以降毎年行われる運営交付金カット、学校教育法の改正（二〇一五年）による学長のガバナンス強化といった一連の新自由主義的な教育政策によって、全国の国立大学が翻弄されてきた。言社研も同じく、定年退職した教員のポストを新規採用人事によって埋めることもままならない状況だ。設立時に決められた定員は二二名だったが、二〇二一年度の時点での教授会メンバーはわずか一五名である。

言社研の四半世紀の歩みを、ことばにして残すこと。人文学の研究を志す人たちに向けて、言社研の「いま」をことばにすること。そして、言社研の「これから」を想像し、ことばにしていくこと。本書の目的は主にこの三つである。嬉しかったのは、編者たちが二五周年を記念して本書を刊行しようという提案をしたとき、多くの同僚たちが協力を申し出てくれたことだ。さらには、国立を離れて何年も経ち、それぞれの世界でご活躍中の修了生の方々が、ご多忙にもかかわらずエッセイを寄稿してくださり、あるいは座談会を開催してくださった。二〇二一年七月から八月にかけて実施した修了生アンケートにも、多くの方々が温かいメッセージを寄せてくださった。お金にも業績にもならない仕事を「ゲンシャケンのためなら」と引き受けてくださる人たちがこんなにいるというだけでも、おおいに励まされ、前を向いていこうという気持ちになれる。

東キャンパスの中庭には小さな人工池があって、春になるとカルガモの雛たちが泳いでいるのを見かけることがある。生まれて日の浅い雛鳥の泳ぎは、「よちよち歩き」ならぬ「よちよち泳ぎ」のように見えるが、親鳥はしばしば少し離れたところで見守っている。そもそも親鳥一羽にたいして雛の数が多すぎるから、それぞれの雛に個別に泳ぎ方を指導するなんてできるわけはないのだろう。雛たちは自分で池に飛び込んで、自力で泳ぎ方を学んでいる。編者（中井）はいつも、カルガモの親子を見ると、まるで言社研のようだと思う。

言社研に集まってくる学生たちは、ほんとうに多種多様な研究テーマや関心を携えて入学してくる。教員のほうもわりと心が広いというか、（比喩的な意味で）学生が研究室の扉を叩けばたいていは快く迎え入れるだろうし、最初から扉を開放している教員もいる。そして、自分自身の専門領域からはかけ離れた研究テーマであってもおもしろがって指導を引き受けるけれど、ほとんど指導らしいことはできなかったりもする。せいぜいできるのは、溺れかかっているのを池から引っぱり上げたり、大学通りに出て行こうとするのをやんわり引き止めたりするくらいだ（車に轢かれると困るから）。そんな状況だから、学生もあまり教員に期待していないのだろう。学生たちの多くは複数の教員のゼミに出入りしているが、それぞれの教員が互いに矛盾することを言っていたとしても、何が正しくて重要なのかは自分で判断して、新しい研究領域を切り拓いていく力をもっている。学びの場は、ゼミのなかだけではない。院生研究室で交流し、自分たちで研究会や読書会を企画したりして、自分たちのあいだで泳ぎ方を工夫しあっている。

言社研のよいところの一つは、一般的な大学院文学研究科とちがって専攻が細分化されていないため、それぞれの専門のあいだの垣根が低く、さまざまな専門性をもつ教員や学生が自由に交流できることだ。裏を返せば「ディシプリンがない（専門領域がない＝節操がない）」ということでもあるのだが、そのおかげで既存の学問領域にとらわれない、独創的な研究が生まれたのも確かである。設立時からずっと言社研の表看板である社会言語学は、従来的な言語研究の域を超えた「一橋学派」とでも呼ぶべき独自の学風を築いてきた。設立時以来のもう一つの重要な看板は、鵜飼哲ゼミのメンバーが中心になって牽引してきた現代思想であり、アカデミアのなかでの西洋思想研究にとどまらず、さまざまな社会運動の実践へとつながるアクチュアルな思考を生み出してきた。文学研究の領域では、仏語圏クレオール文学、英語圏ポストコロニアル文学、在日朝鮮人文学、沖縄文学、台湾文学など、おそらく一般的な文学研究科ではマイナーとされる分野こそが言社研の強みであるとして、学界で認知されるようになっている。また、「言語社会」という名称は堅持しつつも、音楽学、美術史、映像論といった「非言語」領域でも独自の路線を開拓し、一橋大学における人文学の拠点となることを目指してきた。二〇二一年度には科学史という分野を加えることによって、つねに新しいものへと開かれた研究科であろうと努力を続けている。

これほど小規模な研究科にこんなに多様な分野の研究者がひしめいているよりは、「選択と集中」によって特定の分野を強化したほうが教育効率がよいのではないか、教員も研究領域が近いほうが互いに切磋琢磨できるのではないか、などといった意見もないわけではない。だが、そもそも教育なんて効率化できるものなのか。研究に競争原理をもちこむべきなのか。時流に乗って拙速な合理化を図る前に、言社研のよさはどこにあったのか、じっくり考えてみる必要がある。

大学院生をカルガモの雛に喩えるのは、失礼な比喩だったかもしれない。言社研の実力を世に知らしめてくれているのは、在籍する教員よりはむしろ元学生、修了生たちのほうなのだから。一橋大学のキャンパスは鳥の楽園だ。東キャンパスの池の周りでは、鷺(サギ)が佇んでいるのを見たことがある人もいるだろう。ほっそりとした姿かたちの優美な鳥だが、近くで見ると意外と大きく、いかつい顔つきをしている。二〇二〇年度の前半、新型コロナ感染防止対策のために授業がすべてオンライン化され、キャンパスに人影がほとんど見られなかった時期には、この鳥がキャンパス内外を自由に飛び回っていたらしい。雛鳥のように見える学生たちもいずれはみな、この鷺のように大きく羽ばたいて、キャンパスから飛びたっていく。この二五年間に言社研を修了した多くの方々が、日本の大学のみならず世界各地の大学や公的機関で研究職に就いており、それぞれの分野で中堅研究者として活躍している。狭義の研究職のみならず、博物館や美術館、メディアや芸術、中等教育、日本語教育、社会運動や地域コミュニティなど——ここに列挙できるのはこれでもほんの一部だ——ほんとうにさまざまな場所で、言社研の修了生が人文学の知見を活かしてくださっている。

もちろん、言社研がそれなりに問題や課題を抱えているのも確かだ。たとえば、言社研の学生は女性、民族的マイノリティ、留学生の比率が高いにもかかわらず、教員のほうにはそれがまったく反映されていないという事実がある（二〇二一年度現在、教授会メンバーのうち女性教員は三名、外国籍教員はゼロ）。ここ数年新規採用できなかったために、教員の年齢構成もいびつになっている。優秀な研究者でありさえすれば年齢も属性も関係ない、といった考え方もあるだろう。しかし、そもそもその「優秀さ」の評価基準は学問コミュニティのなかでつくられるものであり、あまりに均質なコミュニティからは、新しい発想は生まれない。また、斬新な研究を生み出すために多様な視点を確保する必要があるだけでなく、属性による差別や格差をなくし、社会的不公正を積極的に是正すること自体も、人文学の重要な任務の一つである。新しい同僚をなかなか迎え入れることができないのは教育行政に問題があるからだとはいえ、これからの言社研をどうしていくのか、わたしたちとしても真剣に考えていかなくてはならない。

二〇二一年九月。オリンピックとパラリンピックが開催され、全国で新型コロナの感染者が爆発的に増加して、首都圏が深刻な医療危機に陥った試練の夏を経て、新学期を迎えようとしていたころのこと。東キャンパスの池の中央の「島」のようになっているところ一面に雑草が生い茂り、いっせいに小さな紫色の花をつけていて、きれいな花畑ができあがっていた。気になって写真に撮り、あとでインターネットで検索すると、ツルボという名前の草だとわかった。漢字では「蔓穂」と書くが、名前の由来は不明とのことだ。

雑草なんてものはなかったのだ。どんな草花にも、たいていはちゃんと名前がついているのだから。いつの時代かわからないが、その草花に関心を寄せ、名前を与えて大切にする人がどこかにいた。くにたちの森の片隅で、わたしたちがやろうとしてきたのは——それは「研究」なのか、「教育」なのか、あるいはまったく別の呼び方がふさわしいのかもしれないが――いまだ名前のない草花を探しあて、ていねいに育み、名前を与えることだったのではないか。そして、名づけた人が誰だったかは忘れられても、草花の名前はいつまでも残り、わたしたちの社会が共有する知として、歴史のなかで蓄積されていくのだ。

目次

第三部　研究室の扉をたたく

第四部　キャンパスから飛びたつ

第一部　人文学よ、どこへ行く

【前頁写真】
（上）国立駅から一橋大学に続く大学通りの歩道
（下）大学通りから望む旧国立駅舎
撮影：小泉順也

「言語社会」を想像する

糟谷啓介

一　「言語社会」というキマイラ

かつては荒い手ざわりをしたことばが月日の流れのうちに、角が取れて丸くなり、しだいに何の変哲もないことばへと転じていくのは世の常であるが、創始の営みを忘れないためには、むしろ最初に感じたごつごつとした感触の記憶を消し去らないことが大事なのではないかと思う。

いまでは「言語社会研究科」という名称になんの違和感も抱かなくなったが、当初このことばを聞いたときは、なんとなく居心地のわるさを覚えたものである。というのは、従来の大学院では、多くの場合、「○○学研究科」という具合に、大学院の名称に学問分野の名前が付けられていたからである。しかし、「言語社会」というのは学問分野ではない。最初はよく誤解されたものだが、「言語社会研究科」とは「言語社会学」の研究科ではない。研究科の英語名称Graduate School of Language and Societyをみればわかるように、「言語社会研究科」とは、文字通り「言語」と「社会」の研究科なのである。しかしひるがえって考えてみるなら、「言語」と「社会」を研究する大学院とは、いったいなんだろう。いかにもそれがあやふやに感じたものである。

『方法序説』第四部でデカルトは、想像力がいかにわたしたちの理性を惑わすかを示す例として「キマイラ」をあげている。デカルトいわく、「わたしたちは、判明にライオンの頭をヤギの胴体に接ぎ合わせたものを想像できるが、だからといってこの世にキマイラという怪物がいると結論してはならない。というのも、理性は、われわれがこのように見たり想像したりするものが真であるとは、けっして教えていないからである」[1]。たしかに、ライオンの頭とヤギの胴体をもつキマイラはわたしたちの想像力が作り出した空想の産物にすぎない。それでは、「言語」が存在し、「社会」が存在するとして（話の都合としていまはそう考えておく）、「言語社会」なるものは、ふたつの異質な物体をつなぎあわせた空想の産物、つまりは「キマイラ」ということになるのだろうか。

もしかすると、「言語社会」にささやかな違和感をいだいたのは、そこに「キマイラ」的想像力の気配を感じたからかもしれない。しかし、いまやその名称にだれもが慣れ親しんだのだとすると、あの奇怪なキマイラは、人畜無害な愛玩動物へと馴致されてしまったのだろうか。しかしわたしは「キマイラ」を見すてることができない。人間だれしも自らのキマイラを背負っているのだから。いやわたしは冗談をいっているのではない。昨今のすべてを押し流すような時代の流れに抗しようとするなら、「言語社会」という名称にこめられた「怪物的なもの」をもう一度思い起こしてもいいのではなかろうか。

二　言語研究の三つの流れ

アメリカの言語学者ニューマイヤーは、『抗争する言語学』（原題は *Politics of Linguistics*）のなかで、これまでの言語研究の流れには、以下の三つのものがあると述べている[2]。まず人文学的研究。これは言語の創造的作用に関心を向ける。この見方のもとでは、言語は「われわれの文化遺産を映し出す鏡」であり、言語研究は「人間精神の本質そのものの探究にほかならない」。この研究法は古代ギリシア以来二千年を超える歴史をもつとされる。つぎに社会学的研究。これは社会的コンテクストのもとで言語を研究しようとする。この見方によれば、「言語のもつ社会性という自明の事実こそが言語研究の出発点になる」。最後に「自律主義的研究」。これは自然科学者が物理現象を研究するのとおなじやりかたで言語を研究しようとする。この立場の研究者は、「話者をとりまく社会や話者がいだく信念などを考慮に入れなくてもうまく言語を分析することは可能」と考える。

もちろん、ニューマイヤーがいうように、これら三つの立場は独立しているわけではなく、実際にはさまざまな割合でこれらが混在している。ただし、これもニューマイヤーが指摘するように、「言語学という職業集団」は「想像以上にはるかに狭く自己規定するのが常であった」。たとえば、アメリカ合衆国では、「言語研究の人文学的アプローチは一般に『言語学』というカテゴリーに入るとすらみなされていない」(ちなみに、これは日本でもほぼおなじである)。ソシュールの思想をいかに深く研究したところで、その研究者が「言語学者」とみなされることはない。

ニューマイヤーは、人文学的、社会学的、自律主義的という順序で論を進めたが、実際の現象としては、人文学的、自律主義的、社会学的という順序のほうが時間の流れに沿っている。たしかに、自律主義的研究をもっともよく代表するのは、あらゆる経験的なデータを捨象して、脳のなかに表示される「内的言語」だけを研究対象としたチョムスキーだろうが、「言語」をあらゆるコンテクストから分離してとらえる自律主義は、生成文法に特有の見方ではまったくなく、一九世紀の比較言語学にはじまり二〇世紀の構造主義言語学と生成文法にいたる近代言語学の本質そのものに根差すからである。

そのことは、自律主義的言語学がなにを対象としてとりあげるかではなく、なにを対象としてとりあげないかを見ることでよく理解できる。それをよく示してくれるのが、ソシュールの『一般言語学講義』序論第五章の「言語の内的要素と外的要素」である。(3)

三　言語の内的要素と外的要素

この章でソシュールは、世のひとびとがおもに関心を寄せる言語の問題は、ことごとく言語学の真正の対象ではないとして、三つの見方をとりあげる。第一は「言語学と民族学が接触するすべての点、一言語の歴史と一人種または一文明のそれとのあいだに存在しうるすべての関係」である。これによれば、言語と民族の関係などという話題は、言語学があつかうべきものではない。

第二は「言語と政治史とのあいだにある関係」である。ここでソシュールは「ローマ人の四境征服」が言語に及ぼした影響をあげており、さしずめラテン語に対する「基層 substratum」の作用を論じたアスコリなどはここに入るだろう。より興味深いのは、ソシュールがノルウェー語の例に言及していることである。ソシュールはこういっている。「ノルウェーは、政治上デンマークと合一するや、デンマーク語を採用した――もっともげんざいノルウェー人はその〔デンマークの〕言語的影響から脱却しようと努めてはいるが」。たしかに、ノルウェーの公用語はながらくデンマーク語であったが、一九〇五年にノルウェーが政治的に独立すると、言語的にもノルウェー語をデンマーク語から自立させようとする動きが生まれた。この自立の方向には二種類あって、デンマーク語に近いリクスモールをひきつづき使おうとする勢力と土着の方言にもとづくランスモールを採用しようとする勢力の対立が生じた。のちに社会言語学が発展するようになると、カナダ、スイス、ベルギーとならんで、ノルウェーは社会言語学者の研究者が教科書を書くときには、かならず言及するお好みの事例となる。こうしたことをみると、ソシュールは「外的言語学」に無関心だったわけではなく、むしろ当時のヨーロッパの言語状況に幅広く目配りしていたことがわかる。

ソシュールが言語学から排除すべきだとする第三の研究法は以下のものである。「言語と、あらゆる種類の制度、教会、学校、等との関係。これらはまた、言語の文学的発達と密接な関係をもつ。これは政治史と不可分であるだけに、いよいよ一般的な現象である」。ソシュールが具体的にあげるのは、たとえば、「文学語」における「サロン、宮廷、アカデミーの影響」であり、「それ〔文学語〕と地方方言とのあいだに生じる闘争の大問題」であり、さらには「書物語と通用語〔いわゆる「地域共通語」のこと〕との相互関係」である。さらに、ソシュールの見方によれば、ある言語の地理的拡大は、その言語の内的組織とはなんの関係もない。したがって、「言語の地理的拡大および方言分裂にかんするものはすべて、外的言語学の所管」ということになる。たとえば、標準フランス語がどのようにしてパリから地方へ広まったのかとか、文学イタリア語の規範はどのようにして形成されたのかなどの問いは、言語学の外側に放逐されてしまう。

こうしてソシュールは、あれもいらない、これもいらないと、つぎつぎと「外的要素」を切り捨てていく。ソシュールは世間のひとびと——そのなかには言語学者以外の学者もふくまれる——が「言語」とみなしているものは、およそ「言語」の名にそぐわないものだと断定し、その果てに、言語の「固有の秩序しか知らぬ体系」に到達する。そして、有名なチェスの比喩をはさんでから、「どの程度なりと体系を変えるものはすべて内的である」という言明によって「内的言語学」の原理を打ち立てるにいたるのである。

ことばから政治、社会、文化、民族、文学をとりさってしまえば、そこにはなにも残らないと考える世間一般の常識的な見方に抗して、いやそのときにこそ「言語そのもの」が浮き出てくると主張するソシュールの禁欲的態度には、わたしとしても、いささか感動を覚えないわけにはいかない。けれども、ソシュールのいわんとすることは十分に理解しながらも、ソシュールの叙述を読んでいくうちに、ついついソシュールによって切り捨てられた題材のほうが面白いと感じてしまうのもこれまた事実である。

ひとこと添えておけば、ソシュールがここで述べていることは、ソシュールの独創的な説でもなんでもない。ヘルマン・パウルやトゥルベツコイだって似たようなことをいうだろう。つまり、ここでのソシュールの意見は、言語学者であればだれしも分かちもっているいたって「常識的」な見解なのである。ただし、ソシュールの見事な点はそこに鮮明な表現をあたえたことにある。これはだれにでもできることではない。

ソシュールは「外的言語学」を否定するわけではない。内的言語学と外的言語学の違いを明確化したいだけである。そうはいっても、ソシュールが外的言語学の「方法」とみなすものは、「体系のしめつけをきゅうくつがらずに、細目事実を積み重ねる」こと、すなわち「たんなる列挙法」である。つまり、一貫した抽象的原理などに見向きもせず、ひたすらこれもあるあれもあるというぐあいに事実を挙げていくこと、これを「科学の方法」とみなすことには、だれしも躊躇するのではないだろうか。

ほぼこれと同じようなことをチョムスキーもいっている。チョムスキーはあるインタビューのなかで、社会言語学についてこんな性格づけをしている。「ある分野が根底的で重要な原理をもたないとき、それについて言うことはなにもない」。社会学も文芸批評も「いろいろな観察、直観、印象」をもっているが、「原理」をもっていない。社会言語学のやっているのは、「いちばん低いレベルの記述的な研究」であるとして、こういうのである。「たとえば蝶を収集してたくさんの観察をすることもできる。もし蝶が好きならそれもおおいに結構だ。しかしこの活動は筋道の通った研究と混同されてはいけない」と。[4] 抽象的な説明原理を求めずに、現象をひたすら観察・分類するだけでは「科学」とはいえないというわけだ。つまり、社会言語学は蝶愛好家による蝶の採集とかわりないというのである。(こういう勇ましい発言をきくと、わたしなどはふと野原に蝶を採りにいきたくなる。)

四　社会言語学という現象

ニューマイヤーが「社会学的研究」として特徴づけたものは、端的にいえば一九六〇年代から興隆した社会言語学のことである。それぞれ異なる背景をもっている一群の研究者、フィシュマン、ラボフ、ハイムズ、ガンパーズ、ハウゲン、バーステインらが、それまでの抽象的な言語研究にあきたらず、社会で用いられる現実の言語の姿をとらえようとして、精力的に研究を進めた。それ以来、「社会言語学」は研究分野として一定の認知度を得るにいたった。いうまでもなく社会言語学の仮想敵はチョムスキーの生成文法であった。その一方、これらの研究者の多くが、現実の社会で議論された問題との直接の結びつきをもっていた。たとえば、フィシュマンは自身の出自でもあるイーディッシュ語の復興を目指していたし、ラボフは黒人英語(のちにエボニクスと呼ばれるようになる)に対する人種的偏見の是正に貢献したというように。この意味で社会言語学は、社会的現実との回路がなければ成り立たなかったともいえる。

しかしその研究の内実についていうなら、チョムスキーからの「蝶集めの学問」という批判にたえられるかどうか疑問である。というのは、社会言語学という名称を冠する研究のほとんどは、従来の言語学の目指した抽象化と理念化に抗して、現実のことばの姿とそのなかにひそむイデオロギーをとらえようとしたわけだが、その際に使った方法論といえば、言語学的説明のなかに社会学的変数を組みこむにすぎないことが多かったからである。この点については、もっともよく読まれてきた社会言語学の教科書のひとつであるトラッドギルの『言語と社会』（原題は *Sociolinguistics*）の章立てをみてみればよい[5]。その本では、序章で社会言語学の研究の意義をのべたのち、以下の題名の章がつづくのである。いわく「言語と社会階級」、「言語と民族」、「言語と性」、「言語と国家」、「言語と地理」。あいかわらず接続詞「と」のオンパレードである。

ソシュールはけっして「外的要素」を見逃したのではなく、それをとりあつかうことをあえて断念したことは右で見たとおりである。その断念の重みを無視して、万能接着剤の「と」をつかって言語の社会的研究をなしとげようとするなら、いいかえれば社会言語学が「社会学的研究法」という方法論だけを意味するのなら、社会言語学は自律言語学の補完物にしかならないだろう。

だから問題は「研究方法」ではないのである。ソシュールやチョムスキーの「体系性」へのこだわりは、「方法」へのこだわりと同一である。それは定式化された説明的原理による「科学的真理」の探究を目指す。しかしそれだけで「言語」への問いは満たされるだろうか。ここでニューマイヤーがあげた三つの方法のうちの最初のもの、「人文学的研究法」へのあらたな視点が必要になるだろう。

五　言語学と人文学

かつては、言語学が人文学の一部であることは自明であった。ところが、チョムスキーのように言語学を自然科学に属するとみなす見方が広がるような時代にあっては、言語学「と」人文学の結びつきをあらためて問い直す必要がでてくるだろう。（なお、チョムスキーは、言語学は心理学の一部で、ゆくゆくは生物学に統合されると考えている。チョムスキーのいう「心理学」とは「脳＝精神」の組織と構造をあきらかにする学問である。）

ニューマイヤーの整理の仕方では、「人文学的研究法」は言語学成立以前の伝統的な古典文献学と同一視されてしまいかねない。しかも、「文献学」という日本語の訳語がよくないのかもしれないが、文献学という字面からは、ひたすら本文校訂や注釈や書誌調査にいそしむ地味な学問というイメージしか思い浮べられないかもしれない。しかし、テクストの解読を任務にした文献学こそ、人文学の中心に位置する学問分野であるともいえる。考えようによっては、古代アレクサンドリアの文法学者にまでさかのぼりうる「文献学の力」[6]を現代的な視点から発掘することだってできるだろう。しかし、そんな大それた作業はとてもわたしの手には余る。ここではただ思いついたことだけを述べることにする。

一九世紀ドイツで比較言語学がかたちづくられつつあったとき、最初に出会ったのは、古典文献学者からの執拗な攻撃であった。なぜなら、比較言語学は、ギリシア語とラテン語といった古典文献学が西洋文明の神髄とみなす言語よりも、サンスクリットや古ゲルマン語のような「野蛮な」言語をとりあげたからである。比較言語学が学問として自立し、大学制度のなかで確固とした地歩を得るためには、古典文献学からの攻撃にこたえなければならなかった。そこで言語学のほうも、みずからの「科学性」や「法則性」を必要以上に強調しなければならなかった。「音法則に例外なし」をテーゼとした青年文法学派の少々極端な主張も、そうした時代的背景のなかで理解する必要がある。[7]

たしかに当時、古典文献学は学問界でも教育界でも絶大な権威をふるっていた。ニーチェが「われら文献学者」と題した未完の書物のために著わした草稿を読めば、そうした背景がわかってくる。ニーチェは、当時のドイツの文献学者の「嘔吐をもよおさせるばかりの博識」「怠惰な、活動を知らぬ傍観」「臆病な服従」[8]を手きびしく批判したが、それは文献学者が「青年を古代文化によって教育しようともくろむ共謀集団」[9]にほかならなかったからである。ニーチェは文献学批判をつうじて、ドイツの文化と教育に一撃をくわえたかったのだといえよう。しかし、ニーチェは文献学の価値そのものを否定したわけではない。全くその逆である。ニーチェは「文献学はもう終わった、と一般には思われている――しかし私は、文献学はまだ始まっていない、と思っている」[10]というのだから、ニーチェが追い求める文献学はいまだ実現していないことになる（ちなみに、ニーチェが「現代における文献学者の理想」とみなすのはイタリアの詩人＝文献学者のレオパルディである）。

このような攻撃にもかかわらず「文献学」は生きのびた。というよりも、権威の座から降りたかわりに、あらたな言語学的方向を養分として取りいれた文献学、なかでも「ロマンス文献学（Romance Philology）」の分野からは、シュピッツァー、クルツィウス、アウエルバッハ、ヴァインリヒなどに代表される研究が生まれた。かれらはいずれも文学研究者であると同時に――あるいはそれ以前に――すぐれた「ロマンス語研究者（Romanist）」であった[11]。この場合の「文献学」とは、語の広い意味での言語研究であるが、その核にあるのは言語を媒介にした人間精神の探究である。

ソシュールは「言語」と「社会」を切り離した。だからまたふたつをつなげればいいだろう、というような弛緩した態度では、せっかくのソシュールの鋭い問題意識は雲散霧消してしまう。その結果生まれるのは、方法論だけはきれいに整えられた学問的成果の山であろう。もし「言語」と「社会」を結びつけようとするなら、ある種の「キマイラ」を生み出すのをおそれない緊張した精神が必要であろうし、その精神はいわゆる科学的方法論の議論の埒外にあるはずである。だからこそ、二〇世紀の人文学は、否応なく時代への抵抗という重荷をひきうけることで、みずからを高めていくことができたのである。その意味で、一九三二年に著わされたつぎのクルツィウスのことばは、「人文主義」を「人文学」に読み替えるなら、いまでも熟読甘味にたえるものだとわたしは思っている。

しかし二〇世紀の人文主義は自発的に形成されねばならず、何らかのプログラムによって妨害されてはならない。つまり、理念はまったく純粋なままに観られ愛される場合にのみ、新しい生へと目覚めることができるのである。もしそうでなくて、いわゆる時代精神への何らかの譲歩によって理念を受け入れやすいものにせねばならぬと信じるなら、理念を救えないばかりでなく、かえって危険にさらすことになる。学界の議論や教育のプログラムの中からは、人文主義は甦らないだろう。この甦りは生の極度の凝縮と創造的な緊張からしか来ない。新しい人文主義は精神性ばかりでなく感性も意味しなくてはならない。技芸と詩、遊戯と目の喜びが、深遠な学識ではなく愛らしい美がこの人文主義を担わなくてはならないだろう。これらの領域から人文主義が大学に滲透することを私は願う。しかし人文主義は大学から離れたところで成立しなくてはならないと思う。(12)

【註】

(1) デカルト『方法序説』谷川多佳子訳、岩波書店、五六頁。
(2) F・J・ニューマイヤー『抗争する言語学』馬場彰/仁科弘之訳、岩波書店、二〇〇四年、一一一四頁。
(3) F・ド・ソシュール『一般言語学講義』小林英夫訳、岩波書店、一九七二年、三五―三八頁。
(4) ミツ・ロナ編『チョムスキーとの対話――政治・思想・言語』三宅徳嘉/今井邦彦/矢野正俊訳、大修館書店、一九八〇年、一〇二頁。
(5) P・トラッドギル『言語と社会』土田滋訳、岩波書店、一九七五年。
(6) Gumbrecht, H. U., *The Powers of Philology. Dynamics of Textual Scholarship*, University of Illinois Press, 2003.
(7) このあたりの事情は以下の本に詳しい。Amsterdamska, O., *Schools of Thought. The Development of Linguistic from Bopp to*

Saussure, Dordrecht: D. Reidel Publishing, 1987.

（8）ニーチェ「遺された断想（一八七五年―一八七六年春）」高辻知義／谷本慎介訳、『ニーチェ全集』第五巻（第一期）、白水社、一九八〇年、二二一頁。

（9）同上、一六八頁。

（10）同上、一四五頁。

（11）私事にわたるが、わたしがイタリアの「言語問題」に関心を寄せるようになったのは、アウエルバッハのロマンス文献学の入門書を読んだことがきっかけである（Auerbach, E., *Introduction aux études de philologie romane*, Frankfurt am Main: Vittorio Klostermann, 1949）。

（12）E・R・クルツィウス『危機に立つドイツ精神』南大路振一訳、みすず書房、一九八七年、一二六―七頁。

ユートピアが実現したら、わたしたちは小説を読むだろうか

中井亜佐子

ユートピアに小説はいらない？

朝目覚めたら、二〇〇〇年後の世界にタイムトラベルしていたとしよう。そこはあらゆる人びとが豊かで、幸福で、健康な生活を謳歌する理想社会だ。道行く人はみな若々しく表情も晴れやかで、色鮮やかな美しい衣装をまとっている。煤けた都会があったところに草木が生い茂り、小鳥の声が響きわたる自然が蘇っている。

一九世紀イギリスの思想家、ウィリアム・モリスが『ユートピアだより』（一八九〇年）で描いた二一世紀は、そんな社会である。実現していたら、わたしたちは差別や貧困に苦しむこともなく、わずかな賃金のためにあくせく働く必要もなかっただろう。なにしろ、貨幣制度が廃止された世界なのだから。産業による自然破壊もなくなり、気候変動に怯えることもなかっただろう。平等な社会は不自由で無味乾燥なのではないかと、不安になるかもしれない――二〇世紀の社会主義国がしばしばそうだったように。心配しなくてよい。社会主義者である以前に詩人、芸術家だったモリスは、美や快楽を肯定する審美主義者でもあったから、彼の構想するユートピアは美しいもの、楽しいことで溢れている。賃金制度から完全に切り離されたとき、労働はそれ自体が快楽になるという。

だが、『ユートピアだより』の語り手である一九世紀人、ウィリアム・ゲストとともにユートピアに紛れこんだわたしたちは、あることに気づく。ユートピアの住人は「あまり読書家だとは思えない」のだ[1]。歴史書や小説を好んで読む人物は何人か登場するのだが、もの好きな老人だったり、ちょっと反動的な思想のもち主だったりする。読み書き

は禁じられるわけではないが奨励もされず、出版業も滅びかかっている。資本主義も階級社会も消滅した世界にあっては、文化資本としての読書は存在しない。とはいえ、たとえ他人は本を読まなくても、自分が好きなら読む自由はある。文学を研究したければ、勝手にやればいいだけだ――変人扱いされながら。

言社研が設立二五周年を迎えるのとちょうど同じ年に、わたし自身も大学教員として最初の着任校で教えはじめてから二五年目になった。「人文学の危機」が叫ばれ続け、わたしが主たる専門とする文学研究はとくに、その「社会的要請」の低さ、すなわち「役に立たない」ことが批難され続けた四半世紀だった。[2] わたしたちが住む社会はユートピアではないので、ただ好きだというだけで研究していてはいけないらしい。新自由主義化した大学では、研究であれ教育であれ、そのコスト(教員の人件費や設備維持費)に見合う利益(ベネフィット)が求められる。教育の目的は(おそらく)金儲けではないから、利益といってもかならずしも貨幣に換算できるものではないだろうが、卒業生がいかに経済界に貢献するかとか、研究が国家の経済成長に貢献できるかとか、もっと抽象的な「国益」に資するかとか、そういったことが研究や教育の価値の評価指標になるのだ。

現代の日本では一般的に、文学と聞くと小説を思い浮かべる人が多い。だが、小説――英語の novel の訳語としての小説――は、近代の商業社会、産業社会のなかで生まれ発展してきた、比較的歴史の浅い文学の一形態だ。近代的な自由思想の普及や金銭的、時間的な余裕のある中流階級の誕生がなかったならば、小説は書かれることも読まれることもなかっただろう。現代において英語で書かれた小説が世界中で読まれている背景には、イギリスによる植民地支配、アメリカ合衆国による経済覇権によって英語という言語が世界的に拡散したこと、出版産業がグローバル化したことなどといった、社会的なインフラが欠かせない。近代小説の代表的な表現手法であるリアリズムとは、現実社会をその基盤的条件とともにリアルに再現しているかのようなフィクションを書くことである。その意味では、小説は近代以降の生産体制――資本主義、帝国主義、グローバリゼーション――と共犯関係にある。

もちろん、小説はたんなる社会の映し鏡ではない。どんなにもっともらしくみえたとしてもそれはフィクションであって、現実を解釈し、歪曲し、願望や欲望をまじえてこしらえられた虚構なのだ。だが、それゆえに小説は、まったく架空の世界をリアルに描くことによって現実の社会を批判し、オルタナティヴな社会像を提示することもできる。だからこそ小説、あるいは小説の読解や研究は「社会の役に立つ」——二一世紀の文学研究者ならこう主張したくなるかもしれない。しかし、文学（研究）の「社会的要請」について長年考え（させられ）たいま、文学と社会の関係をいっそう原理的に思考するために、わたしは問いをもう一ひねりさせてみたいと思う。不完全な現実社会にたいする批評として小説は「役に立つ」かもしれないが、理想社会が実現したならば用なしになってしまうのではないか。グローバル資本主義の時代が終わってしまえば、小説という文学形態はもはや必要ないのではないか。

　モリスが描いた美しきユートピアからは、詩、すなわち美的に使用される言語がなくなることはない。人間に人間的な情動があるかぎり、物語もなくなることはない（このユートピアで唯一起こりえる物語は、恋愛と嫉妬に起因している）[3]。だが、小説はどうか。純粋な詩的言語にも物語にも還元できない、特殊な歴史性を帯びた文学の一形態としての小説は、ユートピアを生き延びることはできるだろうか。

　イギリス近代小説のなかでも世界的にもっともポピュラーな作品の一つ、ジェイン・オースティンの『高慢と偏見』（一八一三年）の有名な冒頭の一文を思い出そう。「独身の青年で莫大な資産があるといえば、これはもうぜひとも妻が必要だというのが、おしなべて世間の認める真実である」[4]。この一文のアイロニーを適切に受容するためには、読者は私有財産制と家父長制の近代的形態についての知識を共有していなければならない。この小説に描かれる恋愛は美的言語で書かれた情動的な物語である以上に、資産のある男性と結婚するという、一九世紀イギリスにおける没落地主階級の女性に許された唯一の生活手段を得るための、生存を賭けた闘いの表象なのだ。逆にいえば、私有財産制も近代的家父長制も貨幣制度もなくなってしまえば、それらの制度を前提とする社会に根ざした文学形式など不要だということになってもおかしくはない[5]。

　モリスが自身の社会主義の理想を記述するのに『ユートピアだより』をわざわざ小説として書いたのは、逆説的ではあるが必然でもある。ユートピア小説が読まれ、書かれるのは、理想社会がいまだ実現していないからだ——ユートピアにユートピア小説は必要ない。ユートピア小説の究極の目的がユートピア小説の消滅する世界の実現にあるとすれば、それを駆動するのは自己破壊の欲動である。

歴史の終わり／近代文学の終わり

一九九〇年代前半、わたしが大学院生として英文学研究を志し始めたころ、「歴史は終わった」という言説が学生のあいだでもそれなりの影響力をもっていた。フランシス・フクヤマの『歴史の終わりと最後の人間』（一九九二年）をめぐって、留学先の友人とわりと真剣に議論を交わしたことを覚えている。[6] 東西冷戦の終結とともに自由民主主義が勝利し、弁証法的闘争の歴史は止揚されて永遠平和も近い将来に達成されるのだと、その友人はわりと楽観的に信じていた。モリスの描いた社会主義ユートピアではない。彼が夢想していたのは、自由主義経済と民主主義が手をつなぐことによって完成される理想社会だった。友人がまちがっていたのはいうまでもない。二一世紀に待ち受けていたのは、米国同時多発テロとそれに続くイラク戦争と各地でのテロ、イスラエルによるパレスチナ弾圧の継続と激化、金融危機、経済格差と貧困の増大、そして専制政治とファシズムの無気味な再興である——むしろそれは、ディストピアに近い状況だというべきだろう。

しかし、モリスの予言のうち一つだけ、ささやかながら二一世紀に実現したようにみえるものがある。わたしたちは確かに本を読まなくなった。小説を読むことが社会的に権威と価値のある行為だとは、もはや言えなくなってきた。そうした時代の空気をみごとに代弁したのが、柄谷行人の挑発的な論考「近代文学の終り」（二〇〇五年）だ。柄谷によれば、近代文学、とりわけ小説は、一九八〇年代にその重要性と特殊な価値を失ってしまった。娯楽としての小説がこれからも存在し続けるとしても、小説は倫理的、政治的な役割をすでに果たし尽してしまった。それでもよい、と柄谷はいう。「はっきり言って、文学よりも大事なことがある」[7]のだからと。ここでおそらく重要なのは、柄谷もまた、小説は美や快楽には還元できず、倫理的だったり政治的だったりするような役割を社会にたいして担っていると考えている点である。そのような役割は、歴史を超越して存在するわけではない。社会のあり方が変われば「果たし尽す」こともあるだろう。

だが、柄谷の議論を精査すると、そう簡単に結論づけてしまうわけにはいかなくなる。彼によれば、アメリカ合衆国では近代文学は一九五〇年代からすでに衰退していたが、それは「マイノリティの文学」が主流化してきた時期に重なる。また、一九七〇年代以降になると、「黒人女性作家、そしてアジア系の女性作家など」が出てきたが、「彼ら［ママ］は文学的活力をもっていましたが、それはもう社会全体に影響をもつようなものではなかった」と主張する[8]。しかし、たとえばトニ・モリソンは「社会全体」に影響力をもっていなかっただろうか。黒人女性の文学が普遍化できないというなら、白人男性の文学だって普遍化は不可能なのではないか。けれども柄谷は、一九八〇年代以降のブッカー賞の受賞者に「マイノリティあるいは外国人」が多いことについても、同じように悲観的である[9]。

柄谷が暗にいわんとするのは、以下のようなことだ。小説を読み、批評することによって社会的・文化的な威信を獲得してきた人たち——特定の属性をもち、知的言語にアクセスできる階層の人たち——にとっては、彼らにとって重要であるような文学は確かに終わってしまった。彼らにとって、それは確かに「歴史の終わり」、すなわち文学という場を借りたイデオロギー闘争の終焉を意味していた。「女性」「マイノリティ」「外国人」が大挙して文学に参入し、彼女らの闘争の場に置き換えてしまった——まさにそのことのために、文学は彼らにとっての価値を失ってしまったのだ。逆にいえば、彼らに含まれないわたしたちにとっては、文学はいまだ闘争の場であり続ける。

柄谷が近代文学の終焉を宣言していたのとほぼ同じ時期に、エドワード・サイードがむしろ伝統的な文学研究の手法への回帰を主張していたのは興味深い。『オリエンタリズム』（一九七八年）の著者として、そしてパレスチナ解放運動のスポークスパーソンとして知られたサイードは、最晩年にはふたたび文献学（philology）の原義「言葉への愛」

に立ち戻っていた。文献学的読解とはテクストのなかに深く入りこみ、一つ一つの単語や修辞を緻密に吟味しながら読むこと、いわゆる「精読」の作業である。だが二〇〇〇年代のアカデミアには、セクシズム、エリート主義、年齢差別、レイシズムなどと同じように「リーディズム（読書至上主義）」——テクストを注意深く読むことに集中しすぎるあまり、そのテクストを絡めとる権力構造を適切に見抜くことができなくなること——を批判する風潮があるのを、サイードは憂慮していた。サイードによれば、テクストを表面的に読むだけですぐさま巨大な権力構造についての議論に向かうようなタイプの批評は、人文学の文献学的基礎を放棄している。個別のテクストから一般化された議論へと移行するためには、まずはテクストをその複雑さのままに受容しなくてはならないという。精読という個人化された徹底的な受容と、共同体的な解釈による意味の定式化——サイードにとっては、どちらも現実の歴史や社会に抵抗して別の選択肢を提示するという、人文学の実践にとっては欠かすことのできない基礎なのだ。[10]

文学研究と批評は、美的判断から出発している。文学作品を読むことは新聞を読むのとは異なり、特別な種類の精読と受容を必要とするのだと、サイードは断言する。二〇〇三年秋に亡くなった彼はツイッターを知ることはなかったが、いまならきっと、文学とツイッターはちがうとも主張しただろう。しかし「美的なもの」としての文学が、歴史から免除されるわけではないともいう。文学テクストを読むことは「美の領域」と「歴史の領域」のあいだの社会的な抗争であり、両者はつねに和解なき弁証法的関係にある。[11] サイードに倣えば、少なくとも次のようにいうことができるだろう。〈歴史〉が終わらないかぎり、真のユートピアが実現しないかぎりは、美と歴史の抗争は続くし、文学作品を読むことの社会的意義がなくなることはない。

小説ならざる小説を求めて

とはいえ、文学の権威たち——研究者や批評家、そして小説家自身ですら「読むこと」をなかば放棄するような時代に、わたしたちは生きている。二〇〇三年にノーベル文学賞を受賞した南ア出身、現在はオーストラリア在住の小説家、J・M・クッツェーは、ポール・オースターへの書簡（二〇一〇年七月一九日付）のなかで、余暇に凡庸な小説を読んで過ごすよりは庭で落ち葉かきをしていたいと告白し、「小説(フィクション)など全然読まないと公言することが、少なくとも男たちのあいだでは、しごくまともなことになってしまった」と述べている[12]。

美と快楽を求めるならば、小説よりもすぐれたコンテンツがいくらでもある時代だ。黒い文字を地味に眼で追うだけよりは、音、造型、色彩、動きを視覚と聴覚を最大限に駆使して味わうほうが、よっぽど刺激的だし楽しいだろう。オースター宛ての同じ書簡のなかで、クッツェーはこうも書いている。「これまで試みられたことのないなにかをやろうとしない小説には、とくに表現手段(メディア)そのものでなにかをやろうとしない小説には、じれったくなる」[13]。資本主義社会では「娯楽」と呼ばれる消費財に堕してしまった「美的なもの」がいまだ〈歴史の終わり〉に抗う力を発揮し続けるためには、小説という「メディアそのもの」を変革しなくてはならない。

たとえば、すべての人びとが船で到着する、移民だけで成りたつユートピアがあったとしよう。人びとはみな移住してくる前の記憶を失っており、あらたにスペイン語を学習し、お互いがぎこちないスペイン語で会話をする。新参者には住居と職が与えられ、貨幣は存在するものの交通機関や公立の学校、市民教育など、公共サービスの多くは無料だ――クッツェーの『イエスの幼子時代』（二〇一三年）の舞台となるノビージャの町は、そんな世界である。だがこの町には、二〇世紀の社会主義国を彷彿とさせるような、画一化による味気なさが漂っている。労働はかならずしも楽ではないし、住宅はお世辞にも美しいとはいえず、肉を食べずセックスもしない生活は退屈でもある。スタート地点ではみな平等だったはずなのにすでに格差は生じているし、住民の大半は善意の人たちだが、悪人がいないわけではない。やや反動的な中高年男性という設定の視点人物、シモンによって観察されるこの世界は、いまだ中途半端にしか実現していないユートピアだ（むしろディストピアかもしれない）。小説そのものも、学習者が話すスペイン語を模したかのような、語彙も修辞も切りつめたシンプルな英語で書かれている。

全員が学習言語で会話するような社会ではもちろん、人びとはあまり読書をしない。伝統的な文学の価値もほぼ消失している。シモンはダビードという少年を父親代わりとして育てている。ダビードはある日、音楽のレッスンで習ったシューベルトの『魔王』のパロディのような歌を披露する。しかし、歌詞の意味がわかる人は誰もいないし、ましてや原詩を書いたのがゲーテだと知っている人もいない（作品中では原詩をもじった歌詞がドイツ語で「引用」されているが、登場人物たちはその言語を英語と呼んでいる）。[14] しかし、これが『魔王』のパロディだとわかる読者にとっては、とても意味深なアリュージョン（引喩）である。ゲーテの詩の物語はこうだ。熱病にうなされる子どもを抱えて、父親が馬を走らせる。子どもは魔王が自分を殺そうしていると言って怯えるが、父親には魔王の姿は見えず、子どもが木かなにかを見まちがえているのだと考える。だが詩の最後で父親は、腕のなかで息絶えた子どもを発見することになる。

ノビージャに住む善良な人びとは、その限られた言語能力のせいで、言語を比喩的に使ったり、表向き語られていることを別の意味に解釈したりといったことが得意ではない。人びとの多くはアイロニーを理解せず、「ものごとの仮象と実在の違い」[15]がわからない。『魔王』の父親と同じなのだ。目に見えるものとその意味や本質のあいだにちがいなどなく、木を見てそこに魔王を想像することはない。つまりこのユートピアは、表象作用（リプリゼンテーション）が消失しつつある世界、ことばも比喩ではなく字義どおりの意味でしか流通しなくなりつつある世界である。表象の消失する世界などというものが実現すれば、文学研究者にとってはディストピアだろうが、善良な人びとにとってはかならずしもそうではないかもしれない（文学研究者はかならずしも善良ではない）。人類の発明したもっとも屈強な表象制度といえば貨幣制度だろうが、『イエスの幼子時代』で描かれるノビージャの港湾労働者の生活では、貨幣はたいした価値をもっていない。彼らは日々、重たい小麦の袋の運搬という労働の対価として賃金を支払われているが、生活に必要なものの多くは無料で手に入る。善良なユートピア人にとっては、労働の意味は貨幣と交換することではなく、みんなといっしょに労働すること、それ自体にある。「労働しないと、労働をシェアしないと、仲間同士の友情なんて生まれないし、中身のないものになる」[16]。

この小説はいわば、小説が読まれなくなりつつある世界における「読むことのアレゴリー」であるともいえる。たとえばこんな場面もある。ある日シモンは、子ども向けに易しく書きなおされた『ドン・キホーテの冒険』を図書館から借りてきて、ダビードに読み聞かせる。ドン・キホーテが「巨人」と闘うシーンには、巨人ではなく風車が描かれた挿絵がある。しかしダビードは、絵は確かに風車に見えるけれども、ドン・キホーテの言うとおり、ほんとうは巨人なのだと言い張る[17]。木を見て魔王だと言ったゲーテの詩のなかの子どもは、同時にドン・キホーテでもある。どちらも表象の彼岸に〈真実〉を求めているのだが、そのことによって、逆説的に、両者のあいだの差異が消失してしまうことに抵抗もしているのだ。

〈歴史〉が終わって表象のないユートピアが実現すれば、表象と〈真実〉が完全に合致し一体化するような詩（うた）と物語が出現するのかもしれない。しかし、小説が読まれなくなった後に来たる文学のかたち、もはや「小説」ではない文学を、わたしたちはいまだに、小説をつうじて想像している。理想の社会を夢見るためには、いまここにある、使い古された言語や形式に頼るほかはない。二一世紀において小説を読むという行為は、〈歴史の終わり〉を想像しつつその〈終わり〉に抗い続けるという、ドン・キホーテの冒険に劣らず滑稽で、無謀な挑戦なのである。

【註】

（1）William Morris, *News from Nowhere and Other Writings*, Clive Wilmer ed., Penguin, 1998, p.166. ウィリアム・モリス『ユートピアだより』松村達雄訳、岩波書店、一九六八年、二五四頁。

（2）「国立大学法人等の組織及び業務全般の見直しについて」（二〇一五年六月、文部科学大臣発令）では、人文社会系の学部と大学院は「組織の廃止や社会的要請の高い分野への転換に積極的に取り組むよう努める」よう要請された（傍点筆者）。

(3) *News from Nowhere*, pp.188-190.『ユートピアだより』三〇〇―三〇三頁。

(4) Jane Austen, *Pride and Prejudice*, Penguin, 2014, p.5. ジェイン・オースティン『高慢と偏見（上）』小尾芙佐訳、光文社、二〇一一年、七頁。

(5) ユートピアにおける小説の実用的な意義について、モリスの小説の登場人物の一人は、小説は過去の過ちの教訓として保存されるべきだと主張している。*News from Nowhere*, pp.213-14.『ユートピアだより』三五〇頁。

(6) Francis Fukuyama, *The End of History and the Last Man*, Free Press, 2006. フランシス・フクヤマ『歴史の終わり』上・下巻、渡部昇一訳、三笠書房、二〇二〇年。

(7) 柄谷行人『近代文学の終り』（インスクリプト、二〇〇五年）四七頁。

(8)『近代文学の終り』四〇頁（傍点筆者）。

(9)『近代文学の終り』五九頁。

(10) Edward W. Said, *Humanism and Democratic Criticism*, Columbia University Press, 2004, pp.60-61. Ｅ・Ｗ・サイード『人文学と批評の使命――デモクラシーのために』村山敏勝／三宅敦子訳、岩波書店、二〇〇六年、七五―七六頁。

(11) *Humanism and Democratic Criticism*, p.74.『人文学と批評の使命』九三頁。

(12) Paul Auster and J. M. Coetzee, *Here and Now: Letters 2008-2011*, Viking, 2013, p.165. ポール・オースター、Ｊ・Ｍ・クッツェー『ヒア・アンド・ナウ――往復書簡 2008-2011』くぼたのぞみ／山崎暁子訳、岩波書店、二〇一四年、一九四頁（一部改変）。

(13) *Here and Now*, p.165.『ヒア・アンド・ナウ』一九四頁（一部改変）。

(14) J. M. Coetzee, *The Childhood of Jesus*, Harvill Secker, 2013, p.67. Ｊ・Ｍ・クッツェー『イエスの幼子時代』鴻巣友季子訳、早川書房、二〇一六年、九〇―九一頁。

(15) *Childhood*, p.64.『イエスの幼子時代』八七頁。

(16) *Childhood*, p.110.『イエスの幼子時代』一四六頁（一部改変）。

(17) *Childhood*, p.153.『イエスの幼子時代』二〇二―二〇三頁。

【対談】言社研と音楽と人文学

新野見卓也・小岩信治

小岩信治　言語社会研究科で学んだ人はその後、一橋大学東キャンパスの国際研究館で過ごしたかつての時間をどのように感じているのでしょう。それを想像するために、ここでは新野見卓也さんに話を訊いてみたいと思います。よろしくお願いします。

新野見卓也　よろしくお願いします。

小岩　新野見さんは二〇一四年に修士課程を修了、その後ブダペストのリスト音楽院でピアノを学び、現在も現地で生活しています。修了生が在籍していたころをいまどう振り返るかなんて、当然その答えは修了生の数だけあるわけですから、どうぞ気楽に。

新野見　はい。修了生代表のように思われると荷が重いですので、このページをいま開いた読者の方も、あくまで一例として気楽にお読みください。

一　本と出会う環境——言社研に入るまで

小岩　在学中の新野見さんというと、あとで話すように当時は新野見さんだけでなかったと思いますが、本に囲まれて生活していたという印象があります。そういう生活ってどうやってはじまったんでしょうか。想像するに、親御さんも読んでたんでしょう?

新野見　そうです。いわゆる文化資本の話題ですよね。母はぜんぜん読まないんですけど、理系の父は、いわゆる昔の大学生でした。つまり文系／理系や自分の専門にとらわれず、ブックガイドを参考に岩波新書とか中公新書とかを順に読んでいくタイプです。それでI・カント『純粋理性批判』とかが本棚にあったわけです。絶対に読めてないはずですけど（笑）。でさらに浅田彰『構造と力』のような話題の思想書が出れば買っていた。読んだ形跡は最初のほうで終わってるんですが、書棚にあったんですよ。

小岩　なるほど、じゃあ新野見さん、『構造と力』は自分では買ってないんだ。

新野見　はい、私の持ってる『構造と力』は父が持っていたものです。子供のころからタイトルだけは知っていたという本はすごく多かった、それは大きかったですね。父の本棚って意外とおもしろいって気づいたのは中学生くらいです。きっかけはよく覚えてないんですけど、そのころA・C・クラークの原作をS・キューブリックが映画化した『二〇〇一年宇宙の旅』とか、SFが好きだったんですね。だからそこで扱われている科学的内容をもうすこし詳しく理解したくなって講談社ブルーバックスを読みはじめました。父は理系だったのでブルーバックスはひととおり揃ってたんです。それをわからないなりにいろいろ読んでました。

小岩　そのころから本に囲まれていたんだ。でもピアノも弾いていたんだよね。

新野見　はい。母の影響のもとでやっていました。だから文字情報で知識を得ることに慣れてくると、ピアノについてとか、音楽が生まれた土地や時代の文化についても知らなくちゃと思って、それで文学に興味をもったんですね。確か中学二年生だったんですけど、H・ヘッセの『シッダールタ』を読みました。なんでそのチョイスだったかって言うと、私鎌倉とか京都とかお寺とかで仏像を見るのが好きで、どこかの和尚さんが『シッダールタ』がいいって言っていたんですね。それで、西洋の文学っていうものも知ってみたかったし、仏教についても知りたかったので読んだのだと思います。それで読んで、たぶんほとんどわからなかったんですけど、それなりにおもしろかった。半分は「すげえ、俺文庫本読んでる」っていうそういう気分で、でも続けて、他の「文学」と呼ばれるものも読んでみたい、という欲望が掻き立てられるくらいにはなにか引っかかるところがあったんだと思います。

小岩　その和尚さん、いまどうしているでしょうね。

ご自分の言葉がこのように紹介されているとは想像なさっていないでしょう（笑）。それはともかく、続きをどうぞ。

新野見　はい。そうすると父の本棚で、こんどはブルーバックス以外に目が行くようになった。父は昔のいわゆる教養主義の残っていた時期の大学生だったので、岩波文庫をたくさん持っているんですね。さっきの『純粋理性批判』とかです。それで中学三年のとき、F・ドストエフスキーの『罪と罰』を読んで、それがいちばん衝撃的でしたね。人文学という言葉はまだ知らなかったですけど、これがいちばん効率的というか深く、人間や世界といったものを知るためのツールなんだっていうことを、なんとなく分かったんだと思います。それからおもしろくなって、いろいろ読んでいきました。私は私の世代にしては、自分で言うのもなんなんですけど、意外と古典を読んでるんです。岩波文庫、新潮文庫、中公文庫とかって。それはたぶん私が田舎に住んでたからで、田舎だとあんまり本買う手段がない。当時インターネットもそんなになかったですし。そうすると自分の手持ちや父親の本棚から芋づる式に知っていくしかなくて、とにかく海外文学を高校卒業ぐらいまでひたすら読んでました。あと英語がそれなりにできたので、高校三年のときには英文和訳とか、受験の問題は機械的にできるようになってました。なので英語の勉強するときには問題を解くよりも、J・ジョイスとかE・ヘミングウェイとかの原書に挑戦したりしていました。ぜんぜんわからなかったですけど。

小岩　それで、まずは仏文をやる、と、大学を目指したんだ。

新野見　それはもう、大江健三郎になりたかったからです（笑）。

小岩　（笑）。

新野見　大江は高校時代の私の最大のヒーローで、彼が仏文出身ということだけで仏文をやろうと思いました。それで自分も仏文やって作家になって、予定ではいまごろ芥川賞はとっくに取ってるはずだったんですけどね（笑）。

小岩　だけどそのときに大江健三郎になりたいと言い

つつＩＣＵというのは、ちょっと違うんじゃないかと思いますけど？

新野見　それはものすごく単純な話で、要するに東大に落ちた。で、浪人はしたくなかったんです。

小岩　そういうことなのね。

新野見　早慶のような大きい大学は受けませんでした。滑り止めに受けたのが上智とＩＣＵで、高校の先生に訊いたらＩＣＵがいいと言っていたので。あともうひとつは、私は二〇〇六―〇七年にかけて高校三年で、そのときＮＨＫで『毎日モーツァルト』という番組をやっていました。生誕二五〇周年に合わせて著名人がモーツァルトについて五分とか一〇分とか短い時間で語る番組で、母親がそれを見ていた。あるとき村上陽一郎という人が話したことがすごくいいと母が言っていて、この先生はどこの大学だと。ＩＣＵだと答えると、じゃあＩＣＵがいいんじゃないか、と（笑）。

小岩　村上陽一郎先生もいい仕事をなさったわけだ。

新野見　彼の論理学の授業を受けたのはいい思い出ですね。いまでは忘れちゃいましたが、論理式をいっぱい覚えました。

小岩　それは日本語での授業？

新野見　そうです。

小岩　それでＩＣＵに進学。もしＩＣＵに行かなかったら、一橋の言社研に気づかなかったんじゃない？

新野見　そのとおりです。実はＩＣＵに入ってはじめて音楽学というものがあることを知ったんです。作曲家の伝記とか楽曲分析の本とかはもちろん読んでいたんですが、それがひとつの学問の体系の成果として世に出されているということも意識していなかったし、そもそも誰が書いてるんだろうということも気になっていなかった。つまり自分にとって音楽って、まずは「実践のもの」で。その意味でもＩＣＵに行ってなかったら言社研に進学してなかったのかもしれません。

小岩　音楽についての文章について、多くの人にとってその著者が誰かなんて興味ないことですよ。で、ＩＣＵにいたのは伊東辰彦先生がいたころですね。

新野見　そうです。私は二〇〇七年の入学なので、そのまえにいらした金澤正剛先生とは接点がぜんぜんないんです。

小岩　そうか。だけど入ったところは仏文だったということもあり、卒業したらどうしようと思ったときに、言社研があることに気づいた、と。

新野見　そうです。私が大学三年生のとき、伊東先生がリーブつまり研究専念学期だったんです。その代講に、言社研で博士課程を修了した広瀬大介先生が来たんですよ。

小岩　言社研がもう一段近づいたと。

新野見　そうなんです。二〇歳のときに広瀬先生と出会いました。当時C・クライバーの評伝を訳されてました。私は彼の音楽学者としての業績はほとんど知らなかったんですけど、『レコード芸術』で名前は見るし、なによりあのクライバーの本を訳してると。これはもう授業に出ないわけにはいかないと思って。それがすごくおもしろい授業でした。音楽専攻の学生向けの、いわゆるガチな授業。そこでE・ハンスリックの『音楽美論』を英語で読みました。

小岩　それはガチだわ、確かに。

新野見　学期の前半は輪読。後半はハンスリックと彼が論じた作曲家や作品について発表というものでした。その発表が一人一時間半、一時間発表で三〇分ディスカッション。ちなみに私はハンスリックとR・ヴァーグナー《ニュルンベルクのマイスタージンガー》とかいう、ガチもガチなテーマを選んでしまって。それでがんばって発表したんですけど、そのとき先生に言われたコメントをいまでも覚えています。「愛だけは伝わりました」と（笑）。

小岩　ははは。

新野見　この学生は《マイスタージンガー》好きなんだなと思われたんでしょう。

小岩　いいんじゃないでしょうか。

新野見　そうですね。二〇歳ですから、とにかく情熱が伝わったのなら合格と、いまの私なら思います（笑）。そのころから、大学院で音楽学をやってもいいかなって思い始めました。

小岩　なるほどね。

新野見　文学はやっぱり好きなので学部はそれでいこうと思って、最初は大学院もそのまま進学しようかと思ってたんですが、音楽学の授業に出てからは、それまで自分は演奏という形でしか音楽へのアプローチの方法を知らなかったけれど、こういうやり方で見えてくる音楽の別の側面があることを知った。それはそれでおもしろいなと思いました。なにが決定的だったかはよく覚えてないいんですけど、広瀬先生が来たころから音楽学に進むことを意識して考え始めましたね。それで実際に田辺秀樹先生を紹介してもらい、結局言社研に進学しました。

小岩　ちなみにその田辺ゼミを引き継いで現在の小岩ゼミがあります。

新野見　大学院進学までのことでほかにすごく覚えてるのが、当時配信とかユーチューブとかまだぜんぜんなかったので、広瀬先生に「先生、音楽を勉強したいのでお願いします」とか言って、オペラのDVDを毎週二枚ずつくらい持ってきて貸してもらっていたことです。その貸し借りでいろんなものを見ました。G・ヴェルディ《ドン・カルロ》、U・ジョルダーノ《アンドレア・シェニエ》やR・シュトラウス《影のない女》などなど。

小岩　へぇー。

新野見　いまだったらなんでもネット上に落ちてますけど、当時はそんなにありませんでした。だから「手渡し」でものを受け取っていたんですけど、「手渡し」で知識をやりとりするって意外と大切だと思うんですよ。つまり世のなかにはブックガイドとかCDガイドとかいろいろありますけど、一般的にこれを読め／聴けというんじゃなくて、実際に誰々が読んで／聴いているから、直接誰々に言われたから読む／聴くというのは結構重要だと思うんですよね。私は、大学ってそういう場じゃないか、それが大学の強みじゃないかと思っているんですが、いま思えば当時、そういう「出来事」的な体験をしていたんだと思います。たとえばオペラのDVDにしても、有名なものは当時それなりの数発売されていました。でも先生がこの演奏・この演出のものを渡したということは、それがいいものだという刷り込みになるわけですよ。これいまの自分にすごく効いてると思っていて、なぜかと言うと、いまでも広瀬先生と会って話を聞いたり先生のツイッター見たりしてると、「そのとおり！」って思うんです。そこで別に先生の弟子を気取るつもりはないんですけど、ある種の継承が行われたんだなという気はしますね。

小岩　そういう「刷り込み」って、「中立ではない」とか、敬遠する若い人がいるのかもしれない。でも、そういうところからスタートするんだよね。

新野見　はい。宮台真司風に言えば「感染」ですけど、逆説的ですが自律・自立するためにはまずは依存しなくちゃならないんだと思います。そういう感染とか継承って、「次の授業までにこの曲聴いておいてね」じゃあ起こりにくいことだと思うんですよ。結局「クラシック音楽」って、なにがいいっていうことに最終的な根拠はないわけじゃないですか。だから、まずは先生なり師匠なりがいいと言っているものをいいと思う感性を自分のなかにつくっていくしかなくて。そういう「伝達」を、意識的にか無意識的にかわからないですが、こっちも受けたし広瀬先生もしてくれたんだと思います。

小岩　「次の授業までにこの曲聴いておいてね」「この曲誰のでもいいから聴いといてね」じゃあ伝わらないのは、そのブツを介して、ものフェチじゃないけど、これは先生から借りたものだっていうもののアウラみたいな感じですね。

新野見　そうです。マナです（笑）。

小岩　まさにやってくるという。それが「《マイスタージンガー》、ユーチューブに転がってるの見といて」というのとは違う二重三重の、一回的な出会いを作り出す契機になっているということですね。

新野見　そうです。そんな気がします。それに「先生からお借りしたものだから大切にしなくちゃいけない！」って思うじゃないですか。あとパッケージ空けたら羽虫の死骸が入っていて、ああ、山梨のご自宅からわざわざ持ってきてくれたんだ、とか思ったりしました（笑）。そういういわば「出来事」って、ブツを通したほうが起こりやすいと思います。

小岩　しっかりそういうことも記憶されるという……それはともかく、この一年半、顔すら見てない学生と授業していると、それまであたりまえだった、そしていつのまにか失われてしまったことにいろいろ気づきますよね。去年オンラインだったけど今年対面、という授業の場合、それこそかつて新野見さんが在学中に飛び入りした、Ｅ・サティについて学部生がレポートを書いてみる授業とか、今年になって文献を学生に貸しだすっていう行為がわずかながら復活して、とても懐かしい感じがしました。

二　研究者の仕事とは

新野見　ちょっと視点が変わりますが、私が学部のころまで音楽学を知らないまま触れていた音楽関係の著作のなかには、必ずしも研究者とは名乗らない人の文章も当然いろいろあったわけです。音楽について書く、という行為は、とても専門的な面があるといわれる一方、「思い」で実現してしまう、そしてそのような著作に需要がある、という現実もあります。

小岩　音楽学についてアカデミックに書く、ということが、多くの人にとって想像できないのは、そういう現実があるからだよね。

新野見　私が好きな批評や評論と呼ばれる類の文章の一部は、もしかすると「思い」で書かれるものかもしれないし、その自由さがなんらかの真理を表していたり、逆に学問に刺激を与えたりということもある。だからその可能性を一概に否定はしたくないんですが、とはいえやはりことはそううまくいくものではない。たとえば、名前は挙げませんがヘイトスピーチにあたる言動が問題視されている作家が音楽について書いて、それがプロの音楽研究者が書いた音楽書より売れる、売れる部数が黙殺できる量じゃない、ということが実際に起きています。それに対して私たち音楽学の人間はどうすればいいんでしょうか？

小岩　まず、とても大雑把だけど、研究することと、それを広く一般に知らしめる（＋お金にする）ということというのは、根本的には違う方向の営みだよね。もちろん研究をわかりやすく商品化できる研究者もいれば、研究者と名乗らない「売れる」文筆家でも学会発表ができる勢いでリサーチする方もいる。けれども、研究によって青色ＬＥＤを発明することと、それを使ってデジタル案内表示を商品化することは、不可能とはいわないけれどなかなか一人の人間ではできにくい。だから、あまり芳しくない答えですが、たとえば音楽学者が地味に作曲家の資料を長年研究した成果を、資料研究をしない文筆家が「応用」してお金にするのは、私個人としても止められないし、そもそも成果を公にするというのは、この人には使われてもいいけどこの人には使われたくない、というものではないよね。

新野見　極端な比喩を言えば、こつこつ無農薬の野菜を育てる人と、それを使う料理人がいるということですかね。出版社のなかには、堅い文芸誌を存続させるために、そうした情報を手際よくアウトプットする「料理人」で儲けるという構造のところがあるようですが。

小岩　ふふふ、一九世紀のヨーロッパの音楽出版社みたい。オペラとその編曲ものの出版で稼いでおいて、交響曲やそれら「芸術音楽」の批評文化を存続させていたんです。そこで問題になるのは、もちろん基礎研究は必要で、そのための資金は限られているというときに、余裕があるところから地味な基礎研究にお金を投じる、その目利きがどんな人か、ではないかと思います。

ただその話に移る前に、いま話している基礎研究、音楽学でいえばたとえば海外作曲家の生涯と創作について、一次資料も丹念に検索しなければならない、二次資料も当然フォローする、そうした地道な活動の蓄積としての作曲家研究を想像してみていい？

新野見　はい。

小岩　言社研というか文学研究の世界の言葉を使うなら「作家研究」ということになるのかな。それをやっていくとき、西洋音楽史なら当然、留学したいということになります。

新野見　そうですね。よく「本場の空気」という言い方がありますが、さっきの話でいえば、まさにブツを見てくるということですね。

小岩　でもね、新野見さんはいますっと納得したけれど、学生のころの私にはそれはちょっとわからなかった。

新野見　留学する理由ですか？

小岩　そう。なぜ留学しなければならないんだろう。

お金も要るし。もしかしていまの学生のみなさんも抱く疑問かもしれない。でも、そのころつまり一九八〇年代は、インターネットはいまほど使えなかったし、コロナ禍でもなかった。だから、「こんな状況だから旅行できないしインターネットで資料を手に入れるしか研究できないじゃん」という疑問ではありません。たぶん私はものぐさで「なんでそんな面倒くさいことしなきゃならないの?」と思ったのだと思います。それで音楽学の先輩、野本由紀夫さんに訊いた。「日本では見られない資料を見るためです」とか、そういう答えかなと思っていたら、「それはですね、観光です」というのね。「それに、いろいろなところで写真をとっておくと授業でも使えますし」という。こっちは教員になったときのことなんか考えたこともないし、なんかいろいろ驚かされました。

新野見　なるほど。ちょっと予想外というか、きわめて実践的ですね。

小岩　でね、それはそのとおりなのです。私はいま、国立と静岡県浜松市の両方で生活していて、浜松にいるときはJR浜松駅の西側の地域を自転車で日々移動しています。湖畔でオフィスワークしたり（笑）。それはどうでもいいですが、そうすると、本書の別の原稿にあるように、山葉寅楠（現ヤマハ創業者）がオルガンを作っていた場所と、当時の東海道や水運の動線などが体感できる。それについては私より詳しい研究者がこれからつぎつぎと研究を発表されると思うので詳細はそちらにお任せするとして、そして私の場合は半分地元民みたいだからちょっと違うとしても、観光として、見て歩いて研究する、ということがとても重要だということです。そしてそのような研究では、二次資料としてまとめられたものを見るだけの人とは違う長い思索の蓄積が必要だということ。私の例はとても表層的だけど、在野の研究者、研究者と名乗っておられないけれど私からみれば研究者の方のお仕事は、長年にわたって足で研究した蓄積に支えられている。野本先生が「観光」と言っていたのはそういう意味で、次の世代の人に私はそのように伝えたい。

新野見　その点で、基礎研究と応用は差異化できると。

小岩　差異化というか、重点の違いかな。さっきも話したように、どちらかといえば応用のほうで、メディアに出やすいかたちで活動する方でも一次資料を尋ねて「観光」するし、どちらかといえば「地味」な我々だって研究についてわかりやすく周知しなきゃならない。当然です。で、一人でどちらも超人的なレヴェルでこなすのは難しいので、重点の違う者が協力しあうことを目指していたい……は言ってみるものの、この方とはずっと協力できないだろうなと感じる文筆家がいるのも事実だね。

新野見　いますね。それで、一次資料を読みましたという事実をこっちはもってる。じゃあそれを読者に届けるにはどうしたらいいんですか？　パッケージングとか広告の問題になっちゃうんだと思うんですが。

小岩　そう。その話に戻りましょう。

新野見　我々はもうすこしいかに届けるかっていうことを、個人じゃなくて出版社やメディアを巻き込んだ大きいところで考えていかないと。いますぐにできるのかといえば、またそれは難しいですけど。

小岩　そこ、言社研のような研究機関のチャンスなんだよね。つまり「舞台に立つ」芸術家や作家のまわりに育つ、その活動を理解して協働していく人が重要です。最近ね、東京藝大の音楽学部ってすごいなって気づいたことが一つあるんです。それは、私が学んだ楽理科つまり音楽学だけではなく学部全体から広く、NHKなどマスメディアに卒業生を送り込んでいるっていうことです。別に大学として送り込んでいないと思いますが、卒業生がたとえばNHKに就職しているっていうのが器楽科つまり演奏の専攻者を含めてある。それ結構大きいと思うのですね。

新野見　プラットフォームや送り手の側に、そのような人材がいることは重要ですね。

小岩　音楽に関連してさらにいえばNHKのFMってやっぱり凄くて、「クラシック音楽」（に限らず音楽）をこれだけ、決して高くない聴取率にもかかわらず流し続けている。「クラシック音楽」をいまから百数十分お楽しみくださいって、そんなにやるのか、とか思いますが（笑）それが本当にありがたいことに維持されている。そういう番組が潰されない場所に人を送り込んでいるっていうことはだいじなのです。音楽の場合を含めて、そして文学を射程にいれれば当然出版も大切で、そういうところに入れる目利きを育てること。これが、新野見さんが先ほどから危機感とともに話している状況への対抗策だと思います。一気に形勢逆転といったことではなくて、長い目で見て芸術、人文学を支える人を育てるということです。

新野見　ＳＮＳでリアルタイムのコミュニケーションが発達したいま、私たちに必要なのはそれに一喜一憂しないねばり強さでしょうね。それこそネットの発言ひとつで、世論が分単位で一気に変わってしまうような世界にあって、そのような長期的なビジョンを維持していけるか。料理人が素材の味を引き出せているか、それとも壊してしまっているのか、いやそもそも素材の選択を間違えている？……そういったことを判断できるようになるまでには時間がかかるでしょう。語の選択が適切かはわかりませんが、ある種の「啓蒙」のプロジェクトを続けていく必要があると思います。

三　「近頃の学生は」論の試み

小岩　さて、先ほどは新野見さんが入学するまでのことを、ご家庭の雰囲気も含めて聞きました。けれどもかつての新野見さんのような学生、つまり「量を読んで」入学してくる院生は、もちろんいなくなったわけではないですが、少なくなったと観察しています。

新野見　学生のレベルが下がった、ということですか？　それは私もそう言われていた世代です。

小岩　「近頃の若者は……」というやつですね。まあずっと言われるんだよね。私の場合は「言う」立場になってしまっていますが。ああ、年寄りの話題の振り方だなぁ。

新野見　そんなに私も真剣に生きてきた感じではないので（笑）、なんともいえないところはあるんですけど。学部でやっておけとか、高校生で知っておけよっていうことを知らないということですか？

小岩　それはまずありますね。学部で卒業論文を書く、ということがおしなべて軽い課題になってしまった結果、これはきっとかつて学部生向けだったんだろうなぁというアカデミック・ライティングの教材を言社研の授業のために使ったりしています。これは私のゼミの問題でしょうかね。というか私という教員の問題なのでしょうか。それから外国語が、もちろん各自一生懸命やっているということはわかるのですがその一生懸命が、一〇年前の人たちにとっての一生懸命とはたぶん違うんです。

新野見　それはたんに学生個々人の問題ですか？　それとも社会的な問題でしょうか？　いまありますよね、アルバイトで忙しくて勉強ができないっていう。

小岩　アルバイトで忙しくて勉強できない、ということはもちろんいま切実にあります。そういう学生はいます。けれどもそれだけじゃないと思う。研究するためにはこれくらいのことが必要、すくなくともこういう作業が必要だよね、っていうイメージが抱けていない感じです。はい、もちろん学生だけの責任ではなく、それを伝えていない教員にも責任があると思います。またうまく伝えている教員もいると思います。新野見さんが言社研に来るなり、あるいはＩＣＵを目指すときには、研究者はこういうことをやっているだろうというイメージが、いくらかありましたよね。

新野見　はい、そうですね。

小岩　再び世代間ハラスメントみたいな言い方になりますけれど、いまの学生からするとそれはかつて格段にあったわけです。学生は悪くないです。その差っていうのが結構大きくて、それを考えるとなんかこのなかからＮＨＫなりに人を送り込めるのはかなり先だなと感じることはあります。喫緊の、上辺知識料理人がいっぱいいるなかで戦うためには手兵を増やさなきゃいけないと考えるときに。

新野見　戦力にならないと。

小岩　なるとしてもちょっと時間がかかるなあという思いです。

新野見　基本的には、学力や知識の量はさておき、勉強したい人が勉強できるという環境があることはいいことだと思います。けれども、さっき言ったことと関わると思うんですけど、情報がありすぎるんじゃないですか、単純に。

小岩　情報過多というのはよく言われますが、今日の話でいえば、「手渡し」のような手間がない、ということかな。

新野見　そう、手渡しもないし、なにか近いようで遠いところにある情報ばかりが溢れている。いま中学生・高校生に、もしかしたら大学生もそうかもしれませんが、いわゆるインフルエンサーとして誰に注目しているかと訊くと、ヒカキンとひろゆきみたいな世界じゃないですか。私は高校生のころE・サイードの『知識人とは何か』を読んで、漠然と知識人というものに憧れていましたが、いまや知識人なんて言葉さえ古くて、インフルエンサー。いかに考えているかよりも、いかに多くの人に届けられるかが重要視されている。そういうなかで本当になにかを考えている人を見極めるっていうのは難しいんじゃないですかね。若い人たちのアクセスしやすいメディアで、専門家と芸人やユーチューバーとがフラットに並べられていて、そして後者のほうが人気を集めている。しかも再生回数が冗談じゃなく一千倍、一万倍くらい違う。もちろんテレビでもユーチューブでもなにを見るかっていう話で、いいものはたくさんあると思います。加えて、私も一時期期待していたことですが、エンターテインメントに教養を混ぜていくということもありうると思いますし、実際に成功した例もあると思います。ただその見極めや選択は、そう言ってはダメだと思うのですが、最終的には文化資本の問題が大きいような気もするので難しい。別に私も特別インテリの家に生まれたとは思いませんが、それでもやっぱり家にカントがあるっていうのは大きかったと思います。

小岩　じゃ、新野見家のようにカントが書棚になかった人は、知識を広げるきっかけをどうしたらつかめると思います?

新野見　まず思いつくのは、いい教師や友人に出会うということですね。いまいる学校でも、大学でも、職場でも。実際私はそっちでも高校のときにとてもいい出会いをしています。一・二年時に担任だった国語の先生が、すごく熱心な先生だったんです。古典の授業では助動詞の解釈をいろいろと検討して、教科書の教材でもお手本的読解とは違う、別の次元の「読み」の世界があることを教えてくれました。私も先生とは別の解釈を思いつくと、授業後に教壇まで行って一緒に検討したり。そういうやり取りを通して、文学研究っていうもののイメージをなんとなくつかんだのだと思います。授業中にはいろんな固有名を出しながら話をしてくれて、それに刺激を受けていました。よくおっしゃっていたのが「そんなことも知らないんですか？」で（笑）。

小岩　はい。

新野見　そう、だから抑圧する人が必要ですよ。簡単にいえば。マッチョな人が必要だと思います、私は。

小岩　はい。マッチョに振る舞ってください（笑）。新野見さんには最近、私のゼミにブダペストから遠隔で参加して、いろいろコメントしてもらっています。

新野見　本当にそうで、やっぱり「全部読んでる」とか大切ですよ。内容をちゃんと覚えてなくてもいいんです。でもとにかく全部読んでるとか、いろんな名前を知ってるとか、それを見せていくっていうのは結構だいじで。どちらかというとICUには、知ってることより考えることが重要だっていう考え方があったと思いますが、やっぱり知ってることってすごい重要なんですよ。もしかしたらいまの学生って、ネットで調べられるから考えることが重要で、知識そのものの量は必要じゃないって考える人が結構いるんじゃないですか。

小岩　いると思います。

新野見　でも調べるためには、検索する語がそもそも自分のなかになきゃいけない。なにか概念を発明するっていうか、アイディアを思いつくときって、そもそも自分のなかにあるものでしかそのネットワークはできないですよね。

小岩　そういうことです。

新野見　やっぱり「みんなそれぞれに面白い考えをもっていて素晴らしい」みたいなのはさっさとやめるべき……とまでは言いませんけど、すくなくともそれだけでは無理と認識すべきですよね。つまりある種の知的マッチョイズムというのが必要だと思います。

小岩　はい。なんかこの対談の締めはそのあたりでいいんじゃないでしょうか（笑）。だからこれから読む人、これから言社研を考える人にそういうイメージをもってもらいたいな、っていう。

新野見　そうですね。

小岩　で、それはとてもいいメッセージだと思うんですが、じゃあいますぐなにしたらいいのってなるかもしれませんね。学部生としてはそういう人、そういうゼミ生に会ってみないとわかんないかもしれないけど、でもそれは身の回りにいるあの人に近いものなのかなとか、そういうことを考える契機になればいいのですが。

新野見　これは経済的な問題なんで難しいかもしれないですけど、もうひとつ実践できるとしたら自分のお金で全集を買うことですね。やっぱり部屋にドシンとあったら、これ読まなきゃなあと思いますよね。お金ないなかで買ってますから。私も買ってもらったんで偉そうなこと言えませんけど、大学入学したときに入学祝いなにがほしいって親戚に言われて、じゃあG・フローベール全集、って言って買ってもらいました。

小岩　すばらしい。

新野見　あとW・シェイクスピアや小林秀雄の全集とかも自分で揃えましたね。それこそ修論で吉田秀和やるときも、途中まででしたけど、全集は自分で買いましたし。もったいないから読んどくか、という気にもなる。本屋さんに行くと、たまに上巻とか一巻目だけ売り切れているじゃないですか。あの買い方はよくないですよ（笑）。L・トルストイ『戦争と平和』だろうがM・デュ・ガール『チボー家の人々』だろうが、覚悟を決めてドカンと買う。もちろんお金のことなんで軽々しく買え買えとは言えないですし、それぞれにあったやり方があると思います。ある人が、本は買うより図書館で借りたほうが返却期限があるので読み切れる、と言っていてなるほどと思ったことがあります。いずれにせよ実際に買うなり借りるなりして、そのブツをとにかく自分の部屋の見えるところに置くっていうのは、結構意味があると思います。

小岩　あるよね。しばらく前のフランス語の単語カード並べた人のツイート見ました？

新野見　いえ、知らないです。

小岩　フランス語の勉強をしましたっていう単語帳が山になってる写真が出てきて、これだよねえ、と私も思いました。私も自分のドイツ語単語カードをときどき学生に見せるんだけど、やっぱりブツ、物量。単語カード一枚はこんなに薄いんだけど、それがこんなになるっていうことの物理的なマッチョイズムっていうか、それだいじよね。

新野見　私はそういう意味だと、さっきの担任の先生の話もそうですが、高校で鍛えられたんだと思います。当時学年で五、六人東大行くくらいの田舎の高校です。進学先は東北大とかが多い、そういうレベルの偏差値の学校で、とにかく先生も県立だから数年で変わっていくし、東京の私立の「生徒の半分は東大行きます」みたいな高校のもってるような受験ノウハウはない。でもとにかく「お前ら勉強しろ」という感じでした。「あいつらはノウハウは知ってるけど夏休みに遊んでる。そんなチャラい奴らに負けるな、お前たち悔しいだろ？」とか煽って勉強させて。それはかなり遠回りだったかもしれません。もうすこし効率良く受験対策できていたら、数点で落ちた東大も行けただろうし、もっとピアノ練習する時間や読書の時間が取れたと思うんですけど、やっぱり基礎体力はついたなって思います。

小岩　どっちがよかったか、ほんとにわからない。

新野見　効率良かろうが悪かろうがとにかくがむしゃらになったので。それをやる対象が大学になったら単純に好きなことになるんで、そういうことに慣れていたおかげで楽しむことができた気もします。私は批評が好きなので、批評を読むためにその対象を読むとか、そういうことをとにかく労力を惜しまずにやることには慣れてますね。柄谷行人の漱石論を読むために新潮文庫の漱石をとりあえず一通り読むとか、蓮實重彥が言及してる映画を三〇〇本見るとか、村上春樹はダメだと言いたいがために全部読むとか（笑）。

小岩　そんなトレーニングを積んでＩＣＵに行ったたっていうのは一番良かったかもしれない。

新野見　ああ、そうかもしれないです。そうやってある種のマゾヒスティックな訓練を受けて、それでそこから解放してくれるようなところに行ったという意味で。これで東大とか行ってたらすごくいやらしいやつになっていたかもしれない。まあいまでも十分いやらしい可能性はありますけど（笑）。

小岩　（笑）。

新野見　いや、先生はお分かりかと思いますけど、私も「あえて言ってる」というところはありますからね。

小岩　わかってます。大丈夫です（笑）。こういうところがね、文字にするとき難しいんだよね。

新野見　だから最後「（笑）」って付ければ。

小岩　いやあ、東大もねえ、でかいしね。

新野見　いろんな人がいますからね。

小岩　その点ＩＣＵや言社研の、牧歌的なある種閉じられた空間っていうか、それはそれでいいと思います。

新野見　あ、そうだ、言社研を選んだ理由で思い出したことですが、どこかの大学院説明会のときに、外から来る人は学部から始めたほうがいいんじゃないですかと言われて、やだなと思って。

小岩　それは言社研は絶対言わないね。制度的に不可能だからですが（笑）。

新野見　まあ良かれ悪しかれなんですけど。

小岩　もちろん。

新野見　それよりもうすこし自由にいたいなっていうのはあって。いろんなところから集まってくるのが魅力的に見えたんですよね。

小岩　その言社研でいろんなところから集まってくる人と、楽しく生活しましたか?

新野見　それは、実際はかなり微妙なところです。様々な背景をもつ人と交わるというのは、刺激的なことです。もちろん大前提として、ゼミでは音楽学という共通の土俵にいるわけで、その点では均質化されているんですが、それでもなぜ音楽学を選んだかということはそれぞれだし、すると必然的に音楽（学）との関わり方にも違いが出ますよね。あとは年齢差も大きい。学部終わったばかりの人、博士課程を続けている人、社会人入試で入った人と、ゼミ内でも意外と年齢のばらつきがある。安易な世代論をもち出すのは危険ですが、たとえばいわゆる社会人を経験して大学院に入った人と学部卒業したての人では、そもそも世界の見え方や学問への態度が違うことがある。そこでの摩擦とか軋轢みたいなものをなにも感じなかったといえば嘘になりますし、事実苦い経験というのはありました。

小岩　言社研はそういう、各自がもち寄る文化がぶつかり合う場所ではあるね。

新野見　とはいえそこに学びがあったことも事実です。学問って論理を積み重ねていく作業ですから、論拠と理路が正しければ誰にでも理解できるはずです。もちろんかなりの程度はそうなんですが、でもときたま、その認識とか論理が人生観や人生経験と相容れないことがあって、どうしても納得できない、したくないということが起こる。皆それぞれの人生を背負って、学問をやっているわけです。学問には実存が賭けられているんだなと、衝突を通して学んだということはいえますね。

小岩　新野見さんの大学院生活は、私が新米教員だったこともあってか、あまり問題なさそうに見えていましたが、いま振り返るとそういう痛みもあったんですね。

新野見　私T・アドルノがぜんぜん好きじゃなかったんですけど、最近やっと真面目に勉強しようかと思ってきました。在学中に他のゼミ生がせっせとアドルノアドルノと言っていたのが記憶にあって。

小岩　そういうのも具体的な存在と、その出会いによって、というわけですね。

新野見　そうです。だから皮肉なもんで、やっぱり読めとか言われて、または研究してるのを見て、じゃあこっちも読もうって思うことと、あいつがやってるんだったら読まないってことと、その両方ある。

小岩　ありますね。でも長い目で見たらまさにいまの新野見さんの話が示しているように、一回の人生のなかで、在学中にコンチクショウって思って読まなかったけどあれはなんだったんだろうと学ぶきっかけになったりする。

新野見　そのとおりです。やっぱりアドルノ大したものだって、いまや尊敬しながら読んでます（笑）。

小岩　だからやっぱり広い意味ではそれも先ほどの話から繋がっていて、人と出会うことによって学ぶということですね。私の場合も、研究と出会うのって人経由。知を得るのって本当に人経由だと思う。この人が関わっているから見てみようっていう。だって自分だけで全部は見られないし。

新野見　見られないですよ。特にいまなんてコンテンツが溢れすぎてて、全部なんか見られないですから、やっぱり誰が言ってるかっていうのが、感化されるにせよ反発するにせよ重要ですね。

四　音楽と人文学

小岩　そういう出会いの場所の延長として新野見さんは言社研に来たし、私もそのような場所を作ることを目指して日々仕事してるっていうことは間違いないと思います。だけど新野見さんの場合は、自分で演奏するために国立に住むときからグランドピアノはずっと持ち込んでたんだよね。

新野見　そうです。

小岩　音楽学をやるっていうことにはしたけど、ピアノをずっとやっていたっていうのは言社研の人としては珍しいよね。文学研究をやることにしたけれども執筆活動も続けていた、という人を含めればすこし仲間がいるでしょうか。

新野見　そうですね。私の場合はたんに好きだっただけなんですけど。とはいえ好きだったけれどそのころは音楽と自分がどうやって関わっていくのかっていうのをいろんな方向から試していた時期で……。それを「学部で音楽学という学問に出会いました、それを大学院でやってみましょう」となったときに、それはあたらしいアプローチの仕方ではあったんですけど、でもやっぱりそれだけだと不十分な気がしていました。当時それこそアドルノがどうこうというような発表を聞いたり、本読んだりしていて思ったのは、こんなに意味で固めなくちゃ人には通じないんだっていうことで。

小岩　うんうん。

新野見　もちろん言葉でなにか概念をつくったり、叙述したりして人に伝えたりすることである種の普遍性を実現することができて、それこそが学問なんですけど、でも音楽ってもうそれ以前にひとつの連帯をつくっているよね、と思っていました。音があればそれでなにか私たちはコミュニティっていうか紐帯っていうか、同じような普遍性を獲得してるよね、という思いはずっとありました。つまり言語で表す、伝えるっていう方向での普遍性もあるんですけど、演奏っていうすごく個人的なものから生まれる普遍性もあって。個人の身体で、個人の思ったことや曲から感じたことを表現するにもかかわらず、それが一定の共感を得るっていうことの、この不思議さ。そっちの方向からの普遍的なものへの近づき方っていうのがあるんじゃないかと。

小岩　その直感が、国立の下宿にピアノを持ち込んだ理由ですね。

新野見　それで、これはじめて話すことなのですが、私が後者を大切にしたいって思ったことには、言社研二年目に祖母が具合が悪くなって亡くなったという経験があるんです。私は両親が仕事をしていたので、実際は祖母と祖父に育てられたんですね。学校から帰ったらそっちの家に行って、ご飯を作ってもらって。そういうほぼ母親みたいな人が、衰弱してそして亡くなりました。そのころ授業のない日は実家に戻って祖母の入院している病院に通っていたんです。で、そういうなかでなんとなく車のなかで病院の行き帰りにCDを聴いていて、はじめてJ・ブラームスの最後のピアノ曲集が美しいということに気づくという経験をしました。本当に映画みたいな話ですけど、すごく衰弱した祖母に病院で会って、その帰りの夕日が沈む時間に車を運転していて、ブラームスの後期の作品がかかっているわけです。そのときになんて美しい音楽なんだって思ったんですね。去り行く者の尊さというか。それで、じゃあ自分で弾いてみようと思って、弾いて、レッスンに持っていったときに、私自身も感じたことなんですけど、すごく音が変わったねって先生に言われたんです。やっぱり音楽って、その都度人生に照らし合わせた発見があるもので、それが自分の表現として外にちゃんと伝わるものなんだっていうことに気づきました。じゃあ私はやっぱり死ぬまで音楽とそういう関係でいたいなと。音楽との関わり方について悩んでいた時期だったんですけど、こっちで一回しっかりやってみようって。それで結局演奏家になる勉強をしてみようって決めたんですよね。とても個人的な話で、普遍化するのは難しいですが……。

小岩　それは人文ってなに、っていうことでもあるよね。言葉のなかに意味をガチガチに固めてようやく伝わるか伝わらないかっていう、その勝負もだいじでしょう。で、それとは別の世界っていうのが音を通じて、音楽を通じて起こりうるっていう、そういう二つのありよう。人の根源的な問いに向かっていく方策として、二つの対照的な世界を過ごしたっていう、その違いがあらわになったというか。新野見さんの人生としてはさらに先鋭化した形で、個人的な出来事もあってあらわになった。それがいまに繋がっているという話ですね。

新野見　そうですね。まあさっきまでとにかく読め読めとか言ってたんですけど（笑）。

小岩　その「音楽する」にしても、音楽として表現としてどういうものがあるのかっていうのを量で知らないと、なにかを見つけるにしてもなにか表現するにしても「手札」が足りないわけで。それは実は同じ話なんだよね。

新野見　そうだと思います、本当に。そしてそれは、音楽学っていうところに一度いなかったら気づかなかったことかもしれません。

小岩　それで、「自分が発見したからこれが美しい」と完結する、一人で閉じることではなくて、大切なのは「それが先人の知とどう繋がってるんですか?」、っていうところ。それは音楽家も同じで、「自分が弾いて美しいからそれでいい」って感じるかもしれないとしても、それで完結しないところが人文学の世界なんだよね。

新野見　言語社会研究科って人文学科って言い換えていいと思うんですけど、一橋に人文学があることの意味っていうこととも関わる話ですよね。「人文学ってなんですか?」っていろいろな定義があると思いますが、私は異なる時間をいまに挟んで行くことだと思うんです。

小岩　なるほど。

新野見　誤解を恐れずにいえば実学って、まさに一橋の実学ですけど、結局「いま・ここ」の利益を最大にするにはどうするかっていう話ですよね。それに対して人文学っていうのは「いま・ここ」に「いま・ここ」以外の時間をどんどん差し挟んでいくことだと思うんです。シェイクスピアの『ハムレット』に「世の中の関節が外れる」っていうすごくいい言葉があるんですね。第一幕で父親の亡霊に会った後に言うセリフで、英語だとThe time is out of joint. です。それについてＪ・デリダが文章書いてるんですけど、いずれにせよ「時間のタガを外していく」ような行為が人文学じゃないかなと思うんです。浅田彰が田中純に大学はどうあるべきかと訊かれたときに、「大学っていうのは廃墟でいいんです」と言っていました。つまり図書館に代表されるような、いま誰が読むかわからないような本が山のように眠っているところですよね。そこでそれぞれが自分の人生の時間軸のなかで、まったく別の地域、まったく別の時間のものと出会って、そこに時間の輻輳性が生まれることがいいって言っているんです。

人文学の訓練を受けた身としては音楽にも共通することをすごく感じます。

小岩　そうですよね。

新野見　それはたとえばとても実践的な問題で、「あなたのレパートリーはなんですか?」とか「次の演奏会でなに弾きますか?」とかそういう話でもあるんです。その是非はともかく、自分みたいな「クラシック音楽」の演奏家っていうのは過去の作品を再現しますから、じゃあなんでいまこれをやるか、いまこれをこのように弾くのはどんな意味なのかということをたえず問うていくことは重要ですし、それこそ演奏のおもしろいところだと思います。そういう意味では人文学を学ぶ場所にいたっていうのは、かなり大きな経験としてありますね。

小岩　なるほど。

新野見　私が言社研にいたころに山本貴光さん、どういう肩書きでご紹介したらいいのか、それこそまさに言社的というか人文的な方ですが、彼が非常勤でいらしていて、私も授業に出席していました。その山本さんと相棒の吉川浩満さんの共著『人文的、あまりに人文的』で知ったんですが、人文学って英語だとヒューマニティーズですけど、人文っていう語自体は中国語から訳語を持ってきたらしいんですね。つまり天の文に対して人の文なんですよ。

小岩　ほほう。

新野見　天のことは人知を超えているからわからない。でも人間自身のことはわかる。だって変わらないから、何年たっても。四千年たっても五千年たっても。だからわかるし、古い考えだから使えないなんてことはまったくない。

小岩　そうなんだよね。だから今日の最初の話でいえばブッを介して違う人の時間と接していく、自分の生きている生活空間のなかに自分とぜんぜん違う人の時間が入り込んでくるっていう、そういう話でしょう。そして文字／ことばを通して人と出会えるっていうのがいちばんの強みでしょう。これだけ文字が溢れているようで出会っていないときに、「変わってない、時間を超えた仲間」というか、同じことを考える仲間、それが論文的には先行研究ってことになるんだけど、そういう時空を超えた、実際ものをやり取りできないけど繋がれる、同じ問題を共有できる人と挟まれた時間を生きるっていう、それがやっぱり大きな魅力ですね。

新野見　そう思います。今日はひさびさに先生とゆっくりお話しすることができて楽しい時間でした。エコーチェンバーになっているのではないかと批判されれば甘んじて受けなくてはならないでしょうが、この困難な時代にあってなお確かな私たちのよりどころを、いま一度確認できたように思います。ありがとうございます。

小岩　こちらこそ、ありがとうございます。

第二部　歴史を学べば

【前頁写真】
（上）一橋大学附属図書館大閲覧室
（下）一橋大学兼松講堂
撮影：小泉順也

言社研のできたころ

尾方一郎

一

二五年……、ずいぶん昔のことです。若い学生や院生のみなさんよりも前に言語社会研究科は生まれました。その時には一番若かったわたしも、もう定年が見えています。それでもこの二五年は、邯鄲（かんたん）の夢のようにほんの一眠りの間だった気もします。盧生のように目が覚めたら若いままということもないでしょうが、今回は言社研創立前後のエッセイ担当ということで、頭の中ではいつも駆け出し気分のわたしが、本当に若かった頃のことを思い出してみましょう。

わたしたちの言語社会研究科が創立されたのは一九九六年で、これを書いている二〇二一年のちょうど四半世紀前です。国立の桜が満開の四月に第一期の学生を迎え……と行きたいところですが、実はそう行きませんでした。本研究科の創立は五月一一日でした。なのでいまだに研究科長の任期は他と全くずれて五月一一日始まりです。

なんでこんなことになったのか？　大きくいえば例のバブルの崩壊のおかげです。若いみなさんにはもう歴史上の出来事のようですが、前の年、九五年はそうでなくても阪神淡路大震災とオウム真理教のサリン事件という超大事件が続けて起こった年でした。しかしわたしたちの研究科の誕生の秘密に関わるのは、もう一つの大問題、住専問題なのです。

住宅金融専門会社、略して住専がどんなものでどのように破綻したかは、わたしにはとても説明できないので検索してもらうとしましょう。とにかく不動産関係のバブルはとっくに崩壊していたのですが、その不良債権の先送りが効かなくなって、大問題になったのが九五年、国がその穴埋めに六八〇〇億円注ぎ込むという話で、住専国会といわれる大変な大モメの国会になりました。その結果ふつう年度内三月までに余裕をもって成立するはず（そうでないと、新年度の国の事業ができませんから）の国の予算が五月一〇日までずれ込みました。そのためわが研究科はあくる一一日創立ということになったのです。

もちろんだからといってそれから学生を募集して試験して、では間に合うはずがありません。多少は我慢して様子を見ていたのですが、予算が成立するのを見込んで四月の一五日と一八日に一次二次の入試をやり、五月一日に入学式をやっていわば見切り発車で授業を始めたのです。とはいってもそれで普通に夏学期の授業をやったのでは回数が足りなくなってしまいます。そこでいろいろな所に補講を入れて、なんとか必要回数を満たすという綱渡りの始まりでした。

そんなこんなでずいぶん慌ただしく始まった新しい研究科ですが、この年に修士課程に入ってきた人たちは多士済々というか、なかなか面白い人が多く、後々まで記憶に残ったものです。わたしのゼミにもこの年二人のドイツ文学専攻の学生を迎えましたが、二人ともドイツ文学の世界で今でもお付き合いがあります。こうした学年は他にはありません。

この頃はまだ、現在言社研が入っている国際研究館はありませんでした。そこで事務室や会議室は、先にできた東一号館にとりあえず置かれました。この東一号館は、多くが学部一・二年生向けの共通科目に今でも使われていますが、この建物もちょうど一九九六年に建てられたばっかりだったのです。こんなことになっているのも深い理由があるんですが、さらに昔話になりますので、ここで一つ区切りを入れることにしましょう。

二

一九九六年より前、一橋の一・二年生は基本的に小平キャンパスで勉強していました。国立から電車で行くとすると、まず中央線で東に二駅行った国分寺で乗り換え、西武多摩湖線のその名も一橋学園駅から西に八分ほど歩いたところです。わたしは違うのですが、本学出身でこの頃の小平で学生生活を送った先生たちはまだ学内にたくさんいます。

今は小平国際キャンパスと名を変えて、学生寮とスポーツ施設が中心になり、放送大学などと同居しているこの空間には、以前は小平分校という独立した組織がありました。分校主事というトップがいて、事務や図書館、AV、LL、コンピュータールームなども国立と別立てであったんです。そして教養教育を中心に担当する教官は（当時はまだ法人化前で、文部省の公務員だったんで教官といったんですね）小平で三分の二くらいの授業を持ち、国立では後期のゼミと全学に開いた教養科目をやっていました。でも身分上は四学部のどれかに属し、わたしは当時社会学部に所属していました。研究室は国立にあり、小平と国立の間には大学の職員である運転手さんのバスが運転されていて、教員だけでなく学生も（小平で取り残した単位がある人なんかもいました）運んでいました。時間割は毎週同じなので、乗り込む先生たちの顔ぶれはだいたい一緒なのですが、わたしが金曜日だったか昼休みに移動するときは、社会学部で反省社会学を専門にしていらした矢澤修次郎さんと同じバスになり、ご趣味のオーディオや音楽の話なんかを傾聴しながら移動していました。そのバスは国立市内をちょっと遠回りするので、二〇分よりもう少しかかった気がします。

もっと古い話になってしまいますが、この小平キャンパスは、もともと千代田にあった東京商大が関東大震災の後で、本校が国立に、予科が小平に移転した名残です。（予科ってなんだという人は、わたしもひと様に戦前の教育制度をしたり顔で説明できるほど詳しくないので、これも検索して下さい。だいたい旧制高校に当たるものらしいです。）なので昭和初期に建ったこの建物は当時すでにそうとう老朽化していました。わたしも一九九三年に着任してからしばらくの間この校舎でドイツ語などの授業をしましたが、メインの建物がロの字型二階建てで、建築家が刑務所を多く建てた人だったので、似たような構造になったというウワサがありました。今の大学の教室とは違って、高校の建物と同じように、教室と廊下の間にも全部窓があるんです。そして九〇年代前半には国立大学には教室に冷房などなかったので（たしか鹿児島県と宮崎県だけ認められていると聞きました）夏になると窓は全部オープン、男子学生はランニングに短パン、女子はスカートの下で下敷きをバタバタさせるという姿で授業を受けていました。いちどなどは夏学期末の梅雨明けの暑い時期の試験中に、女子学生が「せんせい……」と手を上げたと思ったら気を失い、保健センターの看護婦さん（当時は女性の看護師さんをまだこう呼んでいたんです）に来てもらった、というようなこともありました。この古い建物を小平で建て直すかどうかが、当時のわが大学の大きな悩みの種だったようです。

というのも、さっきのように教養の教員が国立に行くだけでなく、各学部の教員も小平に来て授業をやっていて、それなりに時間的損失がありましたし、前期（一・二年）と後期（三・四年）はカリキュラムの一貫性が薄くなりがちだが、移動時間を考えると一・二年生が国立の授業を受けに来るのは大変だということがあったからです。こういう問題があるのに、そのまま小平の建物を建て直して、この構造を維持していいのかという話になったわけです。

もう一つは一九九一年に大学設置基準の大綱化ということが行われたということがあります（これも大変多くの議論があるので、興味があれば文献を探してみてください）。学生の側からごくザックリした例でいうと、それまでどこの大学でもほぼ間違いなく第二外国語が卒業要件に入っていたのが必ずしもそうではなくなりました。教師の側からいうと全国の大学で教養教育を担当していた教養部のような組織が、次々と廃止されていたころです。

ということで一橋では、よその教養部にあたる小平分校を廃止、建物は国立に移転、カリキュラムを四年一貫という形にして、一年生から学部の基礎的な講義を受けて、積み上げ式に学習できるようにするということで、いわゆるキャンパス統合が進められることになりました。こう書けば簡単そうですが、実際にはそれ以前から長い議論があったのを、わたしの着任直前に就任された阿部謹也学長が、そうとう頑張って推し進めたように聞いています。

さてでは分校を組織した後の教官組織をどうするかという問題ですが、その長い経緯を書いても読者の眠気を誘いそうですし、わたしもちゃんと説明できるかわかりません。なにしろ昔の組織の最後に三年間いただけですから。ということで結果だけいうと教養科目を主に担当する教員の多くは、元々ある商経法社の四つの学部に新しい講座を設立して、そちらに所属することになりました。それに加えてできたのが、言語社会研究科、略して言社研です。これは一橋大学で初めてできた、学部を持たない大学院だけの組織、つまり独立研究科というものです。もともと一橋には長らく新学部構想というものがあったそうです。当時の年配の先生たちからも、いつ文学部を立ち上げても恥ずかしくないようなメンバーを揃えてきたと聞かされたものですし、実際わたしを除いてそうそうたる陣容の方たちが集っていました。しかし今はもちろんですが、当時もすでに日本の国立大学で新たに文学部的な組織をつくるなど認められるはずもなく……ということで、学部のない大学院だけの組織がつくられることになりました。

大学ではこういう新しい仕事を始める時にはだいたいワーキンググループというものができることになっています。資料によれば、この独立研究科の問題を考えるワーキングが出来たのが九四年の四月ということです。その時はまだ人文系と決まったわけではなく、理系や社会系などの案もあり、そこから人文系に絞られていって、言語社会研究科という最終案が決まったのが九五年の六月末ということです。

思い出して下さい。本研究科の創立は一九九六年の春です。大学で大きな改革をするには政府に概算要求ということをしなければなりません。その期限はだいたい前の年度の六月末と決まっています。それだけギリギリの話だったということです。当時はよく分かりませんでしたが、今自分がこんなペースで仕事をする羽目になったら卒倒するでしょう。

この時文部省との交渉の中心になったのは、小平分校で当時分校長にあたる主事という、さっきちょっと書いた役職を務めていた新井皓士さんです。分校主事にはしかも、この時新しい研究科の創立の他に、当時の多くの小平教官が四学部にそれぞれきちんと新講座を作って配属されるようにするという、これも大変なお仕事がありました。新井さんは同じドイツ語の教員で、たまたま当時の研究室も隣だったので比較的よくお話しする機会がありました。この頃は本当に忙しそうでしたが。あるとき文部省に持って行ったという新研究科のプランを示した書類を見せてもらったことがあります。たいていこういう書類には大まかな構造を示すポンチ絵という図がついているものですが、その書類のポンチ絵は新井さんが自ら毛筆をふるったものでした。「これがけっこう評判よかったんだ」とおっしゃってましたが、今から思うとまだ雅な時代だったと思います。だいぶあとに、退職した先生から、あの仕事は新井さんでなければできなかった（別に達筆だからというわけではありませんが）と聞かされたものです。

じっさい、今一橋大学ではソーシャル・データサイエンス学部・研究科という組織を二〇二三年の四月に設立するということでその準備を進めていますが、この計画でも二〇二〇年の春、つまり三年前には学外に発表されています。それと比べるといかにものすごいペースかというのがよく分かります。

こうして学内の新しい研究科予定メンバーが初めて集まったのは、記録によると九五年の一二月一四日ということです。そこから各メンバーは講義の計画や入試の準備を進めることになります。例えばわたしはこの時に、研究科の新しい規則や細則を決めるグループに入りました。もちろん一から作るなんていうのは無理な相談ですので、商経法社の四つの研究科の規則を集めてそれらを見比べながら、よその研究科と揃えるところと自前で考えなければいけないところを仕分けして、進めていったものです。

準備作業の事務は基本的に小平分校の事務室に担当してもらったのですが、その間に一・二年生の教養科目の授業を開くための東一号館が先にできましたので、そこに研究科の仮の事務室を置いてさらに準備を進めていったわけです。大学院便覧も、普通は各研究科まとめて一冊のものを発行するのですが、この九六年のものだけは、言語社会研究科が薄い別冊になっています。それでもこのようにしてなんとか四月に間に合わせようと準備を進めていた矢先に起きたのが、あの住専問題による国会の混乱と、予算成立の遅れというわけです。なので研究科のホームページのわたしの経歴を見ていただくと、言語社会研究科の助教授になったのが一九九六年五月と書いてあります。これは四月の間違いではなくて、本当に五月一一日付けで辞令をもらっていますので、実はその前の一か月余りは、厳密には社会学部の助教授という身分だったのです。紛らわしいのですみません、ホームページではここの部分は省略しています。ちなみにこの助教授という肩書きも、今のみなさんが見るとなんだかアヤシイ気がするかもしれませんが、興味があったら検索してみてください。

まあ細かいことはともかく、このような今からは信じられないような猛スピードの中で、言語社会研究科は産声をあげたのです。

三

ところで先ほど書いたように、この時点では言語社会研究科が現在入っている国際研究館という建物はまだできていません。一橋大学は四つの学部の間の垣根が低いというのを売りにしていて、相互に授業が取れたり、転学部も割とできたりしますし、そもそも従来の四つの学部もよその大学によくあるようにそれぞれの学部が建物を持っているという形ではなく、いろいろな建物に各学部の教師たちが混在して研究室を持っていて、授業は教室のある建物でこれも各学部入り混じって行われるという形になっています。

しかしこの時には一つには小平の一・二年生の授業がすべて国立に引っ越してくるということになったこと、そして言語社会研究科ができて全く新たな大学院生が入ってくることがありますので、普通に考えて部屋が足りるはずがありません。そこでそれまで一橋大学では西キャンパスを中心に授業を行っていたのですが、大学通りを挟んだ東キャンパスにもいろいろと建物を建てることになりました。それまでの東キャンパスは、関東大震災の後に建てられ、今ちょうど改築中の東本館と、南よりの現在のマーキュリータワーの位置にあった古い院生寮（本当に古い木造二階建てで、八〇年代を席巻した『めぞん一刻』というマンガ・アニメのアパートのモデルになったという噂がありましたが、今はこの作品もどのくらい知られているか……）の他はほとんど建物がなく、だいたいは国立市民の散歩と憩いの場所になっていました。

とはいえ一九九六年の時点で東キャンパスに建ったのは先ほども触れた東一号館、それから生協のパンや文具の売店と食堂の入った東プラザだけでした。そこで言語社会研究科の授業は、他の学部や研究科と同じようにあちらこちらの教室を使ったり、ゼミは教員の研究室で行ったりしていました。わたしは当時西キャンパスの図書館の北西側につながっている第一研究館というそこまで古くはないものの新しくもない建物の一階に研究室がありましたので、この部屋で数少ない院生を相手に、ゼミでドイツ語のテキストを読んだり、論文指導したりし始めたわけです。また各研究科では教授会という一番重要な会議が月に一回あるわけですが、それも例の東一号館の建物の一階の部屋を使うことになりました。なので会議室の入り口が教室と並びの廊下にあり、学内でモメるような案件があったときには、そこで学生たちが教師にビラ配りをしたりするという、いろんな意味で活気も大らかさもあった時代でした。

ちなみに、この一橋大学で教室に冷房が入ったのはこの東一号館が初めてです。とはいえこれは国が方針を転換したわけではなく、大学のOB会である如水会が後輩たちのために奮発してくれたという話です。とはいえ、一・二年生の授業が移ってきたのは一〇月からでしたが。そしてこのあと、一橋大学では他の教室にもだんだん冷房が入って、学生が熱中症になる心配も少なくなりました。しかし一方でAVやLL、コンピュータールームなどの設備はまだ国立にできなかったのと、そもそも教室の絶対数が足りないので、冬学期からも一部の授業はまだ小平で行われ、学生も教師も小平と国立を行き来することになりました。そのため、この時期は昼休みが延長され、連絡バスも増強されて、つかの間の大にぎわいをみせたのでした。

研究科創立時のメンバー

言語動態講座	社会言語講座	言語文化講座	思想・文化論講座
諏訪 功	塚田富治	土岐健治	岩佐 茂
恒川邦夫	佐野泰雄	松永正義	渡会勝義
鵜飼 哲	田中克彦	坂井洋史	藤田幸一郎
新井皓士	糟谷啓介	秋谷 治	佐藤郁哉
尾方一郎	井上義夫	中川 學	
古澤ゆう子	河村錠一郎	坂内徳明	
	田辺秀樹		
	野崎 歓		

四

さて、この言語社会研究科が一九九六年にできた時のメンバーをまとめておきましょう（表）。このうち言語動態、社会言語、言語文化の三つの講座は、本籍がこの研究科の人たちです。多くは文学や語学が専門の方たちですが、授業科目としては言語と社会の関わりというのが売りですので、世界語論、混成語論、文芸社会論、言語文化生成論など野心的な授業科目名が多く、また言語社会研究科なのに非言語情報論という授業があって、河村錠一郎さんが美術、田辺秀樹さんが音楽、野崎歓さんが映像の授業を担当していました。もっともこれはのちに、分かりやすく美術、音楽、映像という名前がついた授業科目になって、今も相変わらず言社研の一つの重要な柱になっています。

また、こうした新しい研究科を作るには、全学に協力してもらう体制が整っていることも必要です。そういう意味で、経済学部から中川學さん、社会学部から田中克彦さんと糟谷啓介さんが移籍して下さいました。中川さんは経済学部長も務めた客家研究の大家で、東アジア研究の幅を広げただけではなく、大学や学問について大所高所からの話をしばしば披瀝され、あるときは宇宙交信の言語研究の必要性まで説かれて（今でいうＳＥＴＩというやつですね）、わたしのような若造を大いに驚かせた方です。田中さんと糟谷さんは社会言語学というこれも言社研の一つの大きな柱になる分野を、いわば新天地を開拓する意気込みで持ってきてくださって（田中さんはモンゴルが一つの専門で、いかにも開拓、という気風の方です）、多くの後進を生んで大きな花を咲かせたのでした。また思想・文化講座というのは、他学部に本籍のある先生が、協力講座という形で授業を開いてくれたところです。

建物の話に戻りますと、九六年に建った東一号館に続いて、ＬＬやＡＶの教室も含めた東二号館が九七年度の途中にでき上がり、一・二年生の授業を国立でできるようにする用意はかなり進んだのですが、言社研の建物はそう簡単にはできず、事務も会議室も東一号館に間借りした状態がけっこう長く続きました。

もちろん普通の授業はどこでやっても構わないのですが、たとえば問題の一つが、わたしがいろいろ関わることになったコンピュータールームです。さっきも書いたように小平にあったコンピュータールームがすぐには国立には移転できず、学部生のための情報の授業も他が引っ越したあとまで当分は学生が小平に通って受けていたような状態でした。ところで一方ではわたしたちの言社研では、新機軸として一年生の夏学期に全員にコンピューターの実習を必修にしていたのです。

院生がコンピューターの実習……というのは今の学生からは想像もできないと思いますが、当時はＳＮＳどころか、電子メールもまだほとんどだれも使ってない状態で、しかもメールソフトがあったりウェブ上で読み書きできたりというような便利なものは一切なかったんです。今となってはむしろ説明が難しいのですが、いちいち英語でコマンドを打ち込んで操作する、とてもわかりづらく手間のかかるものでした。（一橋でウェブメールが使えるようになったのは、二〇〇三年春にサーバーを入れ替えてからです。）

しかも、使える道具もごく限られています。スマホやタブレットなど当然ありませんから、メールを読み書きするためには必ずパソコンの前に座らなくてはなりません。そして仮にノートＰＣを学校に持ってきたとしても、Ｗｉ－Ｆｉもないのでネットに接続できません。結局学校でメールを読むためには、ケーブルでネットに接続されたパソコンのあるコンピュータールームに行くしかなかったのです。こういう時代ですから、修士で初めて電子メールを使うという人も多かったですね。

もちろん学部生にとっても需要は大きく、当時西キャンパスの本館という、いまでは教務課が入ったりしている建物の古い部屋を改装して、コンピューターを並べて自由利用に使いましたが、朝から学生が行列していたものです。

結局、西キャンパスの情報処理センター（今の情報基盤センター）の裏手に新しいコンピューター教室が建つまで、東一号館の普通の教室をいくつかつぶして授業用のコンピュータールームにするという、本当に苦労した時代でした。大学院の授業は学部の情報の授業より人数が少ないので、西の西の端、情報処理センターの演習室という小さな部屋を使うことにしました。それでも学生たちは意欲的に参加してくれて（少なくともコンピューターのある場所からは）みんなが電子メールを使えるようになりました。

そんなわけで、研究科開設後四年たった二〇〇〇年の四月を目標に、言社研と留学生センター（今の国際教育交流センター）が入る建物がようやくできることになった時は、わたしも言語情報処理室という名前のついたコンピュータールームの仕様の決定や使用電力の計算に関わったものです。コンピューターは全部で三二台ほど用意しましたが、これは実は節約して、さっきいった普通の教室に作ったコンピュータールームのPCを一部譲ってもらって、新しい研究科の授業用にしたんです。これをサーバーで管理する作業は、二〇〇〇年の二月という半端な時期にわざわざ着任してもらった、研究科ＩＴ助手の國森さんが大変な頑張りを見せてやってくれました。まだ新しい建物がなく、東一号館のコンピュータールームが空き部屋になって、暖房もあまりきかないところで設定したものです。新しい建物は三月下旬の修了式の頃に、ようやく中に入れるようになったので、その年度の修了生たちには案内して、これからこういう建物を使うようになるんだよ、と見てもらいました。名前は、言社研と留学生センターの両方の特徴をとらえて国際研究館となりました。

この時言語社会研究科は、一橋で初めてだいたい独立した建物を持った研究科になり、よそとの間にレッドロビンの結構高い垣根もできました。しかしこの垣根はよく見るとじつは、国際研究館の手前の桜の木が何本か植わった空き地を囲うもので、花見客をブロックするためかもしれません。じっさい言社研と他の研究科の間に院生の履修の垣根はなく、ほとんどどんな授業でも受けに行けます。そしてここの空き地には一橋で毎年一番開花の早いソメイヨシノがありますので、入学式どころか年によっては三月の修了式を彩ってくれます。言社研の受験を考えている方がいらしたら、ぜひこの桜の下でお会いしたいものです。

ここではわたしの回りのせまーい範囲のことを通して見ていただいたのですが、こんな感じで始まった言社研、あわただしく、めまぐるしく、そして楽しい、そんな夢のような時間がそれからもずっと続いてきたから、わたしの頭の中はいまも駆け出し気分なのかもしれません。

マーキュリーのはなし

成相　肇

一橋大学商学部在籍中に、偶然ある現代美術家と知り合ったことをきっかけに唐突に美術に関心を持った。のめり込んだのはいいが気付けば卒業が迫り、はてさて困った。就職のあてもなくまったくの五里霧中で、言語社会研究科であれば美術が学べることを知って進学を決めた。学部から逸れた専攻で学生期間を延長することに不安がっていた（というより猛烈に反対していた）両親を安心させ、なおかつ美術と関わって生きていく道として、学芸員という職を目指すことにしたのだった。極端に知人の少ない僕の知り得る情報ではそれしか思いつかなかったのである。僕が入学した年度から学芸員資格を取得できるようになったので、たまたま言社研で学芸員資格を取った第一号が僕ということになった。

ぽつぽつと告知がある採用試験を、専門に関わらず片っ端から受験しながら、修士を出てから一年間のバイト生活を経て運良く都内の美術館に合格した。狭い業界の中に学歴が共通する人がまったくいないことは気楽だったが、今では多くの後輩が学芸員になって活躍されていて嬉しく思う。最初に入った府中市美術館に七年勤めてから次の東京ステーションギャラリーに移り、さらに九年勤めて次の美術館へと、掛けていただく声に身を任せるままに都内の美術館を転々として、現在は三つ目の職場である東京国立近代美術館に勤務している。巡り巡って母校の開校の地である神田一ツ橋のすぐそばにある美術館に思いがけず務めることになったのは、因縁めいたものを感じるような気もしないではない。

学部では社会学部の中野知律先生にご指導いただいて見様見真似で美術史研究のような卒論をまとめたが、美学美術史という学問にほとんど無知であったから、喜多崎親先生のゼミナールはじつに新鮮だった（ただの横好きの無学の徒をよく迎え入れてくださったとつくづく思う）。先生はご自身の専門である一九世紀フランス美術とは時代もジャンルも大きく異なる研究を志す学生を一手に――日本の現代を専門にした僕を含めて――抱えていらして、持ち回りで発表されるゼミ生の研究の幅は多岐にわたり、刺激に溢れたものだった。僕は学芸員になってから、戦後日本の前衛美術を中心に調査研究を行いながら、マンガとか大衆誌とか広告とか、美術の周縁に流動する複製文化をまたぐ、なんというか雑種的な展覧会を企画してきた。関心の赴くままにいわゆるファインアートから外れたところに踏み込んでいるわけだが、それは自分が無知なままに二〇歳くらいでいきなり美術を学び始めたことへのコンプレックスの現れのような気もするし、あるいは、言語・社会・研究科という、およそこの世に無関係なものはなさそうな大きな器によって培われたものかもしれない。先生は「放し飼い」だと自嘲なさっていたけれど、ゼミでなされる発表に対して、ゼミ生が各自の専門に基づいた知見を絞り出して行う意見や知識の交換は思わぬ実りがあり、別領域であっても接続し得ること、むしろ接続するところにこそ知が宿るのだということを身を以て学んだ。

そういえば、あるとき大学院で「テクスト」をテーマにした連続講座が開かれていたのを覚えている。美術、演劇、映画、思想、哲学、言語など、広く人文領域全般をまたぐ言社研所属の諸先生がオムニバス形式で共通の主題を語るという趣向であった。多様なジャンルとメディアに見られる知の束を「織物」とみなし、「テクスト」に関連する表象が語られ、さらにそれらの講義自体が互いに入り組んで新たな織物を構成していく様子はきわめておもしろかった。やはり大学院の頃を振り返ると、自分にとってはこうした学際的な印象が強く残っている。この研究科が根差す人文という領域は、人類のあらゆる所産に及ぶという意味であまりに広大だが、その意義はオールマイティーであることにあるのではなく、専門をまたいで他領域に手を伸ばすアプローチ、そしてその伸ばす手の多さに担保されるように思う。哲学に代表されるように、既存の閉鎖系としての領域において正しいとされていることの、その正しさの指標

【図1】一橋大学兼松講堂に施されたマーキュリー

自体を問うことができるのが人文であるのだから。

自分のことを書くのはどうもバツが悪い。ここでひとつ、商学部に入っておきながら美術を専門にすることにした妙な経歴の後ろめたさの解消に、そして放し飼いの子の自負を頼りに、大学通りを挟んで東西に別れた一橋大学を人文学的アプローチによって結ぶはなしを書いてみようと思う。

話題にしたいのは校章のマーキュリーである【図1】。貴重な伊東忠太の建築（この重要な建築家のこともゼミの先輩の研究発表によって知った）である兼松講堂の正面妻側に掲げられたあの校章だ。例えば日本橋の三井本館とか三井住友銀行大阪中央支店の壁面にも同じような杖の装飾が彫られていて、商業のシンボルだというのは知っていた（メルカリというフリマアプリの名前を見て、おっ、と思った一橋大の関係者がいるかもしれない。ラテン語の「商いする、取引する」に当たるmercariはmercuryの由来の語の一つだ。そういう方はQueenのヴォーカルや美少女戦士の一員の名前を見かけても、おっ、と思うだろう）。しかし在学中には成り立ちなど知る由もなかった。そういうわけで、マーキュリーの由来は？ 意味は？ 調べてみました。

大学の公式ウェブサイトでは次のように説明されている。

一橋大学の校章「マーキュリー」は、ローマ神話の商業、学術などの神メルクリウスMercurius（英語名マーキュリーMercury、ギリシア神話のヘルメスHermesに対応）の杖を図案化したものです。二匹の蛇が巻き付き、頂には羽ばたく翼が付いています。蛇は英知をあらわし、常に蛇のように聡く世界の動きに敏感であることを、また翼は世界に天翔け五大州に雄飛することを意味しています。

東京商業学校が高等商業学校に昇格した明治二〇（一八八七）年頃に、ベルギーのアンヴェルス（アントワープ）高等商業学校出身の教師アルテュール・マリシャル Arthur Marischal（一八五七―没年不詳）と教頭成瀬隆蔵の発案により制定され、一般の商業学校とは区別される「高等」商業学校の特別な地位を示す Commercial College の頭文字 C・C が添えられています。


学部に入学してまだ日が浅い頃、ある教授が起業家精神を生徒に説きながら、我が大学の校是は Captains of Industry だが、これからは Captains of Innovation だ！ と熱く語るのを聞いて、ではなんで校章に C・I でなく C・C とあるんだろうと思った記憶がある。Commercial College の頭文字だったのか。なお大学での通称は「マーキュリー」だが、この杖はローマ神話で「カドゥケウス」、ギリシャ神話で「ケリュケイオン」（「伝令の杖」の意）と呼ばれる。

調べてみると、この校章は一度廃止の危機にあったという。


野球の「ストライク」が「よし一本」ボール」が「駄目」と言われるようになった戦争末期の狂瀾時代、外来思想、外来語は凡て国体に悖るものとして弾圧されこの余波は当然一橋のシンボル「マーキュリー」に及んだ。古事記の古典を省みることなくしてギリシャ神話に基づく校章を作るとは何事か。このような相次ぐ外部の圧力に加えて、驚くべき事には内部より夫に迎合賛同する意見が現れかくして昭和十八年末期から校章改正問題が討議研究される事となった。だが輝く伝統と国際的栄誉に輝くマーキュリーに優るものがどうして生れよう。幾度か試みられたその企画も応募図案も悉くが橋人を満足させる事が出来なかった。

然し、何らかの妥協なくしては許されない事態に直面していた。遂に大学学部は一般官立大学と同様の、何の変哲もない「大學」が校章と規定され、予科、専門部は一美術学校教授の手に依る奇妙な図案が正式に校章と採用される事に決定した。昭和十九年末期の事である。夫は金鳩の下に剣と桜の姿が描かれている無気味なものであった。専門部学生は之に対して猛然と反対に立ち、遠くより見る時は変化に気がつかぬ程原案を修正し、せめてもの面影をその中に求めようと試みた。が幸いにも当時の資材不足は、この校章を多量に製作せしめる事を許さず、為に学生は、最後迄マーキュリーを風に嘯かせ得たのであった。(1)

「橋人」という人種を初めて知った。ちなみに末尾の「風に嘯かせ得た」というのは「一橋会会歌」（明治三九年作、植野庄二郎作詞）中の「風に嘯くマーキュリー」を踏まえている。(2) 件の「一美術学校教授」が何者であるか、「金鳩の下に剣と桜」の校章の実際のイメージがあいにく不明なのが残念だが、「無気味」というよりは無難で凡庸なものであったのだろうと想像はつく。ひとつ気になるのは今引用した『一橋専門部教員養成所史』表紙に刻印され、また同書に所載の写真【図2】に見える校章は「C・C」の文字がなく、蛇の姿が細く、羽を大きく開いたデザインになっていることで（校友会の如水会のシンボルもこれに近い）、詳細はわからなかったが現在のデザインはおそらく同書刊行の一九五一年以後になって改められたものであるらしい。

【図2】出典：『一橋専門部教員養成所史』

　ともあれ、こうして風に嘯き大切にされてきた校章だが、「商業、学術などの神メルクリウス」「蛇は英知をあらわし、常に蛇のように聡く世界の動きに敏感であることを、また翼は世界に天翔け五大州に雄飛することを意味」という大学による公式説明は、じつのところ随分と端折った、というより都合よく書かれてしまっている。特定のイメージに人がどのような意味付けを与えようと自由ではあるけれど、歴史に照らし合わせるとほぼ誤った解説であると言わざるを得ない。

ではここから、主に山口昌男『道化の民俗学』[3]所収の「アルレッキーノとヘルメス」に基づきながら、マーキュリーの図像の源泉を追ってみることにする。以下、ギリシャ神話を基準にして原則としてヘルメス、ケリュケイオンと記す。

まずは神話におけるヘルメスの記述をおさらいしよう。いきなり長い引用になるが、神話は細部の要素が他の神話と接続していたり重要な象徴になったりするので要約し難く、お許し願いたい。ヘルメスとはいかなる神様であったか。

（1）ギリシャのオリュンポスの十二神の一人。ゼウスの末の子として、アルカディアのキュレーネ山中の洞穴で生れた。

（2）ギリシャ先住民の神であって、その崇拝の中心はアルカディアで、ここからギリシャ全土に広がったらしい。

（3）生れつきすばらしい詐術の才に恵まれていた。

（4）『ホメーロス讃歌』中の彼に捧げた歌は彼の誕生をユーモアを交えつつ、愉快に語っている。

（5）彼は月の四日（四は彼の数である）に生れ落ちて、むつきで巻かれて箕の上に置かれたが、その日のうちに抜け出して大へんな遠距離にあるテッサリアの北のピーエリアに行き、アポローンが飼っていた牛を五十頭ほど盗んで来た。

（6）足跡によってあとをつけられないように、尾の方を引いて（あるいは牛に草鞋をはかせて）、ピュロスに連れていった。途中でバットスなる老人に見つかったが、彼を買収した。

（7）ピュロスで二頭を犠牲に捧げたのち、皮を岩に釘づけにし、肉は煮たり焼いたりして食い、他の牛は洞穴に隠しておいた。

（8）キュレーネに帰り、洞穴の前で亀が草を食っているのを見つけ、その甲羅に犠牲にした牛からとった腸のすじを七本張り、竪琴を作り出し、ばちをも発明した。

（9）アポローンは牛を探して、ピュロスにつき、土地の人に牛を見かけないか、と訊ねた。すると彼らは、先ほど小さい子が牛を追っているのを見かけはしたが、足跡が見えず行方はわからない、と答えた。そこでアポローン自身鳥占いによって、盗人の所在を知り、キュレーネのマイア（ヘルメスの母）の所に来て、母親とヘルメスを責めた。彼女はむつきで巻かれている赤児を示し、彼の言うことは不可解だと弁護した。アポローンはヘルメスをゼウスの許に引っ立てていきゼウスに訴えた。ゼウスはヘルメスが否定したにもかかわらず、牛を返すように命令した。

（10）しかしアポローンはその時ヘルメスが手すさびに掻き鳴らしていた竪琴を聞いて、それが欲しくなり、これと交換に牛を与えた。

（11）ヘルメスは牛を飼いつつ、今度はシューリンクス笛を発明した。

（12）アポローンはこれも欲しがって、牛を飼っている時にもっていた黄金の小杖を与えた。しかしヘルメスは笛のかわりに、そのほかに占術をも教えて欲しいと言ったので、小石による筮占術をもアポローンから教わった。かくて、ヘルメスはつねにケーリュケイオン（カドゥケウス）と呼ばれる杖を持つことになった。

（13）ゼウスは自分の子の才を愛し、自分自身ならびに地下（冥界）の神々（ハーデスとペルセポネー）の使者に任じた。彼は神々の使者として、デウカリオーン、ヘーラクレース、ペルセウス、オデュッセウス、カリュプソーなどに現われている。

（14）ディオニューソスを助けて各地に連れて行った。「パリスの審判」ではゼウスの命によりヘーラー、アテーナー、アプロディテーの三女神をイーデー山中のパリスのところへ案内した。

(15) カドゥケウスで眠らせて百目の巨人アルゴスを殺した。
(16) 盗みの名人アウトリュコス、両性具有のヘルマプロディートス、パーンなどが彼の子とされている。パーンを生ませた時は、生れた子が山羊そっくりの姿をしていたので、母なるドリュオプスもしくは乳母が驚き怖れて、これを林野に棄て去ったが、彼はこの子を兎の皮に包んで、オリュンポスの神々の前に運んで来たところ、神々は幼児の形貌があまりに可笑しいので、声をそろえて一時にどっと笑い出した。

このように物語化され擬人化されたヘルメス神話を、神話素とでもいうべきものに還元すれば、次のごとくなろう。

(A) 小にして大、幼にして成熟という相反するものの合一。
(B) 盗み、詐術（トリック）による秩序の攪乱。
(C) 至るところに姿を現わす迅速性。
(D) 新しい組み合せによる（亀の甲と牛の腸のすじから琴を発明）未知のものの創出。
(E) 旅行者、伝令、先達として異なる世界のつなぎをすること。
(F) 交換という行為によって異質のものの間に伝達（コミュニケーション）を成立させる。
(G) 常に動くこと、新しい局面を拓くこと、失敗を怖れぬこと、それを笑いに転化させることなどの行為、態度の結合。(4)

盗むわ逃げるわ買収するわと、たいへんいたずら者の神様である。同時にとてもクリエイティブである。ヘルメスはパンドラの箱で知られるパンドラのお供としてしばしば描かれ【図3、4】、この女神にヘルメスは「犬の心と盗人根性」（ヘシオドス）を吹き込んだとされる。商業の神ではあるが、学術の神であるという説を僕は一橋大の解説以外に知らない。

（上）【図3】ジョン・フラクスマンに基づく「贈物を与えられるパンドラ」出典：ドラおよびエルヴィン・パノフスキー『パンドラの箱』阿天坊耀／塚田孝雄／福部信敏訳、美術出版社、1975年／（左）【図4】セルウーテルス「メルクリウスによってエピメテウスの許に連れて来られたパンドラ」出典：『パンドラの箱』

さて、物語とそこから抽出され得る特性を確認したところで、次にヘルメスの持物（アトリビュート）であり校章そのものであるケリュケイオンに目を転じてみる。この杖はヘルメスを象徴し、いま山口が（A）から（G）にまとめてみせたような意味合いを持つのかといえば順序が逆で、もとはケリュケイオンの図像が先にあり、その象徴的意味がヘルメスとして人格化・物語化されたものであるらしい。ヘルメスは本来人の形を持たない霊格であった。では蛇が巻き付いた有翼の杖には、どのような古代の想像力、神話的思考が投影されているのか。

螺旋状に二匹の蛇が巻き付く図は西欧に限らず古代オリエントにも見つかるが、もともとこれは豊穣の象徴であったと山口は説明する。一橋大の説明のように蛇はたしかに「英知」の象徴となることもあるが、わざわざ二匹を描いてそれらを絡み合わせているのは雌雄の交合を表していると見るのが自然だろう（実際に蛇はこのように体を巻き付かせて交尾する）。マンフレート・ルルカーは次のようにいう。

> 杖のまわりに絡みあった二匹の蛇に、異なる両極の力を認めようとする試みは、おそらく間違ってはいない。上述したC・G・ユングの見解に従い、男性原理と女性原理が

考えられよう。神やその仲介者のアトリビュートの配列において、太陽と月の意味、すなわち宇宙の二つの基本的な力を指摘することも可能であろう。[5]

生殖（行為）の図は豊穣の意味へと敷衍されて、ルルカーの言うように二元的な両極の力の結合や転換へと接続する。さらには死と生の循環、生成、再生、復活といった象徴的意味をまとっていくことになる。

この二匹の蛇からヘルメスへとつながる展開を物語る重要な例としてたびたび指摘されてきたのが、壺絵に描かれた「ヘルマ」の図像である【図5】。図に掲げたのはルーブル蔵のレキュトスで、右から祭壇、横向きのヘルマ、葉のない樹が描かれている。ヘルマとはかつてギリシャの各地の路傍、特に十字路や土地の境界に積まれた石（ヘルマ ἕρματα）のことで、のちに人頭とファルス（男根）を彫った四角柱（四はヘルメスの数字であったことを思い出してほしい）となり、悪を追い払う神聖な柱として地区や国の境界に設置され、里程標としても機能していた【図6】。上部の頭はヘルメスのものだけではなく他の神々や英雄などの場合もあるが、こ

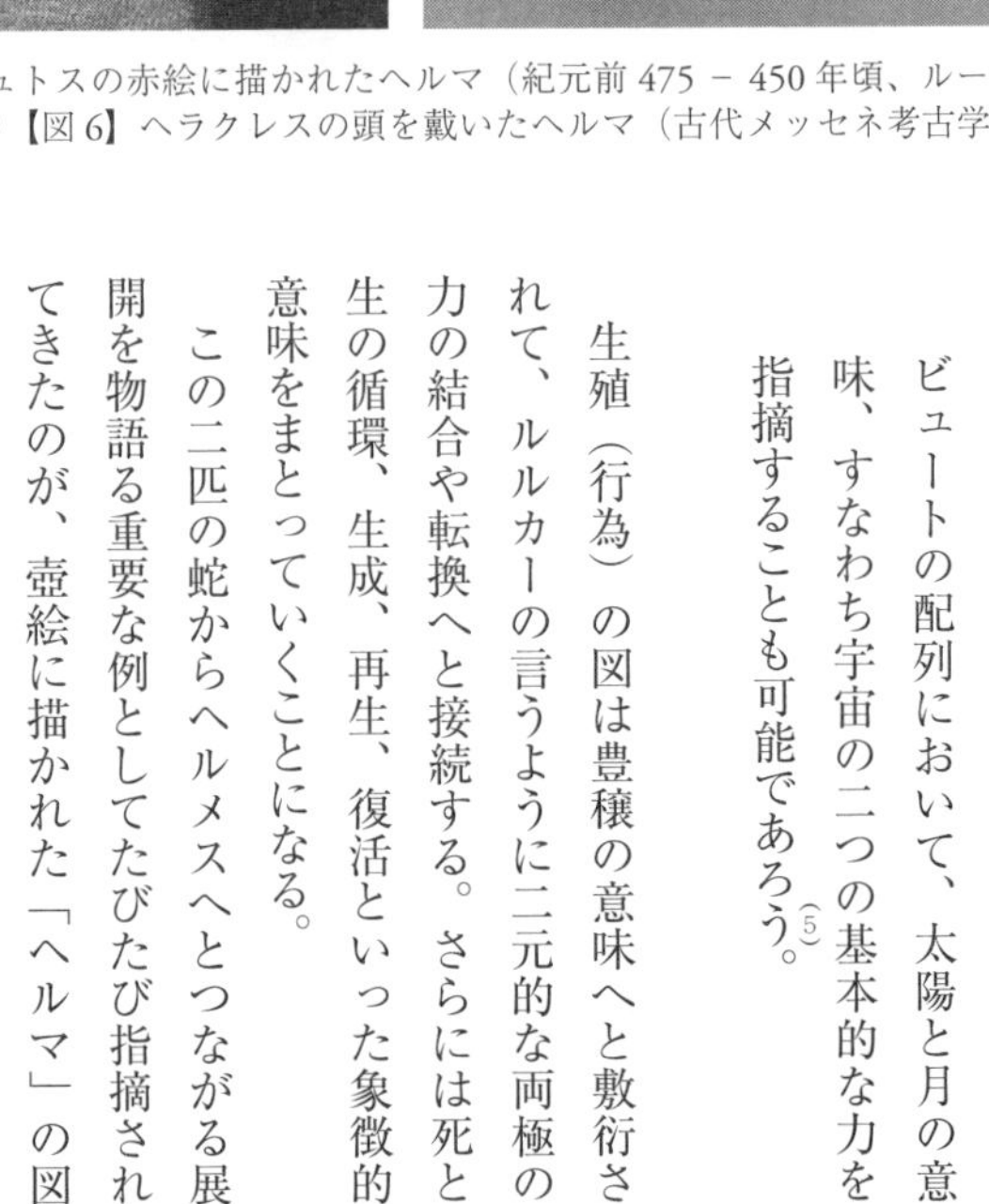

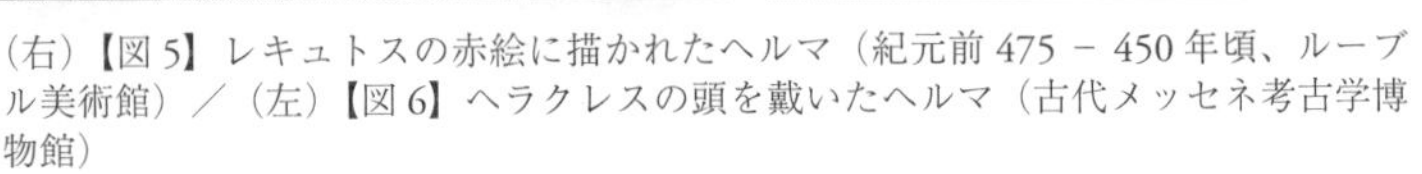

（右）【図5】レキュトスの赤絵に描かれたヘルマ（紀元前475－450年頃、ルーブル美術館）／（左）【図6】ヘラクレスの頭を戴いたヘルマ（古代メッセネ考古学博物館）

のヘルムの語が転じてヘルメスに結びついたとされている。
注目すべきは【図5】でヘルマの側面に見える串刺しの団子のような記号で、これは様式化された二匹の蛇が巻き付いた杖、ケリュケイオンに他ならない。ここで蛇霊は既に人格化されつつある。図においてヘルマが携えたケリュケイオンの蛇は、同じく豊穣のシンボルであるファロスと樹木（ヘルマの背後の樹はいわゆる生命樹で、また蛇が絡む杖自体が生命樹であると山口昌男は述べる）と結びつき、さらにヘルマの里程標ないし境界柱という機能が、旅人の守護、あちらの世界とこちらの世界との往来、異質な要素の結合といった象徴を帯びる。すなわちヘルメスに付与されることになる特性のほとんどが、ここに凝縮して示されているのである。

境界に立ち別の世界とのコミュニケーションを司ることから、我々の知る交易・商業の神ヘルメスが生まれることは言うまでもないだろう。ヘルメスがパンドラと共に描かれることも同様の理由から導かれる。ヘルメスはパンドラが冥界（地下）から地上に現れ、また天上のエピメテウスを訪れるときに仕える伝令者であった。境界に立つ者は対立する世界を自由に仲介し、また異質な両極を転換さえし得る。ケリュケイオンが翼をもち、またヘルメスの帽子や靴に翼がついて飛翔能力が与えられている（何しろ生れたその日のうちに遠距離を移動するほどの機動力である）のはこの仲介性を強調した図像化にほかならず、「世界に天翔け五大州に雄飛する」と説明するのでは語弊がある。この翼は物理的に国際世界を羽ばたくためのみならず、思想的世界を、知的領域をまたがる学際性のためにも付与されているのである。もとより、杖、蛇、翼はそれぞれ別個に意味を持った図が合体したキメラではなく、連関し合って意味を圧縮させた象徴である。

かなり簡略化した説明になったが、かくして、大学の公式解説の前段を、なるべく原文を生かしながら仮に校正するとすれば次のようになるだろうか。

一橋大学の校章「マーキュリー」は、ローマ神話の交易や商業の神メルクリウス Mercurius（英語名マーキュリー

Mercury、ギリシア神話のヘルメス Hermes に対応）が持つ伝令の杖、カドゥケウス（ギリシア神話のケリュケイオン）を図案化したものです。二匹の蛇が巻き付き、頂には羽ばたく翼が付いています。二匹の蛇は豊穣と生成のシンボルであるとともに異質な要素を結びつける意味を持ち、また有翼の杖は異なる世界をつなぎ、新しいものを創出することをあらわしています。

なんと気付けば Captains of Industry から Captains of Innovation へという記憶の底にある熱弁に近づいた文面になってしまったように思うが、ならばより受け入れていただきやすいに違いない。できればいつから現在の校章のデザインになったのかの調査も含めて、橋人の関係者には愛をもって修正をご検討いただきたい次第である。

いや、本稿は公式解説を修正することが目的ではなかった。マーキュリーが一橋大の理念のシンボルであるなら、言語社会研究科という得体のしれない研究科の存在意義は高い、どころか核心に据えることさえできるかもしれないということを書きたかった。多分に我田引水ではあるけれど、必ずしもふざけた冗談ではない。言語コミュニケーションを礎に人文学の枠を追い社会の機微を研究することは、大学の出発点にある商学と根本的な理念を共有しているのである。

先に引いた山口昌男が詳細にヘルメス図像の成立を論じたのは、彼の壮大なトリックスター（文化英雄）＝あらゆる境界で跳躍し異世界を媒介する神話的存在の、研究の一環であった。境界に立ち、絶えずあちこちを移動し、他者と接触し、自由な流動性を持ち、ひいては創造に触れる者。人間が培ってきた想像力の塊のようなその魅力あふれるイメージは、さまざまなものが交換される市場の原型に端を発する同時に、領域横断の境目に生じる、それこそ得体のしれない知のよろこびを表してもいる。少なくとも僕は、そのような境界意識を言語社会研究科で教えていただいたと、勝手に思っている。

【註】

（1）『一橋専門部教員養成所史』一橋専門部教員養成所史編纂委員会、一九五一年、一六三―一六四頁。

（2）この会歌については同じく『一橋専門部教員養成所史』を参照した。一橋大学体育会應援部ウェブサイトに掲載の「一橋会々歌『長煙遠く』」の歌詞は上・中・下とある会歌の下の部分に当たる。ところが應援部の方には中田庄三郎作詞による明治三七年の歌とあるのはどういうことだろう。それに上・中はどこに消えたのか。『一橋専門部教員養成所史』には、明治三六年の一橋会雑誌創刊号において校歌を懸賞金付きで募集されたが採択ならず、校歌は定めず当時本科一年の植田の作を会歌とした、という由来が詳述されており、こちらの信憑性が高そうだ。さらに同ウェブサイトで昭和二年に作られた「旧校歌」として掲載の「空高く」は同書に基づけば昭和五年作の「一橋の歌」である。これも詳しい由来付きで説明している後者に信頼が置けるように思われる。

（3）山口昌男『道化の民俗学』岩波書店、二〇〇七年。

（4）山口、前掲書、八一―八四頁。

（5）マンフレート・ルルカー『鷲と蛇　シンボルとしての動物』林捷訳、法政大学出版局、一九九六年、一九一頁。

【座談会】流れ寄るヤシの実たち——言語社会研究科設立初期のあるゼミの姿

【司会】鵜飼 哲
【出席者】西山雄二
山城雅江
中嶋泉
田浪亜央江
小柳暁子
呉世宗

はじめに

鵜飼　言語社会研究科が一九九六年に創設されて二五周年ということで、その記念として今回の出版の計画が持ち上がりました。この研究科には固有の制度的不安、制度の有限性に対する不安が創設時からあり、創設時のメンバーの一人として、のちほど少しそのことについてお話したいと思います。

「小さな組織の大きな多様性」という表現が適切かどうかは分かりませんが、私たちのゼミはそんな言社研の性格を、かなりよく体現していたとは言えるかと思います。色々な分野の研究者が集まっていたことは確かで、言社研自体を映す鏡のひとつのようなものにはなるかも知れないと考えて、今日はこの対談を提案させていただきました。どんな組織で働くにしても、働いている人がその組織のイメージを持つということは、私は大切なことだと思っています。何かについてのイメージを持つということは、最低限の精神的独立性を確保することでもあります。対談の最後に、今日参加していただいていた方たちにそれぞれ、今お仕事をされている組織のイメージみたいなことも伺いたいと思っています。

ただもちろん出発点は、一橋大学大学院言語社会研究科ということです。当時の国会の予算審議の日程の関係で、この研究科は一九九六年五月に開講しました。今日参加されている方で、一期生は山城さんと小柳さんでしょうか。

小柳さんは言社研ができる前に出会っていた人で、私は入試の監督をしていたのですが、小柳さんが受験していた姿を今も鮮明に思い出します。「みなさん緊張されていると思いますが、私も緊張しています」と言ったのを覚えています。それ以前に七年間教員をしていたけれども、小平時代は学部入試しかなかったわけで、言社研ができて最初の受験生を迎える試験の場は、私たち教員にとっても相当なプレッシャーだったんですね。こんな問題を出していいのかなっていう感じで全部手探り。それ以前は大学院教育などしたこともない人ばかり。

その時のことですが、試験監督というのは結構時間があるわけですよね。普段考えないことも色々と考えたりします。九六年の入試の時はそれこそ出来かけの言社研のことしか考えられないという時間でもあって、受験生の方たちを見ていて私の頭に思い浮かんだイメージは、「ああ、ここにいる人たちは流れ着いたヤシの実なんだ」ということでした。原作は柳田國男なのか島崎藤村なのか不明のイメージですが、同時に私自身もそのヤシの実の一つだと感じていました。

この「島」のイメージは言社研が独立研究科だという地位から来ています。一橋大学の既存の四学部の上に位置づけられている大学院は、一橋で学部を卒業した人たちが入学してくることが想定されている機関でした。それに対して独立研究科としての言語社会研究科は、一橋の学部から上がってくる人はあまりいない。今日の参加者にはいらっしゃらないのですが、一橋の学部から、出来立ての、不安定な言社研に来られた方は、それなりに大変な選択だったでしょう。今日の座談会参加者の方は、かならずしも「名も知れぬ遠い国」というわけではないかも知れませんが、それぞれに遠くから来られたとはいえるのではないかと思います。このイメージにはまた、受験生、未来の院生の行末に対する私自身の心配が反映されてもいました。それは裏を返せば、こんな組織を作って、来てくれた若い人たちの将来にどのように責任を負えるのかという、教員の立場からの不安でもありました。やがて私自身もこの「ヤシの実」のひとつだと思うように、だんだんこのイメージは膨らんでいきました。もともと漂流癖、放浪癖のある私にとって、一橋にとどまり続けるために、このイメージを必要としたという面もあるかも知れません。

言社研ができる過程については私も知らないことが多いのですが、きっかけはいわゆる「大学設置基準の大綱化」（一九九一）が文部省（当時）から出て、総合大学であれば教養部が廃止される流れになります。いずれにしても教養教育担当教員を制度的に位置づけ直す必要が出てきました。一橋の特徴は各学部の教員数に対して、教養教育担当教員のなかの語学系の教員数が約五〇人と比較的多かったことです。既存の四学部に等分して統合すると、語学教員の数が多くなりすぎるという問題がありました。言語センター案などさまざまな案の検討を経て、最終的に語学教員を半分に割って、半分はインテグレーション、後の半分で独立研究科を作るという結論に至ったわけです。

ただ小さいとはいえ、教養科目担当教員の合議決定機関だった小平分校は独立した組織単位でしたので、ある意味国家が解散するような趣がありました。インテグレートされる人たちと、「約束の土地」か何かわからないけれども、名前だけあってまだ何も実体がないものをこれから自分たちで作らないといけない人たちと、どちらが「難民」性が高いかという話まで出てきていました。私は当時、ある種の「包摂的排除」のようなことが起きたのではないかと思っていました。

一橋大学の制度はそれまでとても不思議な形をしていて、全教員が専門も教養も教えるという建前で、各学部と小平分校に二重に所属していました。私は経済学部所属でした。分校の教授会と各学部の教授会に、本当は両方出なければならなかったのです。執行部から提出される方針案について、各学部と小平分校が別の結論を出すことがありうるわけで、一九六九年の学園闘争の時にはこの矛盾が極点に達し、分校ではどちらかというと全共闘を支持する声が強かったので、学部とかなり深刻な葛藤状態に入る局面もあったようです。私はその二〇年後に着任しましたが、その余燼はまだ多少感じられました。

一方、一橋に人文系の学部を作るという構想が、語学研究室を中心に七〇年代半ばぐらいからありました。一時はかなり検討が進んでいたようです。言社研は、その当時の構想を半分くらい生かすかたちで創設に至ったといわれています。私はこの点は伝え聞いただけで、どんな計画だったかほとんど知りません。この新学部運動は、たとえば鈴木道彦先生などが熱心に進められていたようです。言社研の初代研究科長になる恒川邦夫先生は、その計画に当時の若手として多少関わっていたのではないかと思います。

どこからたどり着いたか――出席者自己紹介

鵜飼　それでは、私が勝手に「ヤシの実」にしてしまったみなさんに、まずどこからここにたどり着いたかお話いただけたらと思います。出身校とは別に、みなそれぞれ、じつは「名も知らない遠いところ」からいらしているわけですね。入学前から友人だった小柳さんが、私にとっては「THE一期生」です。最初に小柳さんからお話しいただけたらありがたいです。

小柳　私は早稲田大学の出身なんですが、学部生の頃から鵜飼さんの翻訳や文章がすごく好きでしたので、人づてにパレスチナ交流センター「豊穣な記憶」の会議に参加して、先生と知り合いました。一九九四年学部卒なのですが、ちょうどバブル崩壊後の就職氷河期。周りは必死に就職活動をしていましたがとてもそんな気にはならず、アルバイトをしながらフラフラしていました。そんななか言社研が出来るということを聞き、鵜飼さんのところでならぜひ勉強を続けたいと思い、急遽フランス語の勉強を再開して受験しました。学部の卒業論文はフランスの作家のモニク・ウィティッグでしたが、修士ではフランスの精神分析フェミニズム、特にリュス・イリガライをテーマにしました。鵜飼ゼミではフランツ・ファノンや森崎和江を読んだことが、私にとっては大きかったです。

先ほど鵜飼さんから創立時の話がありましたが、それはもうこっちが心配になるくらいのドタバタぶりで、先生方が走り回っていた姿が目に焼き付いています。院生も一橋出身の人は少なく本当に寄合状態で、泥船が沈没しないように教員も院生も一緒に頑張っていた感じがありました。言社研創立時のカオスぶりは私にとっては好ましく、教員と院生が仲間のようにやっていたイメージがあります。

鵜飼　ありがとうございました。つぎは一期生で、試験のときはまだ面識がなかった山城さんに、お話を伺いたいと思います。

山城　私は横浜国立大学の教育学部の出身です。いま小柳さんの話を聞いて、ちゃんと調べて入学されたんだなと感じたんですけれど、私は自分が働く姿を思い浮かべられなかったという、ちょっと不純な理由でして。フラフラするかと思っていたら、言社研が五月の授業開始なので大学院入試にもまだ間に合うという、とてもラッキーな話を聞いて受験しました。入ったときには明確なヴィジョンがあったわけでもなく、言社研が研究科としてどうかってことを冷静にみてなかったんですけれども、先生からお話を聞いて、だからああいう感じだったのかと、今、合点がいきました。入試面接のときに面接官が三人、一人はドイツ音楽の田辺秀樹先生でした。問題意識を拙いなりに何とか書いて出した私の研究計画書について、一人の方が「ちょっとこれどういうことかわからない」と言い出して、田辺先生が「いえ、僕はこういうことだと思うけど」と、三人で議論が始まったんですね。それを見て、これは成功した面接なのだろうかと不思議に思ったことを覚えています。入ってからは、本当にヒエラルキーがないような感じで、いろんな分野の人がいて、すごく面白かったです。

また鵜飼ゼミというのも大きなポイントだったのかなと思っています。私は当時、自分でも何がやりたいのかよくわからず、視覚表現ということもあって河村錠一郎先生のところに行ったんですけど、やっぱりポストコロニアルにも問題意識があるってことで、結局鵜飼先生のところに行くようになって、地域も全然違うのに置いてもらったという感じですね。そういう「ヤシの実」感というのは鵜飼ゼミは半端なかったなと思います。ゼミ内でもいろんな「ヤシの実」が混在していましたし、ゼミ経由のイベント、講演会やシンポジウム等で教室の外の更に多様な人と会う、話す機会もたくさんあり、予測できない、かなり強めの刺激だらけでした。そうした「縁」は、言社研、特に鵜飼ゼミでなければ得られなかったでしょうし、これまでというよりも、むしろこれからの教育・研究を支えてくれるのではないかと思っているのですが、そういう場で何年も学ばせてもらったというのは本当に貴重だったと感じています。

鵜飼　ありがとうございます。お二人のお話の中には「泥船」とか「カオス」という言葉が期せずして出てきました。教授会自体が今から思うと本当に「カオス」でしたね。

田中克彦さんはもちろん設立時の看板教員でしたが、社会学研究科から移籍して来られたのです。文部省の通達では、全学が協力してこの研究科を作らなければならないことになっていました。それで言社研には、各学部から移籍された先生方がいたんです。社会学部からは田中さんと糟谷啓介さん。経済学部からは学部長もされた中国経済の中川學さんなどですね。

もう一つは山城さんが言われた面接の話。語学の教員はそれまで同僚として一緒に仕事をしてきたけれど、面接の場で同席するのは初めてだったのです。「えっ、この人こんなこと言う人だったっけ」というような驚きがあり、それが受験生の前でも制止が効かずに出てしまっていたのでしょう。われわれもだんだん「大人」になっていきましたが、修論、博論の審査の場で、同じような驚きを経験したことは在任中ずいぶんあります。

次に、二期生は田浪さんですね。田浪さんも先ほど話に出た「豊饒な記憶」というパレスチナ連帯運動のグループで、小柳さんよりも前に出会っていました。田浪さんにとっては、一つの場所から流れ着いたというより、いくつもの場所から流れ着いたような感じがあるかもしれません。東京外大の大学院に進もうと思えば進めたのに言社研を選ばれたということも、田浪さんの場合には他の人にはない条件としてあると思いますので、その辺のことも含めてお話いただけたらと思います。

田浪　私は二期生ですが、鵜飼先生と最初に出会ったのがいつだったのかなと考えながらお二人の話を面白く伺っていました。私は東京外国語大学のアラビア語学科にいましたが、大学のパレスチナ連帯運動のようなものだとか、大学で勉強したというよりも、いろいろな市民運動やグループなどに少しずつ関わったりして、学部の頃からあちこちさまよって迷走していたんです。比較的長く関わっていたのは、パレスチナの文化に関わる市民団体で、パレスチナ人のアーティストや、ミシェル・クレイフィーさんという映画監督を招聘した「豊穣な記憶」というグループでした。そこで鵜飼さんが中心的に関わられていて、その中での出会いが最初にあったんですね。

私自身のストーリーというと、学部の時に二年間、シリアに留学していました。そこで、アラビア語なんかについては多少自信がついたものの、じゃあ今後何をやっていくのかについての現実的なヴィジョンはもっていなかった。今考えると本当に不思議なんですけれど、全然計画性のない時間ばかり過ごしていたんですね。さっき山城さんが言われていたことに共感しますが、自分がこの日本社会の中で、企業なりどこかで働くっていうイメージが全然もてないでいました。今とは違う、まだ余裕のあった時代の雰囲気もあったんでしょうが、個人的に高校時代にかなりいろいろ挫折感も味わって、この日本社会の中で働いて暮らしていく自分をイメージできず、とにかく猶予が欲しかった。まともな社会人として生きるということをなるべく先に延ばして、さまざまな経験を通して学ぶままでずっといられるかのようなつもりでいたんですよね。今の学生から見たら、マイペースすぎて信じられないだろうと思います。

それでシリアから帰ってきてその後どうするのかという時に、とにかく就職しないのであれば、大学院に入るということ以外は考えられなかった。ただ、東京外大からは出たいという気持ちがすごくありました。東京外大の院に入るとなったら、その段階でどの地域でどういう勉強をするのか、ということをはっきり決めて、専門性を選んでないといけない。ただそんな踏ん切りが私にはとてもできなかった。社会人になることを引き延ばすのと同じように、何か勉強は続けたいんだけど、特定の専門分野を選ぶということも、引き延ばしにしたいと。今の目から見ると少し違うんですが、当時はアラブ圏の一国とか一地域を専門として選ぶということが、自分の世界を狭めることのように見えていたんです。言社研であれば、いろんな方がいて、もっと広い勉強ができるということですね。いろんな勉強がしたいという漠然とした思いだけがあって。だから、一橋に入れたときは本当に嬉しかったですね。大学院に入って、ようやく広い世界を学び始めることができるみたいな不思議な高揚感がすごくありました。

それがその後、ものすごくマイペースに長いあいだ在籍し、非常勤を長く続けることにも繋がっていくんですけれど。今だから言えることではありますが、言社研に入ってありがたかったのは、そうした猶予の時間をもらえたということですね。他のやり方でも猶予は得られるかと思うんですけれど、当時の私にとっては、とりあえず大学院という社会的な立場と場所を得て、いろんな猶予を与えてもらった。結果論ではあるんですが、私にとってはやっぱりすごく長い時間が必要だったと思うしかないです。

鵜飼　ありがとうございます。西山さんは三期生、世宗さんは何期生ですか、（世宗：四期です）私の記憶だと中嶋さんが一番後、私がサバティカルに出かけた年（二〇〇一年）の前年に入学された記憶がありますので、その順番でお話を伺っていいでしょうか。では、西山さんお願いします。

西山　私は、神戸市外国語大学の丹生谷貴志先生のところで、既に修士まで勉強しておりました。ただ神戸外大では、仏文科でも哲学科でもなかったので、鵜飼先生のところで勉強したいと考え、思い切って東京を受験することにしました。既に結婚もしていたので、この大学院受験で駄目だったら就職をしなければという覚悟でした。たしか九月に受験をして、当時一〇〇人以上は受けており、合格率は半分ぐらいだったでしょうか。ともかく会場の雰囲気に圧倒されましたし、とても緊張したことを覚えています。

神戸外大では国際関係学科だったので、もともと学際的な環境で研究教育を経験していました。言社研も学際的な組織で、個々人の専門が多種多様なのですが、それが居心地がよく、とても肌に合うと感じました。ただ、だからこそ、研究教育における個人の強度が大事なんですよね。分野横断的に何でも研究できる、という脱領域の自由が、何も身につかない「無領域」にならないためには、個人個人の強度が必要になります。概して、外国語大学というところは個人の孤立した意志が強い。結局、独りでどこかに留学することもあり、個が際立っている場でス。それと同じような雰囲気が言社研にも感じられました。自分一人で自分の専門領域を確固たるものにし、個々人の粘り強さがある場。これまで提出されてきた、独特の重厚さのある博士論文の数々がこの特質を裏付けています。

鵜飼　ありがとうございます。田浪さんと西山さんのお話を伺っていて思ったことは、田浪さんは地域研究、エリア・スタディーズの拠点だった大学に学ばれたのに対し、西山さんは学部時代からある種の学際的な人文学、ヒューマニティーズの場にいらしたということでした。エリア・スタディーズとヒューマニティーズがどんな関係を結べるかということは、九〇年代半ばあたりから今日に至る、おそらく最重要の課題のように思います。新しい制度ができる中で、教員の方はそこまで自覚してはいなかったけれども、後から考えると、研究科全体としてもこの課題に手探りで取り組んできたのかも知れません。ヒューマニティーズとエリア・スタディーズの関係については、このあとも議論していければと思います。それでは、四期生の呉世宗さんですね。お願いします。

呉　私は明治大学政治経済学部出身ですが、先ほど田浪さんが進路で迷われたというお話をされましたが、私はそのあたりで悩んだことがなく、大学院は行くだろうなという感じでした。学部三年生の終わりごろだったと思いますが、友人から鵜飼先生の講演会に誘われました。そのとき私は鵜飼先生のお名前を存じ上げていなくて、誘われるがまま行きました。九六年か九七年ごろだったと思います。そのときの鵜飼先生の講演の内容は、パスポートを難民の問題とも関連させて思想的に語るとても面白いものでした。それだけでなく、講演があった当時はちょうどいわゆる自由主義史観、日本版歴史修正主義が現れていた時期で、植民地の問題や歴史を大々的に否定していくような言説が世を席巻していました。そういった時期であったこともあり、その講演の終わりの方で鵜飼先生が日本版歴史修正主義について話されて、そして「コミュニケーションは相手の言葉を信じるところからしか始まらない」といったことを言われたんですね。当時は「従軍慰安婦」にされた朝鮮人女性に対して、とある元法相が「あなたはカネをもらっていないのか」と発言したりしていた時期でした。鵜飼先生の言葉を聞いて私はとても感動しまして、大学院では経済史学的なことをやろうと思っていたのですが、鵜飼先生のところに行こうと決めました。

私は学部時代にフランス語を第二外国語でとっていましたが、ほとんど勉強しませんでしたので、急いで大学院受験に備えてフランス語の勉強を始めました。そうするとちょうどイ・ヨンスク先生が言社研に教員としていらっしゃって、朝鮮語が語学試験の選択肢として選べるようになりました。私の記憶ではそういうことだったと思います。一生懸命フランス語を勉強しましたけれども、英語と朝鮮語で受験ができるようになりましたので、そのおかげもあって合格して、言社研に入りました。

学部時代は期末試験のときしか講義に出なかったものですから、鵜飼先生のところに行って初めて

「講義に出るというのはこういうことなのか」「ゼミとはこういう場所だったのか」ということを経験しました。大学院という場所もよくわからないままに進学したわけなのですが、先ほど山城さんの方でも話があった通り、いろんな意見を持つ人がゼミの中にいたことも環境としてとてもよかったと思います。例えば韓国から学びに来ていた方がいましたし、在日朝鮮人では、社会学研究科から鵜飼ゼミに来ていた今法政大にいらっしゃる愼蒼宇さん、大阪市立大学で教員をされている宋恵媛さんなどが在籍していました。もちろん沖縄からも山城さんが鵜飼ゼミにいらっしゃいました。とにかく多様な雰囲気だったんですね。私のように右も左もわからないまま進学してきた人を、なんとなくふんわりと受け入れてくれる環境だったと思います。先ほど鵜飼先生がヤシの実という比喩で話をされていましたが、私はそれなりにヤシの実が集まった状態の中に入っていったので、大学院をゼロからサバイバルをするというわけではありませんでした。そのあたりとてもありがたく思っております。

とはいえやはりとても優秀な人が多くて、私も内心大丈夫かなと心配になったのですが、初回ゼミの自己紹介のときに、何名かの博士課程の先輩がウンベルト・エーコ『論文作法』（『論文作法　調査・研究・執筆の技術と手順』谷口勇訳、而立書房、一九九一）を紹介してくれたんですね。この本を持ってると修論はなんとかなるよといった話でした。それで急いで国立の田村書店に買いに行って読みました。六ヵ月で論文を書く方法とかが書いてあって、私でも何とかなるかなという気になれました。

大学院では在日朝鮮人の問題に取り組もうと考えていました。ですが、どうアプローチするかは、はっきり決まっていませんでした。そんなある日、鵜飼先生の講義で谷川雁と金時鐘の話が出て、それで私は谷川雁と金時鐘を手に取ることになります。谷川雁の「瞬間の王は死んだ」とか「連帯を求めて孤立を恐れず」はかっこよかったけど、でも何言っているのかわからない。しかし金時鐘の「さらされるものと、さらすものと」というエッセイはすっと自分の中に入ってきました。「〈朝鮮人は〉なんでさらしものになんのや！」と苦悩をぶつけるある在日朝鮮人の学生に対し、金時鐘は「さらしものになっているのではない。さらさねばならないことをさらしあっているのだ」と応えるのです。これが私の中で大きく響いて、それで金時鐘について論じようと決めました。金石範を研究する先輩と話をする機会も多くありました。また金時鐘と金石範の対談『なぜ書きつづけてきたか　なぜ沈黙してきたか――済州島四・三事件の記憶と文学』（金石範、金時鐘著、文京洙編、平凡社、二〇〇一年）の文字起こしを手伝うことで金時鐘先生ご本人と直接お話をする機会も得られたりして、少しずつ研究を深めることができました。

それから、先ほどの、大学院受験でダメだったら就職する、という西山さんの話を聞いて思い出したことがあります。国立大学が法人化する前に、朝鮮学校出身の学生の受験を一橋が認めなかったという問題があって、鵜飼先生も一緒にタテカンを作ったことがありました。抗議のタテカンです。ゼミ生で校内にころがっている板などを集めて作りましたが、そのときの西山さんのスタイルが、大工さんのような、道具一式を腰にぶら下げるようなスタイルで来てくださって、それはもう大活躍でした。あのときは問題があれば声を上げていく雰囲気があったように思います。そういう意味でも、今ちょっと一橋大学は、いろいろと問題があるようですけれども、いい時期に鵜飼ゼミに入れたと思っております。

鵜飼　ありがとうございます。では中嶋さん、お願いします。美術系ということでご専門は山城さんとも部分的に重なりますが、いらした時期は少し後で、美術の担当教員は河村錠一郎先生から喜多崎親先生の時代に入っていたと思います。中嶋さんにとって、言社研で美術を学ぶということはどんな経験だったかということを含め、お話願えればと思います。

中嶋　歴々の先輩がたを前に、大変緊張していますが、みなさんは私をもしかするとご存知ないかも知れないです。二〇〇〇年に入ったので、五期生だと思います。このころから言社研は、学際的な研究をすることができる研究科として知られていたと思います。それなので、私の中で言社研というのは、泥舟のような印象というのはあまりなくて、その頃までには、泥ではない、やわらかな木でできた船ぐらいの形になっていたということなのかもしれません。私にとってはとても貴重な「受け皿」のような場所でした。というのも、数ある大学院の研究科のなかで、当時私が持っていた興味、つまり、美術史を基盤にしつつ、社会運動やとくにフェミニズム運動、理論とのかかわりを研究できるようなところは、まだあまりなかったんですね。私は美術の勉強をしていこうと大学院に進むときに思ったんですけれども、もともと出身だった場所は、国際基督教大学の教養学部というところでして、広く浅くは勉強しているけれども、特に美術の専門的な知識を研究方法とともに授けられたというわけではありませんでした。それが、大学三年生の時にリーズ大学というところに留学をして、美術と社会史、フェミニズムはもちろん、戦争、ホロコースト、ポスト植民地主義などが交差する勉強方法を体験してからは、ますます、一元的な方法論のもとで研究することの意味が感じられなくなってきていました。勉強したいという気持ちは教養学部や留学時代の学際的な勉強のなかで四年生にかけて高まったのに、どこの大学院に行ったらいいのかよくわからないという状況でした。そのときにアルバイトをしていたニュー・アート・ディフュージョンという会社が経営していた、「ナディッフ」というアート系のブックストアがあるんですけれども、そこの社長さんが河村錠一郎先生のお知り合いで、新しい研究ができる場所があるというのを河村先生の名刺と共にくださって。それで言語社会研究科の存在を知りました。河村先生はその後すぐに退官されてしまうんですけれども、そのときに美術史学が専門ではなくても、他のこと……その頃もう既にフェミニズムについて関心がありましたので、フェミニズムや現代思想、現代哲学をあわせて勉強できる場所があるんだと思って、受験を志しました。

しかし、鵜飼ゼミの中では一番外側にいたかもしれないです。というのも今ご紹介に預かりましたように、喜多崎先生のゼミにいたことも多いので。もちろん鵜飼ゼミが主ゼミであった時期もありつつ、だいたいはサブゼミとして鵜飼先生のゼミに参加していました。二つ以上のゼミに入り、それぞれ専門的な研究に触れることができるというのが言社研の一番いいところでもありましたね。なので、鵜飼ゼミのフランス文学、思想を専門とした方々と自分はちょっと違うけれども、遠くから勉強させてもらっているという形でゼミにいたのを覚えております。

ちょっと話を戻すと、受験のときには鵜飼先生が面接官でした。そのときに私は鵜飼先生に向かって、現代美術のことをずっと喋っていたという記憶があります。鵜飼先生は、ご専門でもないにもかかわらず辛抱強く聴き続けてくださいました。そのときは、ジュディ・シカゴというフェミニストアーティストについて、現代のフェミニズムの文脈からいかに批判的に再検証されるべきかという話をしていました。ジュディ・シカゴは著名なアーティストで、一九七〇年代のフェミニズムアートについても現在ではその頃よりもよく知られていますが、一九九〇年代末の日本では、まだ自分で洋書を読むなどして勉強する以外知る手立てのない状況でした。だから、フェミニズムアートについて、アカデミックな状況で自分の考えていることを真剣に聞いてもらうという経験はその時が初めてだったのです。鵜飼先生はジュディ・シカゴのことをご存知だったんですね。多分、鵜飼先生が面接官じゃなければ落ちていたと思います。そういう面接の経験もありまして、言語社会研究科というところはひどく間口の広いところ、新しいことにもチャレンジできるところだと思って入るのを決めました。

それで次に覚えているのが、鵜飼ゼミに参加させてもらうということを決めた後に、その時の歓迎会のことです。一番印象に残ってるのは西山さんです。西山さんがすごく明るい表情で、新入生のみんなによく来たと言ってくださったのをよく覚えています。そういう、多様な人を広く受け入れる態勢のできたゼミの雰囲気というのが、もうその時には既にできていたと思います。若い学生も社会人もいろんな人がいて、すごい人数でした。大所帯だけれども、ここでやっていってもいいんだということを思わせるような空気が、研究以前に——それはもちろん研究と関係していたことでしたが、感じられるような場所であったと思っています。

研究の面でも、いわゆる「学際的」な環境というものは当時の私にとって非常にありがたいことでした。美術の研究だけではなく、思想や当時の社会問題に触れることができたおかげで、私はフェミニズムの研究を続けてこられました。思い出深いのは、女性国際戦犯法廷周辺の話題がよく出ていたことです。それまで私にとってのフェミニズムは美術と表現にかかわるテーマだったのですが、現代の政治、戦後の日本が抱える問題として考え直すきっかけになりました。それがなければ、多分、今の研究には繋がっていなかったと思います。

これはまた後で話す時間があると思うんですけれども、先ほど出てきたタテカンの話も覚えています。タテカンは私が入ったときにはもうできていて、国際基督教大学はタテカン皆無の学校だったので、これすらも新しい経験でした。当時地球社会にいた叔父が、少し心配そうにこの件について話していたのを良い思い出として覚えています。そういうところで言社研、あるいは鵜飼ゼミというのは、一橋の他のところとは異質な環境なんだというのを肌で感じていました。

ディシプリンをめぐる問い

鵜飼　みなさんからお話を一巡聞いていて、言社研初期の時代の様相を思い出していました。呉世宗さんとお会いしたのは明治大学の韓国文化研究会でしょうか、歴史修正主義の問題で集会が開かれ、そこに呼んでいただいたのでした。そのときのポスターを、私はとてもよく覚えています。当時小林よしのりの『ゴーマニズム宣言』が、いわば歴史修正主義の中心的な発信源でした。毎回の連載の最後に「ゴーマンかましてよかですか?」と言ってとんでもないことを言う。明大韓文研のポスターは、その「ゴーマンかましてよかですか?」というところを引用して

「駄目です!」ときっぱり否定する、大変気持ちのよいものでした。

タテカンについては記憶がやや曖昧なんですけれども、確かに受験資格の問題でもタテカンを出した覚えがあります。朝鮮学校卒業生の受験資格問題は、学部入試と大学院入試の二重の問題としてありました。大学院では朝鮮大学校からの受験資格の問題ですね。学部入試は大験の試験を通らないと朝鮮学校から受験できないという壁があった。それはあまりにもおかしいではないかということで、タテカンを出して学内世論に訴えたわけです。事柄の本質としては、後の高校無償化からの朝鮮学校の排除、補助金停止問題とも通底しているでしょう。

この問題に加えてもうひとつ、九九年の国旗国歌法の後だったように思いますが、大学で日の丸を掲揚しろという圧力が文科省からかかり、それに反対する運動をやったとき、西キャンパスにゼミでタテカンを出した記憶があります。そのとき西山さんが大活躍してくれた記憶があるんですが。当時は一橋の職員のなかにも、それは日の丸のときだった気がするんですけれども、こうした動きに大きなシンパシーを示してくれる方がいました。

言社研が出来た時代は九五年九月に沖縄で少女暴行事件が起き、それに抗議して八万人の県民集会が開かれる、大きな時代の転換点でした。この時期に関東圏に来られていた沖縄出身の方が言社研に入学されたことは、非常に大きなインパクトになりました。

同時に、私は専門の研究領域はフランス、ヨーロッパが中心なので、マイノリティの問題としては、歴史的にどうしてもユダヤ人問題が大きいわけです。「個の強度」ということを西山さんが言われましたが、ドゥルーズ゠ガタリの『カフカ――マイナー文学のために』(ジル・ドゥルーズ゠フェリックス・ガタリ著、宇野邦一訳、法政大学出版局、二〇一七年)を取り上げたとき、この本の三章「マイナー文学とは何か」がゼミで議論になったことがありました。「マイナー文学の狭隘な空間ではどんな個人的事件もただちに政治に接続される。個人的事件は、まったく別の歴史がそのなかで蠢いているだけに、いっそう必要に、不可欠になり、顕微鏡で拡大される」という箇所です。私はこの認識はそのまま在日コリアンの状況、さらには全世界のディアスポラ朝鮮人の状況にもつながるのではないかと考えていました。

先ほどのエリア・スタディーズとヒューマニティーズの関係に戻りたいと思います。ここで外せないのが語学の問題です。専門はみなさん違っていても、それぞれの仕方で外国語に関わっておられると思います。言社研のハードルが最初やや高かったのは、世宗さんが触れられたように、受験のときに二カ国語の試験があることだと思います。語学教員が主体で作った研究科なので、外国語の比重は非常に大きかったし、これからも大きいでしょう。母語以外の言葉で何をするか、そのことを通じて母語をどう捉え返すか。「母語」という言葉自体、田中克彦先生が概念化されたものですね。一学者が提案したことが完全に定着した数少ない例の一つでしょう。このあたりのことにも少し後で触れていければと思います。

エリア・スタディーズとヒューマニティーズの関係に大学の歴史をちょっと重ねてみましょう。明治に遡ると、東京外大と一橋はある意味同じ学校でした。近代国家の形成に不可欠な通訳と商人の養成施設、輸出入を担える商人の形成という、一つの国策から枝分かれした教育機関として設立された経緯があります。その意味で、一番近くて遠いところから来られたのは田浪さんかなと思います。エリア・スタディーズとヒューマニティーズの関係について、田浪さん、今どんなことを考えていらっしゃるか、少しお話しいただけますか。

田浪　今のお話を伺っていて思い出したのは、言社研が入試で二言語必要ということで、でもアラビア語は選択できなかったので、英語と付け焼刃のドイツ語で受験したことです。言社研に入ってからはフランス語をやって、全然ものにならないレベルで第二外国語の必修をクリアしました。外語大時代に学んだアラビア語以外は結局使い物にならないままになってしまいましたが、言社研で学んだのは語学というよりも言語に関する思考・思想だと思っています。エリア・スタディーズというのが語学力を基盤にして、語学をいわゆる手段として研究するものだとするなら、ヒューマニティーズは言語や文学を思考の対象としたり、場合によってはその言語自体で思考したりしますね。外大での学びの方向が前者だとすると、言社研で後者のための時間を過ごしたのだと思います。私は外語大出身といっても通訳をするのは下手で、学んだ語学をそのまま商売道具にすることはあまり上手に出来ませんでした。だから余計に思うのかもしれませんが、手段として使いこなすという範囲にきれいに収めてしまうのではない言語をめぐる葛藤とか植民地支配の暴力としての言語といった視点でアラビア語やアラブ地域を捉えるというテーマを言社研時代に意識するようになりました。

それからエリア・スタディーズとヒューマニティーズの関係というのは決して大学院時代の話だけではなくて、少しずれるかもしれませんが、今の職場でもずっと議論になっているテーマなんですよね。いま私がいるところは国際学部という場所で、非常に多様な分野の教員がいて、悪く言えばごった煮状態なんですね。人文系だけではなくて経営などいわゆる実学系の教員も「国際」が上に付いた教科を担当するかたちです。その中でのいくつかプログラムがあるんですが、そうした制度上のプログラムとは別に、インターディシプリナリーの地域研究をやっている教員と、それ以外のいわゆるディシプリンを持っている、それぞれ政治学だとか、国際法だとか、統計学といったようなディシプリンを持っている教員というような大きな二つのグループが何となくある。私は地域研究をやっている立場ということで、地域研究をもう少し国際学部の中で盛り上げていかなければいけないというような立場にいるように感じています。

語学の関係でいえば、フランス語、中国語、ドイツ語といった言語を専攻してその地域に留学する、実際に行くかどうかは別として、一応そういう目標を持っている学生がいるわけですよね。そうなると、アラビア語の場合は、今の職場では提携校がないということもあるし、私費留学を考えるとしても現在のアラブ圏の状況の中で留学先選びがいろいろ難しいということ。アラビア語を選ぶ学生はそれなりにいるんですけれども、留学先として行くというヴィジョンが描きにくい中で、語学だけアラビア語を勉強してもその後どうするんだというのがあまり見えないために敬遠されてしまっているというのが、今の私の職場の問題です。それから他の大学でもある程度共通して起こってることではないかと思うのは、英語以外に選択できる第二外国語の数が減る、アラビア語やロシア語など、少数言語というわけではないのに日本ではそうみなされてしまうような言語の語学クラスが廃止の危機にあるということです。

話を戻して、私自身はそういうディシプリンと、それを持たない地域研究という、その暗黙の二分化にいろいろ抵抗しているところです。ただ地域研究といっても全然それは一枚岩ではなくて、一括りにはできないんですよね。何らかのその地域のことを対象としていても、その人なりのいろんなディシプリナリティがあって。文学研究を主にやっている人、それから現地に行って、統計学の知識を使いながら、量計的な処理中心の研究をしていく人、あるいはその地域の法体系を入手して植民地政策をやっていくといった、やっぱり何らかのディシプリンとか専門性があるわけで。もちろん地域研究というアイデンティティというのはあるんですけれども、決してその地域研究として一括りにできるようなものでもないだろうというのがありますし。なにか結論があるわけじゃないんですけれど、本当に今の職場の中でも地域研究をどういうふうに定義するのかとか、地域研究のあり方そのものが結構一つのテーマにはなっているなということですね。

私はアラビア語を媒介にして中東のことをやっている人間で、私にとってアラビア語を読み書きすることは、ものすごく大きなアイデンティティの一部というか、重要なことではあるんですけれども、それを全面に打ち出してしまうと何となく不利というか、中東アラブ世界のことが逆に障壁のような気がすることがあります。それ以外の話題は通用しない人というか、あるいは私と何か一緒に仕事をするには、中東とかその辺のことがわかってないとやり辛いというふうに思われてしまうということがあって、それが少し悩みではあります。

鵜飼　なるほど……。田浪さんは先ほど名前が出た「豊饒な記憶」という市民運動の中で出会って、ずっとパレスチナ連帯運動に関わってきたということもあり、また『インパクション』という雑誌の編集を二〇年ほど一緒にやってきた時間もあります。この雑誌の出版元のインパクト出版会からは「文学史を読み直す」というシリーズも出ているのですが、田浪さんはそちらのメンバーでもあります。アラビア語の文学以外に日本語の文学、他の言葉による文学の研究も実は手がけられていて、そもそも存在としてエリア・スタディーズの枠には収まらない人だということは最初からよく知っていましたので、今のお話はとてもよくわかります。

小柳　今外国語の話がありましたが、大学院と院生が増えてポストが少なくなるというなかで「業績にならないから翻訳はしたくない」という方がいて、言社研にいる人がそれを言うのかとショックを受けたことがあります。単に翻訳するだけではなく何を翻訳するのかということを含めて、翻訳というのはアカデミックな成果を社会に還元するひとつの方法だと思います。言社研からは、私が修士を終えて就職した出版社で出させていただいた西山雄二さん訳のカトリーヌ・マラブー『ヘーゲルの未来』（『ヘーゲルの未来　可塑性・時間性・弁証法』未來社、二〇〇五年）だったり、最近では今津有梨さん訳のスナウラ・テイラー『荷を引く獣たち　動物の解放と障害者の解放』（洛北出版、二〇二〇年）など、とても貴重な翻訳が出ているのが、出版に携わる者として嬉しいです。

鵜飼　ありがとうございます。今、今津有梨さんのお名前が出ましたが、今津さんはスナウラ・テイラーの『荷を引く獣たち』を、なんと日本語訳と韓国語訳両方一人でやられてしまったという偉業の達成者です。修士を終えて韓国に渡られてから動物の問題に関心が深まり、スナウラ・テイラーのこの本に出会った。一冊の本にこのように全身全霊をかけて取り組むことは本当に素晴らしいと思います。世代が違うのでみなさんは今津さんを個人的にはご存知ないと思いますが、言社研の歴史、私たちのゼミの歴史との関連で私にはもう一つ重要なことがあります。今津さんの修士論文のテーマは森崎和江の『非所有の所有』でした。思い出される方もおられると思いますが、ブレット・ド・バリー先生（コーネル大）が森崎和江のエッセイ「二つのことば・二つのこころ」を論じた論文が、私たちのゼミで最初に取り上げた文献でした。スナウラ・テイラーの著作は障害者の状況と動物の状況を交差させて考察した画期的な仕事で、私はインターセクショナリティーという言葉の本当の意味をこの本によって教えられました。

『AALA』というのは「アジア・アフリカ・ラテンアメリカ」の略称ですが、堀田善衛などが中心になって第三世界の文学の紹介や作家間交流に大きな役割を果たしたアジア・アフリカ作家会議の機関誌です。この組織の最後の局面に田浪さんや私は関わっていました。そのとき小柳さんに、現在のインターセクショナリティやブラック・ライヴズ・マターに繋がるような、当時の先鋭な論文を訳していただいたことがあります。

ジェンダー・セクシュアリティ・インターセクショナリティは、このことを抜きに言社研の二五年は語れないほど重要な課題です。この問題に一番はっきりとした形で取り組まれているのは、日本の戦後美術史のなかの女性作家をテーマにしていらっしゃる中嶋さんだと思います。フェミニズム視点でこれまでの研究を読み直すという作業を、どのように言社研のリソースを使いながら進めていかれたかというあたり、現在のお仕事との関連を含めてお話しいただけますか。

中嶋　自分のやっている研究がエリア・スタディーズ、ヒューマニティーズのどちらに振り分けられるのかという問題に、美術史家はときおりつきあたります。また、言語の問題も美術史の中では重要で、何語で美術史をやるのかということがもう既に、どのように研究するかということを決めてしまうんですね。鵜飼ゼミではフランス語が優勢だったと思っていますけれども、私はずっと英語で本を読み、英語で美術史を勉強してきました。鵜飼ゼミで、『廃墟のなかの大学』（ビル・レディングズ著、青木健、斎藤信平訳、法政大学出版局、二〇〇〇年）を読んだことがありましたよね。いかに英語圏の大学が覇権を握りつつあるのか、というかもう握っているのか、という議論があったと思います。留学先、特に米国の西海岸で痛感したのは、英語圏の大学で日本人が美術をやると、エリア・スタディーズに振り分けられてしまう。オーセンティシティの問題で日本人は日本文化の特殊性の研究を、西洋人は美術の普遍的歴史を議論するべきだという方向に導く力学がいまだにあります。それもあって、私も日本の戦後について考えることになったんですけれども、そのことが、良い意味において日本の近代以後の美術の読み直しとアクチュアルに結びつくようになったのは、鵜飼ゼミで出会った数々の理論と関連すると思います。

鵜飼先生に言われてとてもよく覚えているのですが、私は大学院に入った当初現代美術の研究、とにかく「生きている」人の研究をしたい、草間彌生の研究をすると伝えたときに、鵜飼先生が、「あんまり近いとこだと見えないことがあるから」っておっしゃってました。ＩＣＵでは美術史でやるとしても、ジャクソン・ポロックまでが最新で、実証研究が中心で現代の自分と美術がどう結びついているのかということを勉強することができなかった。しかし、対象と向き合うときにさまざまな出会いの回路を開いてくれるもの、ある意味、出会うまでに必要な迂回をさせてくれるものが理論なのだと言社研で学ぶ間に感じました。美術史とヒューマニティーズを結びつける理論、たとえば精神分析、記号学といった新たな方法をフェミニズムやポストコロニアリズムの思考を伝達するための技法として勉強することによって、自分のやってることをどうにかこうにか、一定の地域と歴史の研究ではあるけれども、一国史に一括されないような歴史記述へと持っていくことができたのではないかと思います。そのように、英語圏の大学に留学しては言社研に戻ってということを繰り返しながら、自分の研究を組み立てていくことができたと思っています。

印象に残ってるのはスピヴァクの講演会のことです。スピヴァクが目の前にいるという、そんなミーハーな参加の仕方でしかなかったのですが、『サバルタンは語ることができるか』（G・C・スピヴァク著、上村忠男訳、みすず書房、一九九八年）だけでなく『文化としての他者』（G・C・スピヴァク著、鈴木聡、大野雅子、鵜飼信光、片岡信訳、紀伊國屋書店、一九九〇年）も、グローバルな環境のなかで美術史を学ぶには不可欠の論考です。アジアの研究者が、世界の歴史に向かって何かを投げかけることができるというのを、身をもって知ることができたというのはすごく大きかったです。それはやっぱり喜多崎ゼミのような美術史プロパーの研究領域と、あと鵜飼ゼミのようなさまざまな研究をしている人たちのいるところが出会うような環境が、当時ほかにあまりなかったように思えます。

私の最近の研究は、第二次世界大戦後の日本のアートシーンにおいて、ジェンダーがどのように作用しているかということを解き明かすものなのですが、美術史を、言社研で勉強できたことで、美術史をこえた研究方法に結びついたと思います。日本の戦後美術というのはもちろんアメリカの影響もありますし、フランスの影響もまだ残っているので、そういう意味ではとてもトランスナショナルなんですね。でもその越境的な歴史の流れが日本美術史という枠組みだと読み切れない。それをどうにか読み解くために、私の場合は敗戦後日本の精神分析と、占領を経たこの地の女性の文化を考えるためのポストコロニアル思想というものが必要でした。今回出版した本では、そういう複層的な歴史に対して女性がどういうふうに応答するかというのがもう一つのテーマでした。それに関しては、リーズ大学で学んだ、グリセルダ・ポロックの教えが、鵜飼先生をはじめとする先生がたや先輩、同級生が、ゼミの中で話されていた、戦後の日本の形成に関する議論と結びついて、一つのストーリーとなったと思っています。

いま、考えること

鵜飼　ありがとうございます。もう自由にお話していただく時間かなと思うんですけれど。山城さんが先日、東京で開かれた沖縄の美術家・真喜志さんの展覧会について書かれた最近の論考（「真喜志勉／TOM MAX、「アメリカ」という原体験」『越境広場』第八号、二〇二〇年一二月）を楽しく読ませていただきました。それこそニューヨークで、スピヴァクと一緒に会ったことがありましたね。山城さんが言社研にいらした頃には、沖縄研究、アメリカ研究、ポップ・アート研究という領域間の隔たりがまだ大きく、重ね方に相当苦労をされたことと思います。そこから文体の発明のような経験にもつながったのではないでしょうか。当時どういう問題意識を持ち、どこに自分としての課題を発見されていったかということなど、少しお話していただけますか。

山城　方向性も不明のまま大学院での勉強を始めたのですが、唯一、比較的に明確だったのは、沖縄で日常的に目にしていたアメリカっぽい図像やポップ・カルチャー的なイメージへの関心でした。例えばキャンベル・スープやアメリカン・コミックスといった、見てすぐわかるようなシンボルへの関心と、沖縄とアメリカ、あるいは日本についての問題意識をどのように研究として形にしていったらいいのか、あるいは、そもそも形にしていけるのか、ということを暗中模索していました。言社研での所属の問題は確かにあって、美術はどうも違うし、カテゴリーとしてはアメリカ文化研究になると思うんですけど、当時言社研はアメリカ文学・文化研究の先生がゼミをもっていらっしゃらなかった。決定的な行き場のないまま鵜飼先生のところに入れてもらって、そのときにポストコロニアルとか、カルチュラル・スタディーズとか、日本で九〇年代頃に注目されたような学際的な領域にも出会って、すごく爽やかなものを感じました。こんな勉強もあるんだと。鵜飼ゼミで現代思想をはじめさまざまな領域を同時に横断的にたくさん学びながら、自分の研究に最も近い領域を少しずつ繋いでいくという感じでした。

さっき世宗さんからエーコの『論文作法』の話がありましたが、私もそれを読んでいたらちゃんと書けたのかもと反省してるんですが、記述の仕方というパフォーマティヴィティの問題も大きな課題でした。いわゆるアカデミックな論文のセオリーに沿った書き方、正統な形というものがある、一方では鵜飼先生をはじめ、同時期のいろんな先生、先輩方がものすごい文章力で書かれる作品、本、論考などがあった。アカデミズムとは少しズレるものがたくさん出てきていて、ものすごく刺激を受けました。いくつかの雑誌に書く機会を得て、自分の書き方に気付かされるという、そういう経験を積ませてもらいました。記述上の工夫で諸領域をどう節合できるのか、確かに苦労ではあるのですが、学際的な研究には付き物で、今も試行錯誤はずっと続いています。プラクティカルな意味で、いわゆるスタンダードな論文も書けるに越したことはないんですけれども、ただ当時はやはりパフォーマティヴィティということも考えざるを得ない時代でした。鵜飼先生の文章をはじめ、他にもたくさんいらっしゃいましたよね。とても悩ましく刺激的な時期だったと思っています。

鵜飼　ありがとうございます。ゼミ合宿は二回あったと思いますが、一回目は九六年に沖縄の読谷で、比嘉豊光さんが経営されていた「ゆめあーる」でした。沖縄に当時『ＥＤＧＥ』という仲里効さんが立ち上げられた雑誌があり、『ＥＤＧＥ』創刊と言社研設立はほぼ同時期で、とりわけ私たちのゼミの進路とはかなり重要な重なり合いがあった気がします。そこに後に『ＥＤＧＥ』に寄稿されるようにもなる山城さんがいて、本当に沖縄についていろいろなことを教えていただきました。私自身は古典的なフランス文学科の出身で、色々なことをしているように見えるかも知れませんが、それは大学の外での見聞や経験がもとになっています。それが他方で相対化されていくプロセスもあって、それは言社研の院生の方たち、世代の異なる、全く違う経験をされてきた方たちから学ぶ時間でした。こんなに勉強させてもらって、そのうえ給料ももらっていていいのだろうかと思った事もあったくらいです。

オーソドックスな学術論文は、基本、学んだことをすでに教える立場で書くことになっています。もちろん著者は生々しい経験を経ているかも知れないし、どのように学んだか、その痕跡が残っている文章もありえます。パフォーマティヴィティが出てくるのはそこからでしょうが、アカデミズムの中ではなるべくその痕跡は消していくように圧力がかかる。そこのところで山城さんの修論は、教員の側にいわば文体上の衝撃を与えたのではないかと思います。それは私たちの世代が自己形成した時代の学問規範からは外れているものですが、新しい論文の文体に対する期待が言社研の中にあったということも、私はその時確認しました。

中嶋さんが言われたように、スピヴァク・インパクトは大変重要でした。スチュワート・ホールが来日して東大の安田講堂で講演したのもやはり九六年だったと思います。スピヴァクが一橋に来たのが二〇〇七年ですね。その一〇年、つまり言社研の最初の一〇年は、第三世界出身の思想家たちが国際的な知の状況を大きく揺り動かす時代に重なっていました。

一巡して、翻訳の話も出たところで、西山さんと世宗さんに一度まとめてもらいたいと思うんですけれども。

言社研の形成過程で中国文学の松永正義先生が、この研究科の一つの柱に東アジアを据えたいと主張され、先ほど触れた往年の新学部構想にはかならずしもなかったらしい重要な方向づけが与えられたという経緯があります。その結果、欧米系の思想や文学の研究も、言社研では東アジア研究の動向を意識しつつなされるようになっていきました。西山さんはフランスの国際哲学コレージュにも関わられ、おそらく今日のメンバーの中では制度の問題をもっとも考えてこられたのではないかと思います。今振返ってみて、言社研という場所は西山さんにとってどういう制度だったとお考えでしょうか。先ほど出た翻訳のことや、人文学と地域研究の関係にも繋げてお話しいただけるとありがたいです。

西山　人文学とエリア・スタディーズの関係から話すと、スピヴァクが二〇〇三年に『ある学問の死』（上村忠男、鈴木聡訳『ある学問の死 惑星的思考と新しい比較文学』みすず書房、二〇〇四年）を刊行し、その中で、比較文学とエリア・スタディーズの刷新を主張していました。比較文学に関して言うと、ヨーロッパの古典的な教養に裏打ちされた、ある種特権的な文学研究のあり方です。エリア・スタディーズは第二次世界大戦後の地政学的な戦略的構造の中で生まれてきた分野です。そういった歴史的・政治的な文脈と影響をどう刷新して、新たな時代の人文学研究を考えるのか。その意味では、言社研は比較文学とエリア・スタディーズの創造的な変形を当初から余儀なくされた実験的な土壌であり続けてきました。

鵜飼先生が二〇二〇年に出された二冊の時評論集（『テロルはどこから到来したか』『まつろわぬ者たちの祭り』インパクト出版会）に書評を書かせていただきました。その際、一番感銘を受けたのは南アフリカ論でした。ヨーロッパと中東、東アジアの深い学識があることはわかっていましたが、南アフリカという問いについてもこれほど勉強して、歴史・社会的に読み解けるのかと感嘆しました。フランス文学・思想という専門研究を修めてからヨーロッパ、その他へと関心を広げるだけでなく、自分が専門とする領域と言語を超えて、アクチュアルな問題を一挙に見通せる透視能力のようなものを感じました。スピヴァクが期待していた新しい人文学研究の実例の一つでしょう。

この点に関して、一橋大学のフランス研究にも触れておきます。一橋大学にはフランス文学研究の重厚な歴史があるのですが、ただ、独創的な人材ばかり集まっています。鈴木道彦さん、海老坂武さん、出口裕弘さん、恒川邦夫さん、佐々木滋子さん……ちょっと一風変わった仏文学者たちです。

鵜飼　ほぼ全員ですね（笑）。ボードレール研究の横張誠さんも大変な方です。

西山　はい。フランス的な流儀で、フランス本国だけでフランス文学を考える方はおらず、異形の研究者が揃っていたことは幸いでした。アクチュアルな問題を領域を越えて問うということであれば、既に鈴木道彦さんが一九六〇年代に金嬉老事件で支援活動をして、サルトルの雑誌「レ・タン・モデルヌ」で文章を書いてフランスにこの問題を伝え、在日韓国人の問いを通じてプルースト作品の新たな読解を体得しました。海老坂武さんはフランツ・ファノンやサルトルの翻訳で知られ、狭義のフランス文学を越えた研究の展開をしました。恒川邦夫さんの豊かなクレオール研究も含めて、フランス研究の異端的な、しかし、創造的な系譜が言社研に流れ込んでいました。

その点では、マグレブ文学（モロッコ、アルジェリア、チュニジアでのフランス語文学）のことにも言及しておくべきでしょう。言社研の書庫にはマグレブ文学の文献がたくさんあり、集中的に所蔵されています。マグレブ文学を研究している下境真由美さんはオルレアン大学に就職されました。彼女はマグレブ文学を日本語に翻訳すると同時に、在日文学などの日本のマイノリティ文学をフランスに紹介する研究も進めています。

フランス本国では、ポストコロニアルスタディーズ、カルチュラル・スタディーズは遅れています。アルジェリア独立戦争（一九五四〜六二年）について言えば、フランスではずっと「アルジェリア事件」や「北アフリカにおける秩序維持作戦」などと言われていて、国民議会では一九九九年にやっと「アルジェリア戦争」という公式名称が認められる。植民地の過去と現在に向き合うことがなく、それゆえ、植民地問題から文学や思想を論じる視座が乏しかった。言社研のような日本の組織の方が、フランスを相対的に、立体的に問い直す可能性があったといえます。

翻訳のことに少しだけ触れさせてください。言社研では鵜飼先生と恒川先生の原書講読の授業で貴重な経験をしました。外国語を一文一語緻密に読むことで、その都度、新しい世界が開ける、衝撃の強い経験です。鵜飼先生の授業では、デリダの『Gl as（弔鐘）』という異形のテクストの見事な訳し方、ジュネの『アルベルト・ジャコメッティのアトリエ』の冒頭の華麗な日本語訳など、鮮烈な印象が残っています。在籍中、最初に翻訳をしたのはジャン＝リュック・ナンシーの『ヘーゲル』（大河内泰樹、西山雄二、村田憲郎訳『ヘーゲル――否定的なものの不安』現代企画室、二〇〇三年）で、社会学研究科の大河内さんと村田さんとの共訳でした。それ以来、私は翻訳が肌に合って、本当に好きな仕事になり、今まで一八冊ぐらい出しています。私なりに意識している点は、若手研究者と共訳の形にすることで仕事を彼らに回したり、訳文をチェックして助言したり、という共同作業です。先ほど文体の話題がありましたけど、翻訳は文体練習の機会になりますよね。他人の体を一回通して翻訳の文章を生み出すのは、自分の文体を身につける、とても有用な試練でしょう。

鵜飼　ありがとうございました。引き続き、文学ということと、エリア・スタディーズとヒューマニティーズについて話していただければと思います。世宗さんは琉球大学に赴任されて、何年になりますか。六、七年ぐらいでしたか。

呉　琉球大に来て十一年目ですね。

鵜飼　あっという間ですね。ということは震災の年ですか。

呉　そうですね。地震を逃れるようにして、四月に沖縄へ赴任しました。

鵜飼　今はコロナで交流が難しくなっていますけれども、韓国でもお仕事をされていますね。琉球大学で呉世宗さんが今担当されているような授業や研究は、ここまでの話をすべて集約するような性質のものだと思います。言社研で発見されたことと今手がけられていることの関係など、どのように考えていらっしゃるかお話ください。

呉　いろいろとお話があって、楽しく伺っていました。思い出すことも多くありましたが、文体の話をとても興味深く聞きました。山城さんが、多様な文体の中からどのように文体を選択していくのかという話があり、それをパフォーマティヴィティという言葉で言われていたと思います。また、先ほどの鵜飼先生の応答を私なりにまとめると、「学んだことを与えるような文体」——言ってしまうとそれほど面白くない文体——と、「学びながら書く文体」という風に、文体についての二つの考え方がある、ということだったかと思います。

私自身は自分の文体があるようでないところがありますので、お二人の話を聞いて自分の文体というものを理解したような気持ちになりました。私は博士論文で金時鐘という、まだまだお元気な詩人の作品を論じましたので、生きている人について書くということもあって、文体が良い意味で定まらないまま文章を書いてきたように思います。

また、エリア・スタディーズに関する田浪さんのお話もとても面白かったです。地域をどのように定義するのか、その際のアカデミックに括ることの限界といった話だったと思います。私もどこかしらのエリアに関わっている研究をしているのですが、自分自身の経験でいくと、どこかのエリアに所属しているようで、していないような人生を歩んできたところがあります。日本という場所にいながらも、そこには所属していないというような生き方です。そのあたりで田浪さんの問題意識に強く共感するところがあります。金時鐘という詩人を選んだのも、自分のエリアを持っていて、しかし持っていないような、そういう歴史を歩んできたところが私の歩みとどこか響き合うからこそだったのかなっていう気がしています。文体とエリア・スタディーズのお話から、自分の研究について考えさせられました。

二〇一一年に沖縄に行ったわけですけれども、当然ですが自分のホームグラウンドに戻ったというわけではなく、新たな別のエリアに行ったという思いがあります。とはいえ沖縄という場所は本当に面白くて、自分の研究を前進させてくれた場所だと思っています。

二〇〇九年に博士号を取得した翌年、朝鮮の文化あるいは歴史を専門としている人という奇跡的な公募が琉大で出て応募をしました。ありがたいことに最終候補まで残り、琉大に面接に行くことになりました。ただ、私があまりにも沖縄のことを知らなさすぎて鵜飼先生に相談したところ、いくつか本を紹介していただきました。崎山多美さんの『コトバの生まれる場所』(砂子屋書房、二〇〇四年)、岡本恵徳さんの『現代文学にみる沖縄の自画像』(高文研、一九九六年)、現在同僚の新城郁夫さんの『沖縄を聞く』(みすず書房、二〇一〇年)などですが、このあたりを読んで面接を受けたらいいとアドバイスをいただきました。

その新城さんの本で批判的に論じられているのですが、二〇〇〇年に沖縄では高良倉吉さんを中心として「沖縄イニシアティブ」という提言が出されます。この提言のなかには、米軍基地を認めたうえで沖縄もその日米安保に貢献していくべき、というものがあります。新城さんは『沖縄を聞く』でその高良倉吉さんたちの「沖縄イニシアティブ」を強く批判していて、「その通りだ」と思いながら読んだんですね。ところが、「どうぞ」と呼ばれて面接室に入ったところ、新城さんと高良倉吉さんが二人並んでいたんです。「これは批判している人とされている人ではないか」と。もし「沖縄イニシアティブ」について聞かれたらどうすればいいだろうかといらぬ心配もしました。

今となってはよい思い出話ですが、沖縄という場所は、それぐらい身近に、目に見えるかたちで政治や歴史がある地域なのだという驚きのようなものをそのとき感じました。日本「本土」だと経験しにくい、別のエリアに来たという経験をそこでしたのかもしれません。そしてその驚きが、おそらく私が沖縄で新たな研究を進めていく原動力になった気がします。

私の研究スタイルは、作品を丁寧に読むということも当然行うわけですが、もう一方で金時鐘なら金時鐘が生き、経験してきた歴史を丁寧に読み取り、歴史をもテクストとみなして、文学というテクストと繋げていくということをしてきました。博士論文を書いた時には、このあたりを明確に意識はしていなかった気もしますが、今思えばそういう手法で研究をしたのだと思います。

一昨年、沖縄についての本を書きました。沖縄現代史における朝鮮人の問題を扱った本で、かなり歴史記述的な内容になっています。ありがたいことに、鵜飼先生に雑誌『越境広場』（二〇一九年、六号）に長い書評を書いていただきました。この本は、今まで知られてはいたけれども、あまり論じられてこなかった沖縄の中にいる朝鮮人という存在を、当時の新聞資料や、多く残された証言の中から集めて可視化させようとする内容です。これは歴史的証言が多く残されているからこそできたのであって、沖縄ならではの研究だと思っています。この本のおかげで、韓国からも講演やシンポジウムへの出席依頼が来るようになり、鵜飼先生とも延世大学での学術会議でご一緒しました。ですが、「文学研究から歴史研究に華麗なる転身を図った」と見られる時もあります。以前、韓国での講演の際にも、そういった質問を受けて、「そう見えるけど、そうじゃないんですよ」と話をしました。金時鐘という詩人を歴史的・文学的に研究したことが土台となって、私の沖縄研究がありますので、歴史的な研究であっても、やっていることは基本的に文学研究だと思っています。今後はもう少し沖縄の文学も含めた研究をしようと考えています。私が「華麗なる転身をしたわけではない」ということを証明しないといけないなという気持ちです（笑）。

なにはともあれ、一橋で学んだことを沖縄という場所で自分としては上手く前進させているように思います。先ほど鵜飼先生が、松永先生が言社研という場所を東アジアを中心にした研究の拠点にしたいと話していたとおっしゃっていましたが、それを聞いて感動しています。私にとっても東アジアはテーマになっていて、金時鐘を論じるのも東アジアを論じることですし、沖縄の朝鮮人について論じることも東アジアを論じることです。そして「東アジア」とは、例えば在日朝鮮人と沖縄の人が交流し、思想を共有したり反発しあったりするなかでその都度立ち現れてくるものだと思いますので、松永先生の構想を私なりに実践しているのかもしれません。大学院生の頃はそこまで思い至らなかったところもありますが、鵜飼ゼミで学んだことを自分なりに活かした結果、そのような東アジア論的なものに辿り着けそうだと思っているところです。

鵜飼　一橋でも歴史学は社会科学、文学は人文学という括りで、語学教師に文学研究者が多かったこともあり、歴史と文学のあいだにはそれなりに深い溝がありました。人文学は実学ではないといわれてきた、一橋特有の人文系抑圧傾向もなかったとはいえません。

歴史については、私の世代とみなさんの世代、さらにその後の世代のあいだに、認識に大きな開きがあるような気がします。私の世代ぐらいまでは、その前の時代にどんな出来事があって、自分が置かれている状況はそれに由来するのだという、何らかの直感めいたものは、当否は別として、共有されていたと思います。自分の世界観や歴史観が、一九六八年に集約される時代の影響のもとで形成されている感覚が、世代的なアイデンティティとして最低限あった。留学中も、その感覚を頼りにいろいろ目星を付けていったところがあります。

もっとも私たちの世代もその前に比べればアイデンティティの密度は低いのです。さらに後になると、自分の世代を規定する枠がもはやない。歴史的なパースペクティブをそれぞれ自前で作らないと、自分の位置が——最小限の出発点としても——確定できないという課題を抱えざるをえない。だからこそ、誰もがある意味で歴史に関わる作業を仕事に組み込むようになってきたのではないでしょうか。

西山さんや私が関わっている哲学も、個別的な固有名より哲学史あるいは思想史に関心を持つ人が増えているような気もします。

これから何をするか

鵜飼　ここまでみなさん一人一人にとって言社研がどのような場所だったかを伺ってきました。ここからはこれから計画されているお仕事について中心にお話しいただければと思います。なかでも教員をされている方に伺いたいのですが、ご自身の世代と、今の学生・院生の人たちの世代との違いをどのように受け止めておられるでしょうか。先ほども触れたように、私自身が在任中、毎回の授業でいつもこの問いに、陰に陽に直面していました。みなさんにも同じような問いに向き合われることがあるのではないかと思います。とりわけ昨年以来の新型コロナウイルスの状況も深刻です。私は昨年三月に特任期間が終わり、九月に松本に引っ越しました。そのかん、想像に余りあるというか、とりわけ学生さんの置かれた立場の大変さに心を痛めていました。

今回の事態は世界的に同時進行している社会的大変動であり、大学が今後どうなっていくのか、とりわけ人文学の位置がどう変わっていくのか、大変な影響が予想されます。このあたりのことも、できればお話いただければと思います。

最初に大学論や制度論にも取り組まれてきた西山さんに伺いたいと思います。西山さんが今お勤めになっている大学もそうですが、この二十五年を振り返ってみると、相当乱暴な大学改革が、国立大学の独立法人化ばかりでなく、いろいろな形で強行された時代でもありました。都立大学は首都大学東京から名前が元に戻りましたが、あの改革のインパクトが大学の中にどのような形で残っているかというあたりからお願いします。

西山　都立大は石原都知事時代に改革があって、とりわけ人文系に圧力がかかりました。名称も「首都大学東京」という非常に奇妙なものになりました。大学名を公募したにもかかわらず、それを無視して自分勝手につけたんです。ただ、小池百合子都知事の発意で二〇二〇年度に名前が都立大に戻りましたが、これもまたトップダウン的な改称で問題になりました。

人文学の研究教育に「歴史を組み込んでいく」試みですが、鵜飼ゼミのやり方に感化されたところはあります。アクチュアルな問題をゼミで取り上げて議論する試みです。鵜飼ゼミでは東日本大震災後もさまざまな震災関係のテクストを読んでおり、その一端は『津波の後の第一講』(今福龍太、鵜飼哲編、岩波書店、二〇一二年)でうかがい知ることができます。私も震災の後に演習「カタストロフィの思想」を行ったり、フランスでテロ事件が起こった後には「テロリズムの精神と歴史」、去年はコロナ禍を考える「疫病と人文学」と、アクチュアルな問題に適宜ゼミで取り組んできました。その実施目標の一つは、国際的な協働を実践し、論集として刊行することです。実際、「カタストロフィ」や「コロナ禍」に関しては論集を出版することができました(『カタストロフィと人文学』、『いま言葉で息をするために』ともに西山雄二編著、勁草書房、順に二〇一四年、二〇二一年)。

ヘーゲルが言うように、最後に達観した視点で歴史を振り返る「ミネルヴァの梟」の振る舞いが哲学の役割であるのかもしれません。しかし、ほぼ同時代で、目の前の事件を歴史化する作業も今の人文学に必要なことではないか。ただ、ジャーナリズム的に目の前の事象を性急に分析する必要はない。「ほぼ同時代」というわずかな時差は人文学にとってどんな時間性なのでしょうか。

かつて翻訳したデリダの『条件なき大学』(月曜社、二〇〇八年)は、このような結びの言葉になっていました。「時間をかけてください。しかし急いでください。何があなたたちを待っているのか。知らないでしょうから」。今日の前で起こっている世界の大きな変化を、ほぼ同時代的に、批判的に歴史化していく作業は、一方で早急に着手する必要があるものの、他方で、人文学に特有の時間をかけなければならない。何千年も昔の聖書から、古代ギリシャから、さまざまなテクストと思想に基づいて、幅広い時間軸で物事を考える自由が人文学にはあるのです。

鵜飼　今、東日本大震災と原発事故のことに触れられました。私たちのゼミでは、私の在職期間の後半は、震災以降の状況で、福島や宮城など被災地出身の院生の存在が、ゼミの共同作業の方向を深く決定づけていきました。ご紹介いただいた『津波の後の第一講』には、その当時の作業の一端が記録されています。

西山さんが使われた「ほぼ同時代」という言葉を非常に重要なキーワードだなと思って聞いていました。「予め歴史的展望が保証されているところでないと学問として成り立たない」などと言っていたら、大学は社会生活にほとんど意味がなくなってしまいます。もちろん何でも言えばいいわけではないし繰り返し検証が必要ですが、私たちの日常的な時間の使い方まで含め、「急ぐこと」と「時間をかける」ことのあいだには非常に強い緊張があります。デリダがそう書いたのは晩年ですが、年齢が進むにつれてその緊張はいっそう大きくなってくる。残りの時間が限られていくなかで、そのバランスをどう取るべきか。私も日々葛藤が深まっています（笑）。

学生の立場からは、「この時代の時間」はどのように感じられているのでしょうか。今の学生さんは「四年」という限定を前提に考えているのか、まだ人生には長い時間があると考えているのか。世界的な青年層の動向としては、気候変動問題で力強い呼びかけをしてきたグレタ・トゥーンベリさんの世代が登場してきています。「Z世代」とか、一部では「ジェネレーション・レフト」と呼ぶ人もいるけれども、「時間は限られている」という意識をはじめから持っているからこそ政治化するのではないでしょうか。おそらくみなさんの世代にもまだはっきり現れていなかった、私の世代にはもちろんなかった、そのような切迫した意識を、もしかすると持っているのかも知れません。また後で、今の学生たちと触れ合う中でお感じになっていることを補足してくださるとありがたいです。少し話は変わりますが、山城さんは英語で授業をされていますか。

山城　時々しています。

鵜飼　日本の大学で、英語で授業をすることで、どのような経験をされていますか。これからますますその傾向は強まると思いますが、日本の大学が国際的な環境でサバイバルするために、この英語の問題が出てきたといわれていますが、実際のところどうなのでしょうか。ご自身の研究や、留学生も含めた教育活動との関係について、少しお話していただいていいですか。

山城　英語で行っている授業は、まずは語学の授業で、英語で英語を教えるというものです。もうひとつは、英語で専門領域を授業するものです。ただ、日本語を使わずに外国語だけで専門領域を、というのは学生にとってはやはり厳しい。なので、留学生や、一定レベル以上の学生に対して、という感じでやっています。大学全般に、どの学部もそういう授業をなるべく置くようにするという雰囲気は強いです。

とはいえ、専門を英語で教えることが難しい先生もいらっしゃいますから、状況は難しい。私が聞いたひどい例は、バイリンガルの先生をはりつける。つまり、先生が二人いて、一人が講義をして、一人が訳すと聞いたことがあります。一時的なものかもしれませんが、それが必要なぐらいの社会的な圧力があるように思います。

人文学の今後といった話が出ていますが、経営側としては、人文学を英語でやってほしいのではなくて、結局実学の方をバリバリ英語でやってほしいんだと思います。ただ、誰が英語でできるかというと、人文学系の人という状況なので、経営側としてはすごくやりづらいのでしょう。

人文学に対する圧力なのか、私大、国公立問わず、語学センターや教養センターなどを作る動きはどこでもありますし、もう既に作られている大学もたくさんあります。状況としては、そういった話題が降って湧く状態だと思います。語学や教養の先生を含む人文系を格下と見るような発言もあります。これは文科省もそうですし、世の中の流れを凄く感じる部分でもあります。

英語という点で続けると、英語で授業をやっているというだけで、「プログラムがしっかりしている」と評価される節があります。文科省による点数化にも繋がっているのではないかと思います。また、従来の英語の入試問題はインプットばかりで、これでは世界に太刀打ちできないという話になって、四技能を全部試せる入試形態にすべきだと。民間の資格試験を使う話もありましたね。結局それは頓挫しましたが、実業界からの要請ということで、そのうち何らかの形で再燃する予感もしています。その一方で、AI翻訳の著しい発達を持ち出して、第二外国語はもういらないという動きもちらほらあります。本当に混沌としている状況だなと感じています。

ただ、英語の授業をする上で思うこともあります。おそらく英語は、良くも悪くも、最後まで残らざるをえない。でも遅かれ早かれ、英語もAIに取って変わられる時が来るだろうなと。私が学生に教えるときの姿勢としては、どうせやるのであれば、英語で「喧嘩」ができるように、きちんと批判ができるようにという意識を持つ、ということです。基本的には向こうが作ってきた検定試験という基準で測られるわけです。そのことの理不尽さを受け入れつつ、英語帝国主義のようなものにどのように抵抗していくかということを、ちょいちょい出しながらやっていけたらいいなと思っているところです。

鵜飼　今お話いただいた英語覇権の問題は言社研もかなり早い時期から取り組んでいました。最初のシンポジウムのテーマが英語帝国主義批判でした。

先ほど小柳さんが翻訳の問題を出してくださいました。今出版の現場にいらして、山城さんが触れられたAI翻訳のインパクトについてどうお考えですか。社会運動もかなり国際化していて、AI翻訳が頻繁に活用されるようになっています。

同時に東アジア諸国のアクティヴィストの交流の機会も増えていますね。そうすると、やはりまず通訳が入る。難しい議論があったとき、到底AI翻訳では処理できないレベルの微妙な問題が出てくる。これは私のアクティヴィスト的な関心なのですが、ヒューマニティーズとエリア・スタディーズの接点というのは、このような、東アジアのさまざまな地域の社会運動家たちが出会う現場の翻訳に起こりうる諸問題に対応できる人が、どのように形成されうるかという問題にも通じるのではないでしょうか。言い換えれば、そのような人は、大学内外のどんな社会空間で形成されるのかという問題でもあります。何かしらそのような場がなければ、よほど例外的な経歴の持ち主以外、そうした能力を身につけることはできないでしょうから。
　それともうひとつは、山城さんが触れられた第二外国語の問題ですね。例えばロシア語を学ぼうとする人の数は、ソ連の消滅以降、結局回復していないようです。今は中国語や朝鮮語でさえ、外交関係に左右されて選択する学生が減っていく。こうして隣国の言葉が分かる人がどんどん少なくなる。これはＡＩ翻訳の普及ではどうにもならない文化的、政治的問題です。
　さらにこれから必要なのはアラビア語、そして他のアジアの諸言語です。現在入管で起きている事態を見ていても、ベトナム語はかつてなく重要な言語になっていると思いますし、むしろそのような言語需要に即して学習の道が整えられていくべきです。田浪さんが大学院を選ぶときに直面された問題は、そのようなかたちで普遍化してきているのではないかと思います。

小柳　東アジアでアクティヴィストが出会う現場という点では、私は二〇〇〇年一二月に東京で開催された「日本軍性奴隷制を裁く女性国際戦犯法廷」に事務局スタッフとして関わりました。これは日本軍性奴隷制を裁く民衆法廷で、韓国の韓国挺身隊問題対策協議会（挺対協）や日本の「戦争と女性への暴力」日本ネットワーク（ＶＡＷＷ－ＮＥＴジャパン）、フィリピンの女性の人権アジアセンター（ＡＳＣＥＮＴ）などから構成される女性国際戦犯法廷国際実行委員会により運営されたものです。各国の関係者とのコミュニケーションはもとより、日本の関係者だけでも普段出会わないようなひとたちがひとところに集まって、現場現場でコミュニケーションを成立させていました。
「法廷」には英米圏の大学院に留学経験のある院生らがボランティアとして多数参加し、日本語資料などを英語に翻訳するといった作業もしていました。「法廷」は、研究者がアクティヴィズムの世界で非常に大きく活躍し、支えた現場でした。

鵜飼　二〇〇〇年一二月の女性国際戦犯法廷は言社研が動き始めた時代の最大の国際的取り組みのひとつ

でした。二〇〇八年のG8反対運動という国際共同闘争にも言社研の院生たちは積極的に関与していました。その後は、スユ＋ノモのメンバーだった申知瑛さんなど、韓国からの留学生が何人も来られました。この研究空間の創設者のひとりである李珍景先生が一橋に在外研究で来られ、院生たちと自主ゼミを持ってくださったこともありました。二〇一〇年代に入る時期のことですが、非常に大きなインパクトがあったと思います。

大学は今後、地域の現実との接点をどのように変化、深化させていけるかが大事なポイントになると思います。外国語のこともそうでしょう。松本に移住してそのように考える機会が増えましたが、これは大都市より中規模の地方都市の方が見えやすいことかもしれません。田浪さんはシリア人難民の子供さん向けのアラビア語教育に非常に力を入れておられます。今までの話との接点を探りながら、現在のご活動を紹介していただけますか。

田浪　広島に来て今年で五年目になります。先ほどの呉世宗さんの、沖縄に来てから文学研究から地域研究の方にシフトするようになったという話を面白く伺っていました。私が広島に来たのはまったくの偶然ではあったんですが、地域研究者としてありがたいと思っています。中東社会の状況と比較したり重ねてみたりするさいの自分の属している社会は、以前は東京しかなかったわけですが、東京だとどうしても「地域」に足場があるという感覚が希薄でした。それに比べると広島は、生活圏のサイズが小さくて関わる人の生活が見えやすく、地域に属しているという実感があります。

広島に来て初めて知りましたが、意外とアラブ系の人たちが多い。その背景のひとつに、広島を日本の戦争や原爆被害の象徴とだけ捉えて、その後見事な復興を遂げた土地として宣伝し、外国の人々を招聘し、その経験に学んでもらうといった外務省由来の文化政策があると思います。広島にＪＩＣＡの研修施設があるのもその一環で、今は年間二〇人のシリア人がそこで最初の研修を受けています。長く続いているシリア危機のために帰国できないということで、長く日本に住むことを視野に入れなければならない。彼らは各地域の大学などに散っていきますが、広島に残ったり、戻って来る人も結構多いです。夫婦で来ている人が多いので、子どもの教育についても考えざるをえない。本人たちが望んでいるわけではないとはいえ、長期的に日本に住んでいれば、日本語ネイティブの同世代の子どもと同じように日本語能力はつくわけですが、問題は母語や母文化です。親の言語と文化をなかなか継承できない。そのサポートとして、インターネットでアラビア語を無償で学べる体制を作ろうということで、今年に入って団体を立ち上げてクラウドファンディングをしました。嬉しいのは、大学での自分の教育活動と地域での活動が別々ではなくて、ひと繋がりのものとして出来ることです。この活動に限らないのですが、広島に来たら大学の仕事と市民としての活動がつながってきた感じがします。生活圏が狭いので隠しても仕方ないということもあり、むしろオープンにして堂々と研究室などの場所も利用させてもらいながら活動をしています。

大学は規模も小さいですし、日本人の学生だけを見ると都内の学生以上に同質的な雰囲気です。もしも日本人の学生だけしかいなかったら、私の場合は閉塞感ばかりになりそうですが、留学生の存在に救われています。学外で出会うアラブ系の人たちと、学内では中国や台湾、韓国といったアジア系の留学生の存在があることで私は生きながらえていると感じます。今はコロナで本国に一時帰国してから日本に戻れなくなった留学生のアパート退去のことまでサポートすることになってしまって大変なんですが、留学生がおかれている環境の大変さなどは、サポートすることによって見えてきます。彼らを支援するというより、私自身が彼らを通していろいろ学べることが面白いと思っています。

先ほど東日本大震災がさまざまなターニングポイントだという話がありましたけれども、私にとっても、大きな出来事だった。しかし、その少し前からいわゆる「アラブの春」が起こっていたにもかかわらず、地震・津波と原発事故以来、日本では一般の関心が一気に逸れて注目されなくなるわけですね。

私自身はむしろその頃から再びパレスチナに行く機会に恵まれるようになり、ここ一〇年間自分の研究や関心が、それ以前とは少しずつ変わってきている。それまで中東世界の現代のこと、パレスチナだとナクバ以降にしか関心がなく、地域研究とはそういうものだと思っていましたが、もっと長いスパンで考えざるをえなくなりました。最近になって一九世紀末から二〇世紀初頭ぐらいの中東の歴史が、言社研にいた頃よりも身近なもの、そう遠くない過去として、リアルに考えられるようになったと感じています。私自身が年齢を重ねてきたということもあるかもしれませんが。

あと、東アジアの歴史との接点ですね。これは言社研時代に学んだことが回り回ってようやく繋がってきたような気がしています。東京外大の時代には、日本と中東という二者関係でしか考える余裕がなかったのですが、金時鐘や金石範といった在日朝鮮人文学の作品に触れる機会をもったのは言社研に入ってからです。私の研究のなかではそれがイスラエルのアラブ・マイノリティへの関心と繋がるわけですが、いま関わっている在留アラブ人の子どもの母語教育支援でも、在日朝鮮人の民族教育の経験から学べることが多いと思います。言社研にいた時、先ほども話に出た朝鮮学校出身者の受験資格問題があったわけですが、当時はなかなかうまく関われなかった。そういうことが回りまわって、現在広島に足場をおいて教育に携わるなかで繋がってきたように思います。

今の大学では、中東の歴史や文化を扱う講義を担当していますが、一つの授業では中東の一〇〇年ぐらいの近現代史と東アジアの歴史をほぼ同時代的に重ねて、東アジアにおける植民地支配からの抵抗の経験と、中東におけるイギリスやフランスの移民統治に対する抵抗の経験とを重ねていくような内容を設定しています。これは学生に教えると同時に、私自身が広島という地域の中で新たに見えてくる日本の植民地支配の経験を学ぶプロセスでもあります。広島には、朝鮮人被爆者の痕跡や、強制連行も含めて戦中の朝鮮人・中国人の労働で作られたダムなどが、自分の生活圏のなかで意識できるものとして残っています。専門分野の論文のようなかたちでは表現しづらいものですが、言社研時代含めこれまでのさまざまな経験といま広島という場所の中で私が考えて研究することが繋がるようになってきたと思っています。

鵜飼　ありがとうございました。中東と東アジアの二〇世紀がこれまで以上に重なって見えてきているという今のお話、非常に興味深く伺いました。

この二五年を振り返ってあらためて感じざるをえないのは、日本のジェンダー状況がバックラッシュに直面して停滞している、場合によっては後退していることです。その一方、ＬＧＢＴやトランスジェンダーの問題については、少なくとも言説のレベルでは大きな変化が見られます。このギャップをどう考えるべきなのか、人文学と社会科学が交差するところで掘り下げる必要があると思います。

一橋の場合は六年前のアウティング事件のように、不幸にして痛ましい事態が起きてしまいました。教員のあいだでも認識に大きな落差があるようです。言社研の英語系の先生たちにとっては、ＬＧＢＴの権利保障は既に常識化しています。若い研究者であればあるほど、留学経験があればなおさら、この感覚を身につけています。それに対して事件が起きた当時の一橋の執行部の対応はどうだったか。そこには日本社会の縮図のような落差があったのではないでしょうか。

私は一般的に言って年齢が下ればそれだけ、世代単位で見ればジェンダー平等の感覚は当たり前になってくるはずだと考えています。とはいえ、社会関係が自動的に変わっていくことはありえません。そもそもこのような課題に批判的に取り組むことができる主体的な思想や力は、現在の日本社会のどこで形成されるのか。大学の人文系の学部、大学院は、そうした場の一つでありうるはずです。最後にみなさんがこの問題について、どのような感触を持っておられるか、伺ってみたいと思います。

山城　ＬＧＢＴ・多様性の問題ですけど、特定の職場ではなく、一般論として言えると思いますが、やはり非常にメンズクラブ的なホモソーシャルな要素は、上の組織に行けば行くほど強く感じる印象です。でも、三〇代の先生など「もうそんな問題はないでしょう」と言う方もいます。学生の中でも「多様性の尊重はもう常識」と感じている人が意外に多い。Z世代以後の感覚だと、やはりもう違うんだなと感じています。

私はアメリカ文化研究という枠で、アメリカ文化なら何でもやっていいよということでゼミをやっていますが、ごく自然にLGBTをテーマに選んでくる学生が多いです。少し前までだと、「それを選んだら、自分が当事者だと思われるのではないか」など心配していた学生もある程度いたと思いますが、今では自然に飛び込んでくる学生が多くて、正直驚いています。なので、社会のお偉方と言われるような人たちの感覚と、若い世代との間のギャップに希望もあるのではないかという印象です。

鵜飼　一橋で事件が起きたとき、最初の会合に出席したのですが、インターカレッジの学生さんたちが非常に多く参加されていたことが印象的でした。みな大変真剣で、学ぶことの多い会でした。中嶋さんは女性美術史のご専門ですから、学生さんの受講の動向やレポートをご覧になって、世代の変化などについてどのようにお感じですか。

中嶋　ほとんど同じように感じていると思います。大阪大学に着任して一年経っていませんが、学生は非常に勉強熱心で、新しいトピックを持つことを恐れていないようです。LGBTQもトランスジェンダーも、自分の研究テーマとして取り扱うことができる問題だとして考えている人が多い印象です。それには#Ｍｅ Ｔｏｏ運動などの社会的背景があり、ジェンダーやセクシュアリティについて考えることが、特別な誰かに限られないことであるという考えが広まったためでしょう。それと同時に感じるのが、今の学生はコロナの影響で落ち着いて研究ができないことです。私も阪大に来てからＺｏｏｍでしか授業をやったことがないので、学生さんにほとんど会ったことがなく、バーチャルな繋がりの中でレポートを読んでその人を知る状態なのですが、そうすると学生の多くはあまり「遠く」を見ることができないように見えます。勉強の意識が、自分の足元を確認したい等、自分に近いものに関心をもつ傾向が強いです。そうすると、学部生の間でも、視覚文化の領域であれば、アニメーションにおけるジェンダー、広告におけるフェミニズム的な分析といった、身近な主題を取り上げて研究を進めていくことが非常に多い。それは悪いことではないですが、少し危惧しているのは、歴史的なパースペクティブがついていかないのではないかということです。広告の歴史にどのような政治社会的背景があるのか、男女雇用機会均等法、女性活躍推進法の訴える男女平等がいかに目眩しになってきたのかを教えることが、美術史をやっている私の役割になっています。視覚文化とジェンダーという枠で門戸を開くことで集まってくる学生に対して、フェミニズムやジェンダー・スタディーズの歴史を紐解きながら、美術史の方法論として図像解釈学や映像画像分析で何が見えてくるのかを探るというやり方で応えていきたいと思っています。

私は、今は阪大の文学部の日本学というところに所属していますが、日本学という場所が自らに近いものへの関心を満たす環境にもなっています。日本学を勉強することの方法論があまり定まっていない面もありますが、後は学生が何をやっていても、研究に導いていく気概があるところが言社研に似ていると感じます。言社研にいた頃の先生たちのことを振り返ると、喜多崎親先生が「自分の関心に関係あることをやる学生が一人もいない」と仰っていたことと近い状況にいると思うことがあります。学生さんは自分の関心というものを追求する、大学が本来授けなければならない環境というものに対しては貪欲です。とはいえ、最近の傾向だと思いますが、優秀な学生の多くが大学院には進みません。それはそれで、それぞれがたくましく進んでいる印象を受けます。

鵜飼　優秀な人は彷徨わないということでしょうか（笑）。ちょっと道に迷ったり、無駄な時間を持とうとすることがないような感じでしょうか。

中嶋　優秀な人は非常にかっちりした卒論を書いて卒業します。目的意識がはっきりしていて、目標が定まっているので、先ほど先生が仰っていたように、時間の感覚がきわめて明確です。それもあって、日本学の院生はほとんど外部から来ますし、留学生も大変多いです。院生はもう少しゆったり勉強しようと思っている一方で、いろいろ彷徨っているうちに、思いもよらない発見があったりすることもすごく面白いんですよね。

鵜飼　この時代に彷徨うことには、きっと固有の厳しさがあるでしょうね。続いて呉世宗さんに伺います。ジェンダー・セクシュアリティの問題に関して、沖縄はさまざまな角度から集中的に作業が行われている地域のひとつのように思われます。ご自身の研究や教育活動の中で、その点をどのように感じていらっしゃいますか。

呉　そうですね。沖縄におけるジェンダーやセクシュアリティの問題は、九五年の少女暴行事件も大きな問題としてありますが、私の場合、やはり沖縄戦のときの朝鮮人「慰安婦」問題として最初に掴んだところがあります。調査の結果、沖縄戦時には一四〇ヶ所ほどの「慰安所」があったことが明らかになっています。これを沖縄本島に一直線に並べると、八〇〇メートルごとに「慰安所」があるぐらいの多さで、凄まじい暴力があったことになります。そういった調査をする在野の方々がいる一方で、大学の中ではそれほど関心が高くないことも一つの現実かなと思っております。沖縄では地上戦があったものですから、青森の碑、京都の碑といった都道府県ごとの碑があって、その中に朝鮮人に関連する碑もあります。学生が沖縄戦について卒論や修論を書こうとするとき、そういった碑のことを調べることがあります。ジェンダーに関連させていくと、ひめゆりの塔を調べるなどの論文を学生が準備したりすることがありますが、「慰安婦のことはどうですか」というと、なんとなく触れたがらないような雰囲気がある気はします。先ほど鵜飼先生が「当たり前のことを当たり前のこととして受け止める」、下の世代に行けば行くほどそうなるとお話されましたが、他方で、当たり前として受け止めることで議論しなくなっていく事態も起こっているかもしれないと考えていました。

西山さんが先ほど、今の出来事をほぼ同時代的に歴史化するというお話をされてましたが、それも非常に重要なことです。時間がずれて歴史化することで私たちは議論ができるようになるわけですよね。そのもう一方で、すでに歴史化されたものをあらためて掘り起こし、今反復することも、私たちの役割としてあるのかなと思っています。ジェンダー・セクシュアリティ問題を現在の問題だけではなく、過去の歴史的問題としても常に掘り起こしていく必要があります。

新しい出来事を歴史化しつつ、古い出来事をもう一回取り出してくる作業を大学という場で続けることで、学生たちがあまり議論しないところから少し抜け出していくことになるのかもしれません。中嶋さんのお話に引きつけると、コロナの影響もあって近いものに関心が向きがちかもしれないけれども、私たちには、この近さをいかに相対化させていくかという役割もあります。そのためには、歴史を掘り出してくる、あるいは歴史化するという作業が必要なのだろうと思います。

鵜飼　私は一九七九年、大学院の一年のときに初めて沖縄に行きました。そして最近では二〇一九年の秋と今年の五月に沖縄へ行きましたが、沖縄に住んだ経験はありません。世宗さんの沖縄でのお仕事について伺っていると、当たり前のことが異化されるような風景や出来事に出会うことが頻繁にあるのだろうと感じていました。

そこで西山さんに伺いたいのは、フランスのジェンダー・セクシュアリティに関する現状です。フランスも植民地問題とジェンダー問題に関しては相当混乱していますね。言社研では例えばスピヴァクも読めばジャン＝リュック・ナンシーも読むというような環境がごく普通に存在していました。しかしその程度の条件が、どうもフランスの大学にはないらしい。一方、突然高等教育省から「イスラームに友好的な左翼を大学から追放しろ」といった乱暴な話が出てきたりもします。現役の大学研究者として、カトリーヌ・マラブーとの交流も含めて、ご自身の専門と思想との関連で、この点をどう見ていらっしゃいますか。

西山　私は「フランス語圏の文化」という教養科目を担当していますが、女性や家族の問題に一回分を割きます。ジェンダーギャップ指数で日本は非常に遅れており、フランスの方はまだ上位です。フランスではパリテ（男女同数）の原則もあって閣僚も男女平等ですし、女性の社会進出もかなり進んでいます。ただ、それでも問題は山積しています。フランスではフェミニシッド（女性殺人）という表現で指し示されるほどの社会問題があります。身内の者の家庭内暴力による女性殺人が度々話題になっているわけです。

フランスでは女性の哲学者が日本より活躍しているようにみえますが、カトリーヌ・マラブーさんによれば、女性であるがゆえの苦労が耐えないようです。著書『差異の変換』の中では「哲学とは女性の墓碑である。哲学は女性にいかなる立場も、いかなる場も与えないし、獲得するべきものを何も与えてくれない」と批判しています。彼女は活動の場をイギリスやアメリカに移していますが、フランスの保守的で男性中心主義的な研究環境がきわめて不自由だったのでしょう。

鵜飼　マラブーさんは、かなり早くからロンドンなど英語圏で活動されていますね。ジュディス・バトラーなどと対話しながら、英語圏の研究者と積極的に交流したのは必然的な展開だったと思います。もちろん今までも研究者同士の交流はありました。しかし、東アジアで焦眉の課題をめぐって、アジア人の研究者も、欧米人の研究者も、その外から来た研究者も、同席して議論できるような場としての大学が、あるいは大学の外部の研究空間が、あらためて活性化しなければならない時期なのでしょう。韓国ではスユ＋ノモ研究空間がある時期をリードしたこともひとつの指標だと思います。大学の中にもそのような動きを呼び込んでいかなければ、この先なかなか苦しいのではないかと感じます。最後に、小柳さんに今後のお仕事の展望について伺いたいと思います。

小柳　みなさんがアカデミズムの世界で大学教員をやってらっしゃるなか、出版業界で働く人間として参加させていただきましてありがとうございました。一九九五年に鵜飼先生と映画『ショアー』の上映運動に関わっていたのですが、そこではアカデミズムと出版ジャーナリズムとアクティヴィズムが非常に近い距離で協働していて、化学反応がいろいろ起こる様子を見てきました。今後もそういう現場に関わることができればと思います。

鵜飼　日本語字幕が完成して、日仏学院ではじめて『ショアー』を見た日のことは、私もありありと思い出します。『レ・タン・モデルヌ』誌の編集長でもあったクロード・ランズマンが作者だということもあり、この映画にはサルトリアンの世代の研究者の方たちの関心が深く、翻訳をまとめてくださったのは高橋武智さんでした。高橋さんはべ平連の活動家として脱走米兵の問題にもっとも深く関わられた方で最近亡くなられました。立教大学の先生でしたが退職されてフルタイムの活動家になられた、「アンガージュマン」そのものの存在でした。

　西山さんが一橋のフランス語系は変わった研究者が多いという話をされましたが、今日どこかで名前を出したかったのはフランツ・ファノンです。彼の著作の翻訳には鈴木道彦先生や海老坂武先生が中心的に関わられました。ファノンが日本語で読めるようになっていたということは、七〇年代に学生生活を送った私たちの世代にとって、非常に大きなことでした。日本でのファノンの導入は、在日朝鮮人差別を理論的に考察する作業と重なっていました。鈴木先生は『地に呪われたる者』の訳者あとがきで、西山さんも触れられたように、みずから裁判支援に関わられた金嬉老事件を詳しく論じられています。

私も言社研で、ファノンはたびたび講義やゼミで取り上げました。

二〇一八年にセネガルのダカール大学で、レオポール・セダール・サンゴール、エメ・セゼール、そしてファノンという三人の思想家をめぐるシンポジウムに参加しました。私はアルジェリア・フランス人の友人の研究者に依頼されて、ファノンの一節を日本語で朗読しました。会場は同校内の孔子学院でした。日本人がセネガルのダカール大学の孔子学院でファノンを日本語で朗読する。一体自分が何やっているのか、もはやまったくわかりませんでした。朗読したのは『地に呪われたる者』の「民族文化」の章に出てくる、「橋をわがものにする思想」です。もし自分たちで橋が作れなければ橋はない方がいい。旧宗主国からの援助で経済発展するよりは、自分たちで橋が作れるまで待った方がいい。そのような自力更生の文化的自立を訴えた箇所です。

この朗読を私に依頼した友人はセルア・リュスト・ブールビナという名で、アルジェリア人の父、フランス人の母から独立戦争中に生まれた方です。『アフリカとその幽霊たち』などの著作があります。セネガルの人々にとってファノンは、なによりまず黒人解放の思想家です。ファノンの思想が日本の植民地主義を問うために読み替えられることは想像したことがありません。セルアさんはファノンの思想の普遍性をセネガルの友人たちに知ってもらいたいと考えてこの朗読会を発案したのでした。私はとても素敵な経験をしましたが、この経験が鈴木道彦先生をはじめ、前世代のフランス文学者の方たちのお仕事に負っているものにも思いを馳せていました。人文系の学問の継承関係の一例として最後にご紹介させていただきました。

今日はみなさんからたくさんのことを学ばせていただき深く感謝しています。近いうちに対面でお会いできることを楽しみにしています。

※この座談会は二〇二一年九月四日にＺｏｏｍ上で開催された。

第三部　研究室の扉をたたく

【前頁写真】
（上）一橋大学言語社会研究科事務室
（下）一橋大学国際研究館
撮影：小泉順也

文化資源としての一橋大学――学芸員養成と美術史研究の視点から

小泉順也

一　はじめに

振り返ると、私が学生であったとき、一橋大学について知ることは僅かであった。二〇一二年言語社会研究科に着任し、最近は全学共通教育科目「一橋大学の歴史」の授業を一回だけ担当している。気が付くと私は少し特異な立場から、研究科の垣根をまたぐかたちで仕事に携わってきた。その内容の一部は、広報誌として冊子で刊行され、現在はウェブマガジンに移行した『ＨＱ』で折に触れて報告してきた[1]。

思いがけない仕事のなかでも最たるものは、二〇一八年度から二〇二一年度にかけて、経営管理研究科の一橋ビジネススクールが開講する特別講義（ホスピタリティ実習）を担当したことである。わかりやすくいえば、ＭＢＡの授業のひとつを受け持ったことになる。前後の経緯は省略するが、自分の人生がＭＢＡと結びつくとは想像だにしなかった。受講者には、企業や官庁から派遣された社会人が混ざり、ときに活発な議論が繰り広げられた。授業で初めて顔をあわせるときは毎回いくらか緊張したものである。もっとも私自身は、言語社会研究科で授業するときに感じる心地よい穏やかなリズムの方が性に合っているが、一橋大学の別の側面を垣間見る経験となった。

本稿では言語社会研究科における私の仕事の二つの柱である、学芸員養成と美術史研究について概要を説明する。その上で、一橋大学に所蔵された文化資源や文化財をテーマに、私が整理や修復に関わってきた事例を紹介する。これまで報告の機会のなかったトピックス、先述した『ＨＱ』の記事に関連して進展があったものについて、後日譚を披露する機会としたい。

二　一橋大学と学芸員

学内の仕事のなかでも私が中心に担っているのが、博物館や美術館等で勤務するための専門職である学芸員の養成である。一橋大学における学芸員養成は、以前はあまり知られていなかったが、最近では徐々に認知されてきたように思う。言語社会研究科では二〇〇二年から大学院生に限定した学芸員資格科目を開講した。前年に国立西洋美術館から一橋大学に着任した喜多崎親（現・成城大学教授）がその任に当たり、二〇一二年から私が引き継いだ。実績としては、一橋大学の大学院生で学芸員養成や美術史の授業を履修した者の内、二〇二一年九月までに三七人が各地の美術館、博物館、文化振興に関わる財団や機関に就職している。[2]

学芸員資格取得に関する日本全体の事情を簡単に説明すると、二〇二一年四月の時点で、学芸員資格を取得できる大学や短大は全国で二九七校を数える。その内、受講者を大学院生に限定しているのは、おそらく一橋大学だけである。過去に文部科学省に確認を求めたが根拠となる資料はないようで、国内でここだけと断言するには至っていない。しかし、時間をかけて調査した結果、今では日本で唯一の教育機関と自任している。

少し前の資料になるが、二〇〇九年二月に公表された「これからの博物館の在り方に関する検討協力者会議」第二次報告書『学芸員養成の充実方策について』では、「学芸員資格取得者数と実際の博物館における採用者数に大きな懸隔」があると指摘されていた。具体的には、「毎年一万人程度の学芸員資格が付与されるものの、学部卒で博物館に就職している者は一％に満たない」状況が生み出されていたのである。こうした問題を解決すべく、二〇二〇年に日本学術会議史学委員会「博物館・美術館等の組織運営に関する分科会」が公表した提言「博物館法改正へ向けての更なる提言――二〇一七年提言を踏まえて」のなかでは、「大学院のみにおける学芸員養成課程の設置は、学部におけるそれより就職率が高く、かつ高度な専門性が担保され、博物館における実務水準の向上にもつながる可能性が高いことを予想させる」との見解が述べられ、その実践例として、言語社会研究科の取り組みが紹介されたのである。少し前の二〇一八年、先述の日本学術会議の分科会において、私は事例報告を行なう機会が与えられ、その内容の一部が提言内容に反映されることになった。

一般的に学芸員資格は、学部での取得を前提としている。そのため、関連する座学の授業においては数十人を超える大教室での講義が常態化していた。一方、言語社会研究科では二〇一七年度以降、博物館実習の受講者の上限を一〇人としており、それを超える履修希望者がいる場合、成績評価や小論文の課題に基づいた選考を実施すると定めている。近年は上限を超えるほどの受講者は集まらないが、少人数の授業が実現するなかで主体的に学べる環境を提供しているのである。私見では、将来の職業選択を明確に意識した大学院生の段階で資格取得を目指すというのは遅くはない。なかには博士課程に進学してから資格取得を開始する場合もあるが、最終的に自分が希望する就職につながることが多い。こうした取り組みを全国の大学で展開するのは難しいが、学芸員養成を大学院生に限定する試みがいくつかの大学に広がることは期待したい。学部生と大学院生が一緒に受講する形式にも意味はあるが、大学院生だけで切磋琢磨している姿を目にすると、こうした教育環境は日本の博物館や美術館に何かしらの変革をもたらし得ると感じている。

大学院生に限定された授業は、ときに教える側にプレッシャーを与える。私には頭から離れない出来事がひとつある。言語社会研究科に着任した直後に博物館概論の授業に向かうと、そこに東京都美術館の学芸員、国立新美術館の研究補佐員の顔があった。どちらも在学中に採用されながら、学籍を残したまま勤務を続けていたが、他大学で学芸員資格を取得していたため、大学院の修了要件に含まれる博物館概論を履修したのである。正直なところ履修を取りやめてほしいというのが本音であった。型通りの授業を進めるわけにもいかず、授業に独自の視点や切り口を意識的に盛り込む大事なきっかけとなった。

すでに他大学で学芸員資格を取得していたとしても、言語社会研究科の学芸員養成は学びを深める機会となる。実際、学芸員資格を取得してから本研究科に進学した人が、学芸員資格科目をあらためて履修し、いまは学芸員として働いている事例は珍しくない。あるいは、北海道大学では二〇一八年度から三年間にわたり、学芸員リカレント教育プログラムが実施されたが、同様の趣旨に沿ったプログラムを将来的に言語社会研究科で提供する可能性もあるかもしれない。二〇二一年には、国立科学博物館から有賀暢迪先生が着任し、二名の教員が学芸員養成を担当する体制に強化された。具体的な取り組みはこれからであるが、受講生を大学院生に限定している点に加えて、美術史と科学技術史という一風変わった担当教員の組み合わせが実現したことで、極めてユニークな体制が生まれたのは確かである。手前味噌であるが、これから思いもかけない展開につながる可能性は秘めているだろう。

三　言語社会研究科における美術史研究

先に博物館概論の授業を現役の学芸員が受講していた一件を伝えた。現在、私のゼミには各地の美術館に勤務する四人の学芸員が所属している。数年前には、ゼミ生の六人が学芸員として働いていた時期もあった。休学期間をはさんだり、勤務のために欠席したりすることも多く、全員が揃うことはめったにない。しかし、正規職員として学芸員に採用されても、すぐに退学しない雰囲気があり、それは私の着任前から慣習のように続いていた。実際のところ、都内の美術館に就職する例が多く、勤務と学業を両立することが可能な環境にあったのである。そのため、私の仕事はその流れに棹さすことを意識しただけともいえる。最近では、学芸員の仕事を続けながら博士号を取得するケースも増えてきた。ゼミの後輩にとっても、学芸員として働く先輩が身近にいる環境は貴重であり、現場の様子を伝え聞くなかで次の就職に結びつく循環が今のところ続いている。

学芸員として勤務しながら大学院生としても学び続けることは、ときに生活に負荷をかける。それでも、大学院の授業で発表の機会を与えられるのはひとつの目標となり、附属図書館ならびに大学図書館の相互貸借のサービスを使えるメリットは大きいようである。フランス近代美術の分野に関していえば、最近の一橋大学附属図書館の蔵書は日本でも指折りのレベルに達したと自負している。残念ながら、西洋美術史全般をカバーするには至っていないが、美術史の関係者が大学図書館の本を検索するなかで、一橋大学の所蔵情報を確認する場面は増えているだろう。

ゼミ生のこれまでの研究対象は美術および美術館に関する内容が大半であるが、なかには文学や音楽を研究する人も含まれていた。また、研究地域はフランスや日本に限定されず、イギリス、ドイツ、イタリア、オランダ、アメリカなどの西欧諸国に加えて、東アジアの国々もときに対象となっていた。さまざまな興味関心を持った大学院生が集まる環境においては、なぜこの研究をするのか、どれほどこのテーマが重要なのか、といった疑問に答える必要が生じる。専門分野では誰もが知っている事柄であっても、その説明をあらためて求められるというのは、他者と丁寧にコミュニケーションを取りながら自らの立場を伝える訓練となる。結果として、言語社会研究科はそのような場を提供しているのである。

私の研究は、ポスト印象派やナビ派を中心とするフランス近代美術史が中心であるが、最近は美術館の収蔵情報、美術コレクターの活動を対象としたコレクション研究を進めている。芸術家のもとで生み出された作品が個人の手にわたり、やがて美術館という機関に収蔵される過程のなかで、ときに思いがけない物語が生まれる。その瞬間を捉えたとき、何気なく美術館の壁にかかっている作品が違って見えてくる。

たとえば、ポール・ゴーガンがタヒチで制作した《ナヴェ・ナヴェ・マハナ（喜びの日々）》（一八九六年）は、一九一三年にリヨン美術館に収蔵された大作で、フランスの公立美術館が最初に購入したゴーガンの作品であった。その判断をめぐり当時の美術館委員会は紛糾した。協議の末に無記名投票を実施したものの、六票対六票の同数という結果になり、最終的に市長の判断で購入が決定したという。そのような経緯は現在も大切に保管された委員会の議事録によって確認できる。数十年、あるいは数百年の時を超えていまに残る作品や資料の来歴に目を向けたとき、新

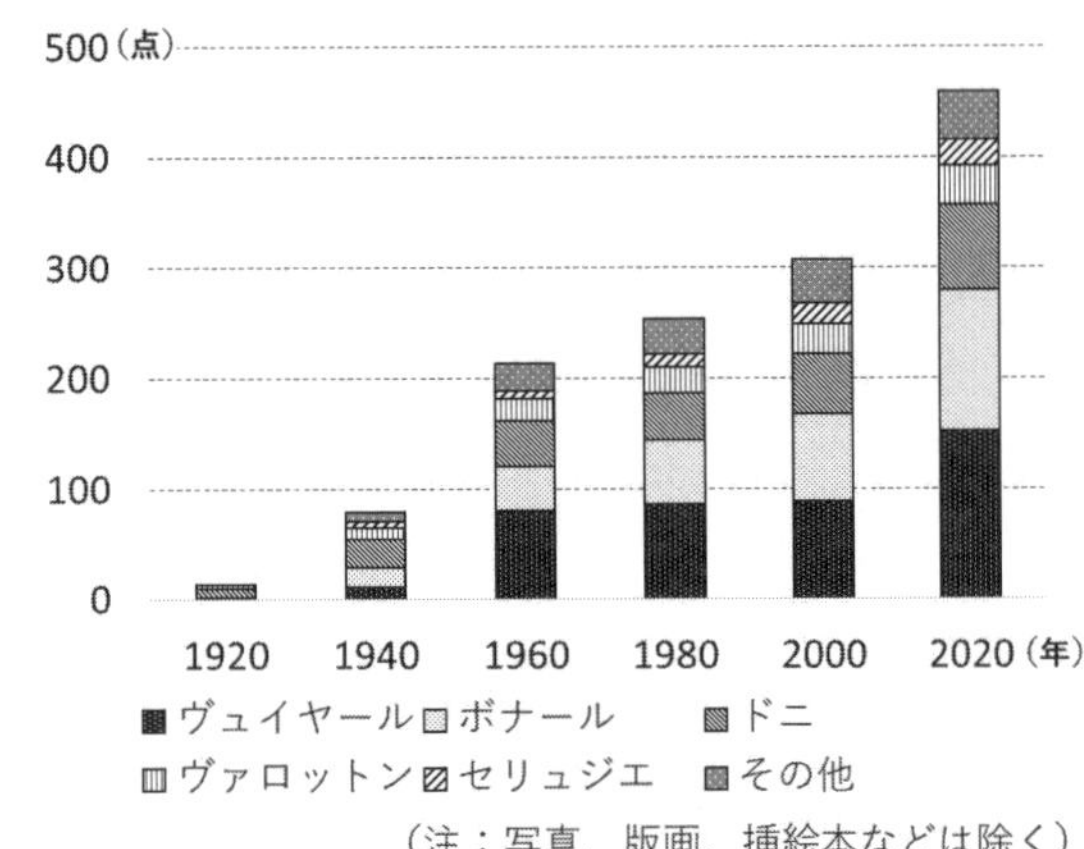

【図1】パリのリュクサンブール美術館、国立近代美術館、オルセー美術館が所蔵するナビ派の作品数の変遷

たな気付きにつながるだろう。

少し前には、ナビ派とパリの美術館の関係を調査し、収蔵作品の点数の変遷をまとめた【図1】。ナビ派とは、一九世紀末から二〇世紀前半のフランスにおいて、造形芸術の装飾性と色彩表現の可能性を探求した芸術家の集まりを指している。一九世紀前半から、パリには現代美術館の機能を持ったリュクサンブール美術館が整備され、同館のコレクションが二〇世紀に国立近代美術館、オルセー美術館などに継承されていった。これらの美術館に所蔵されたナビ派関連の作品情報を整理し、コレクション形成の観点から芸術家受容を考察したのである。ただし、写真、版画、挿絵本などは点数が膨大になるため、この調査結果からは除外している。ここでは省略版を掲載したが、わかりやすい変化のひとつとして、二〇〇〇年から二〇二〇年までの時期に所蔵作品数が急増している様子が見て取れる。その原因は明白で、二〇〇八年にオルセー美術館館長がナビ派の専門家に交代した結果、ナビ派の作品収蔵が飛躍的に進んだのである。作品数だけで伝えられる情報に限界はあるが、それでも芸術家受容の一端を可視化する有力な手法となるだろう。

同じような手法による調査は、日本の美術館においても進めている。日本各地には多くの美術館が整備されている。二〇一八年度に文部科学省が実施した社会教育調査によると、「美術博物館」に区分される館は計一〇六九館に達している。それ以外にも美術館と称する施設は存在しており、日本の美術館の全体像を把握するのは容易でない。日本人が印象派を中心とするフランス近代美術を好み、日本各地の美術館に作品が所蔵されている事実は広く知られている。しかし、美術館の収蔵情報を網羅的に確認するのは難しく、作品のデータベース化も始まっているが、現状では情報は一元的に集約されていない。

試みとして、先に触れたナビ派を代表する画家の一人ピエール・ボナール（一八六七―一九四七）の作品を所蔵する美術館を調べ、それを都道府県ごとにまとめてみた【図2】。これを見て多いと思うか少ないと思うかは人によって異なるが、日本各地の美術館でフランス近代美術を鑑賞できる環境が整備されている状況は一目瞭然である。日本の美術館における作品の収蔵情報を点や線としてではなく、面として俯瞰的に把握するなかで、新たな視座がもたらされると考えている。

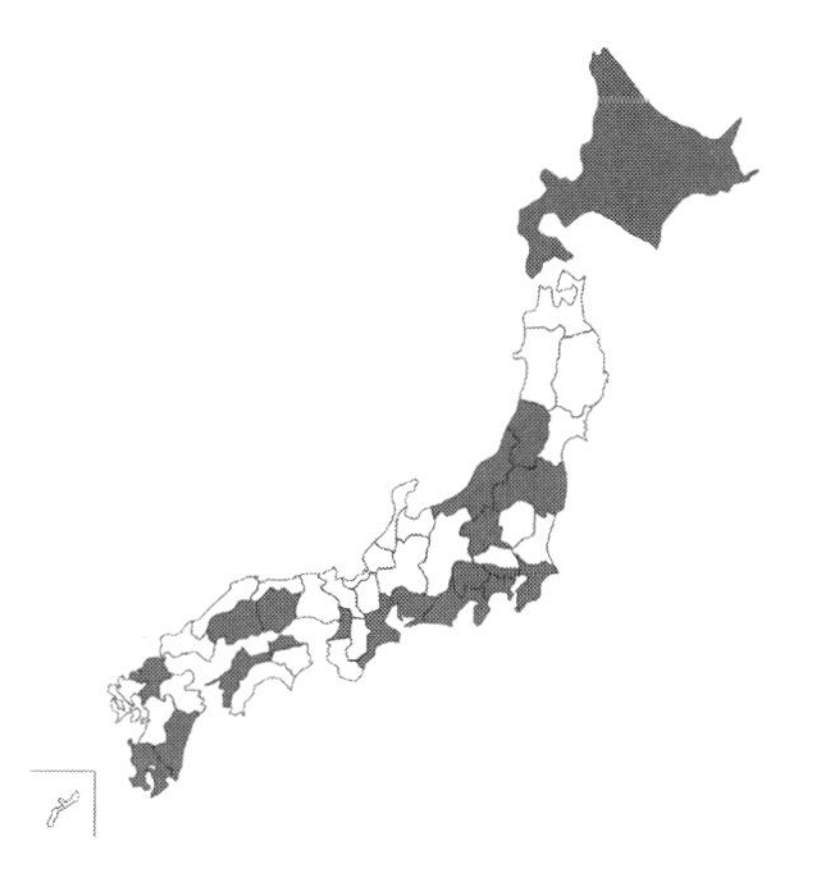

【図2】ピエール・ボナールの作品を所蔵する美術館のある都道府県（2021年9月）

こうした調査手法を紹介したからといって、エビデンスに基づく研究の重要性をことさらに主張したいわけではない。研究の方法論は多様であり、教員として学生の研究を一定の枠組みに当てはめることは避けているつもりである。しかし、もっと多くの情報に接し、幅広いコーパスのなかで研究テーマを考えてほしいという願いは常に持っている。そのためには、作品、芸術家、美術館、研究者等について知ることを増やしてほしいのである。その作業を続けるなかで、日本の美術館に所蔵された西洋美術作品を研究する選択肢が開けてくるかもしれない。本稿の執筆時にコロナ禍の行方は見通せないが、海外の作品調査が難しい時代においては、国内の所蔵作品にもっと目を向けてよい。そのための材料は日本各地の美術館に眠っているはずである。

四　一橋大学の文化資源と文化財

美術品は美術館だけに所蔵されているわけではない。たとえば、二〇一四年一〇月、一橋大学はファミリーマート初代会長の沖正一郎氏から鼻煙壺のコレクションの寄贈を受けたが、御宅に伺いその選定に携わったのが、私と学内の文化財との大事な接点であった。展示ケースを特注でしつらえ、今は本館の特別会議室に展示している。

さらに、一橋大学には二〇世紀半ばを中心に歴代の先生方を描いた肖像画が四〇点ほど所蔵されている。作者には和田英作、和田三造、安井曾太郎、宮本三郎など、日本近代美術史を学べば目にする名前が並んでおり、その折々に熱心な卒業生が、当代随一の画家に肖像画の制作を依頼した経緯が伝わってくる。一昔前であれば、附属図書館の大閲覧室やカウンターの周囲の壁に三〇点ほどの肖像画が飾られていた。しかし、二〇一四年五月にその内の一点を支えるワイヤーが突然切れて壁から落下し、すべてを倉庫に移したため、今では人目に触れる機会はほとんどない。

その後、肖像画の修復が大きな課題となったが、学内の予算や一橋大学基金の寄付金を活用するかたちで、二〇二一年九月までに一二点の修復が終了した。二〇一六年五月には私も協力して、荒井陸男作《福田徳三先生》、宮本三郎作《中山伊知郎先生》【図3】の修復を記念した特別展示を附属図書館図書館展示室で開催した。修復済みの一二点には、宮本三郎の四点の油彩画と一点のパステルが含まれており、これで学内に所蔵する彼の作品はすべて修復が終わったことになる。後半生を世田谷区奥沢で過ごした関係で、都内には世田谷美術館分館宮本三郎記念美術館が整備され、出身地の石川県にも小松市立宮本三郎美術館が設立されている。それ以外にも、宮本三郎の作品は各地の美術館に所蔵されているが、灯台下暗しというべきか、一橋大学も重要な所蔵先のひとつに数えられるのである。機会を捉えて学内での展示を企画するなかで、将来的にその他の作品についても修復が進むこと

【図3】宮本三郎《中山伊知郎先生》1962年　画布・油彩　72.6 × 60.7cm　一橋大学附属図書館　一橋大学機関リポジトリHERMES-IR 画像提供

を願っている。

もうひとつ、私が長年にわたり整理に携わってきたのが商品資料である。国立キャンパスの東本館一階には長らく商品陳列室と商品標本室が設置されてきた。その起源は明治中期に設置された商品陳列所にさかのぼり、収集を始めて数年後には資料数が一万点を超えたという記録が残されている。これらは商品学と呼ばれる授業や関連科目の中で使われてきたが、関東大震災の被災によりほぼすべての資料は焼失したと考えられている。しかし、国立に移転してからも資料の収集は続けられ、二〇〇〇年頃まで授業等で細々と活用されていた。私を中心にして、二〇一七年から言語社会研究科と商学研究科（現・経営管理研究科）の協働プロジェクトが始まり、両室の環境整備と資料整理をおおむね終える段階まで作業を進めたところである。その後、二〇二一年三月にすべての資料を小平国際キャンパスに移転させることになり、残念ながら資料へのアクセスは不便になっている。

【図4】小平国際キャンパス旧国際共同研究センターに移転した商品検査機械

大型の資料としては、戦前に陸軍から譲渡されたエンジン、ダットサン製の車体、ソ連製鋼用銑鉄、カールツァイス製の幻灯機などがあり、各種のブラウン管テレビや電話などの工業製品に加えて、羊毛や繭玉、鉱物や金属、原材料の標本や見本などが所狭しと並んでいる【図4】。戦前には各地の高等商業学校で商品陳列館や商品館と呼ばれる展示施設が整備されていたが、現在は山口大学経済学部商品資料館と一橋大学を除けば、これほどの資料を残している場所はない。商品学や産業史という学問体系、あるいは商業教育という文脈から、これらの商品資料を研究する作業は着手されたばかりである。すでに複数の専門家に資料を確認してもらっており、今後はそのネットワークを活かして資料調査を進め、あわせて学芸員養成との連携も深めていきたい。

五　結びに

本稿では一人の教員の立場から、言語社会研究科の学芸員養成と美術史研究の概要を説明し、一橋大学に所蔵された文化資源や文化財の現状と今後の活用の可能性を論じた。トピックスがさまざまであるため雑駁とした印象を与えただろうが、目の前にあるものへの興味という点ですべてはつながっている。

二〇二一年に言語社会研究科は設立二五周年を迎えたとともに、二〇二五年は一橋大学の創立一五〇年の節目にあたる。そのタイミングで何かしらの計画が立案される可能性はあるだろう。そのとき、学芸員養成を提供している言語社会研究科が関与できることはあるかもしれない。キャンパスを歩いておもしろいものを見つけるというのは、実は言葉にするほど簡単ではない。そのようなアンテナを普段から張りめぐらせていれば、博物館や美術館で働くための素質の半分は備わっているのである。授業で生き生きと言葉を語り、文章を綴るなかで、その経験はキャンパスを超えて外の世界に広がっていくであろう。そうした成果が蓄積されたとき、一橋大学に対するイメージはいくらか変わるかもしれない。

【註】

（1）これまで私は『ＨＱ』に四本の記事を執筆した。詳細は一橋大学の研究者情報（ＨＲＩ）に掲載した情報を参照のこと。

（2）言語社会研究科の学芸員養成の最新情報は以下を参照のこと。https://gensha.hit-u.ac.jp/education/curator.html（最終アクセス、二〇二一年九月二〇日）。

科学の多彩な歴史を読む——西洋の古典から近現代日本の資料まで

有賀暢迪

言社研に教員として筆者が着任したのは二〇二一年四月。この原稿を書いている時点では、まだ半年も在籍していない。コロナ禍のため、この間は教授会などもオンラインで行われているから、同じ大学院の教員であっても、ほとんど話したことのない人もいる。加えて、この四月から九月までの半年間は「クロスアポイントメント」という制度によって、前職である国立科学博物館の研究員も兼務してきた。いってみれば過渡的状況にあるわけで、百パーセント言社研の人間だとはまだ言い切れないところがある。

とはいえ、最初の春夏学期を終えてみて、だいぶ研究科の雰囲気が分かってきたのも確かである。私自身がこれまで何をしてきたか、これからどうしていこうと思っているかを記しておくには、悪くないタイミングといえるのかもしれない。

科学史とは何か

私の専門分野は科学史である。英語ではヒストリー・オヴ・サイエンスで、文字通り「科学の歴史」を意味する。このように自己紹介すると、かなりの確率で投げかけられる質問がある。科学史というのは理系なのか、文系なのかというものだ。

率直に言って、学問を文系と理系の二つに（二つだけに）分けて理解しようとする発想には大きな問題があると思うのだが、世の中ではこの二分法がきわめて根強い。こういうときは、いったん相手の抱いている観念に寄せて説明したほうが通じやすいことがある。私はよく、「理系を対象にした文系の学問です」という答え方をする。実際、科学史というのは科学（主として自然科学）を対象としてその歴史を探究する学問なのだから、扱うものは理系であっても、方法論としては完全に文系に属している。

このことは、自分自身が自然を相手に実験や観測や理論計算をするわけではない、と言えば分かりやすいかもしれない。学問的に科学史を探究する人のことを科学史家と呼ぶが、科学史家が興味を持っているのは、実験や観測や理論計算をするという人間の活動と、それによって生み出されてきた科学的知識、そして、そうした活動がなされる時代背景である。これは、たとえば美術史家が芸術作品と芸術家の歴史を研究するのと、基本的には同じだろう。科学史家は、科学に関する知識、思想、社会、文化といったものの歴史を探究する。その中核をなすものは、人間に対する興味関心にほかならない。

自然科学について文系の方法論で考察する学問のことを、まとめて科学論（サイエンス・スタディーズ）と呼ぶことがある。これを構成するものには科学史のほか、科学哲学、科学社会学、科学人類学などが挙げられる。これらはそれぞれ、哲学、社会学、人類学などの方法論を使って科学を分析している。それとの比較でいえば、科学史の基礎にあるのは歴史学の方法論ということになりそうだが、科学史が歴史学の下位分野として位置づけられているかといえば必ずしもそうではない。筆者自身も含め、いわゆる歴史学の分野でトレーニングを受けたわけではない研究者のほうが圧倒的に多数を占めている。

科学史の専門家になる方法

筆者は、高校ではいわゆる理系クラスで、大学入試も理系で受験した。とはいえ、当時から理系や文系に関係なく幅広い勉強がしたいと思っていたので、京都大学の総合人間学部というところを選んだ。ここは一つの学部の中に文系から理系まで揃っていて、主専攻と副専攻を在学中に選ぶというシステムになっていたのが魅力的だった。紆余曲折を経て、主専攻としては物理学を選び、卒業研究にも取り組んだのだが、私の関心は自分で新しい発見をしていくことには向けられていなかった。むしろ、教科書などに書かれている理論や概念について、どうしてそんなふうに考えられたのかに興味があった。

私にとって幸運なことに、同じ京都大学の文学部・大学院文学研究科には「科学哲学科学史専修」が存在していた[1]。学部生のときにその授業を聴講しに出かけ、すっかり魅了された私は、この大学院を受験して進学し、名実ともに「文転」した。当初は科学哲学をやりたいと思っていたのだが、大学院に進んでから哲学よりも歴史のほうが自分の性に合っていると感じ、科学史を専攻するようになった。

私のように、もともと理系でのちに科学史の研究者になったという人は珍しくない。統計があるわけではないが、現在の日本の科学史家としては、そういう人が一番多いのではないかとすら思う。だが、理系のバックグラウンドが科学史の研究をする上で大きな利点であるのは間違いないとしても、私はそれが必須だとは思わないし、理系出身者ならば誰でも科学史の研究ができるとも思っていない。実際、私が学んだ京都大学の科学哲学科学史専修は文学研究科に置かれていたのだし、同じ研究室の出身者には、文学部卒であっても科学哲学や科学史の高度な研究を行っている人たちがいる。

自分自身の経験と、ほかの人たちについての観察からいって、科学史の専門家になるために必要なものはおそらく二つある。一つは人文学の基礎、特に原典や資料を「読む」力であり、もう一つは、他分野のどんな専門的な内容であっても、必要があれば臆せず踏み込んでいく姿勢である。前者は足場を固めることであり、後者は境界を越えていくことに関わっている。以下、私がこれまで取り組んできたテーマを紹介しながら、読むことと越境することについて述べてみたい。

西洋科学の原典を読む

大学院の修士課程と博士後期課程を通じて私が研究していたのは、一八世紀のヨーロッパにおける力学の歴史である。力学というのは平たくいえば力と運動の科学であり、物理学の中でも一番の基礎とされる分野である。高校や大学で学ぶ初等的な力学では、力と運動変化の関係を「運動方程式」と呼ばれる数式で書き表し、これを解くことで運動の分析や予測をおこなう。私が力学に興味を持っている理由は、それが数学を使って自然現象を研究するというアプローチの典型例であり、歴史的にも早い段階で理論的な整備がなされたからである。

大学院の指導教員だった伊藤和行先生はガリレオの専門家で、特にガリレオの力学を研究されていた。ガリレオは一七世紀初めに落体の運動の数学的分析をおこない、今日の力学の出発点を築いたといってよい人物である。とはいえ、それはあくまでも出発点に過ぎず、今日の理系学生が「古典力学」として学ぶような形をとるまでには、そこからおよそ二〇〇年を要した。その過程を探究する一環として、伊藤先生は私が学部生だったころ、一八世紀の力学をテーマとする授業を開講された。

この授業では、一八世紀において力学に最大の貢献をしたとされる数学者オイラーの論文が取り上げられた。論文はフランス語で書かれていて、これを実際に読んでいくというのが授業の内容だった。「読む」というのはこの場合、原文を声に出して読んだ上でそれを訳すということを、出席者が順番にやっていくのである。私はたまたま第二外国語でフランス語を選択していて、中級程度までは勉強していたし、加えて力学の基礎知識もあったのだが、それでも毎回の予習は大変だった。フランス語の文法や単語そのものが現在とは多少異なる上に、同じ力学といっても現代の教科書の内容とオイラーの考え方は必ずしも同じでないからである。したがってどうしても、よく分からないところが残る。授業の場でも、一回の時間内に読み進められるのは一ページか二ページといったところで、テクストを最後まで読み切るのはまったく不可能だった。

それでも、この授業や、のちに参加するようになった伊藤先生の読書会がなければ、西洋科学の古典を読む力は身につかなかったと思う。科学史の場合、原典というのは何かしら専門的な内容であるがゆえに、それが書かれている言語が読めればすぐに読めるというものではない。他方で、たとえ日本語訳を使って読む場合でも、その科学分野の今日的な知識があればすらすら読めるとも限らない。求められるのはむしろ、そのテクストが書かれた当時における科学の常識を踏まえた上で、著者が何を言いたいかを正確に理解していくことである。そして大抵の場合、一つのテクストを本当に理解するためには、別のテクストをあわせて読むことが必要になる。

私自身は、伊藤先生の授業をきっかけに一八世紀の力学の原典を読むようになり、オイラーから出発して、交流のあったほかの人物の著書や論文、さらにはオイラーが彼らとやり取りした書簡などを読んでいった。この過程で半ば必然的に、フランス語のみならずラテン語、ドイツ語、イタリア語のテクストも読まされる羽目になった。ただ、オイラーに関しては膨大な数の論文や書簡が全集などの形で出版されていたために、手書きのノートや手紙といった狭い意味での一次資料に触れることはほぼなかった。加えて、当時は一八世紀の出版物のデジタル化とインターネット公開が本格的に始まりつつあったころで、国内に所蔵のない本や雑誌をウェブ上で見ることができたから、海外に留学して図書館や文書館に日参する必要性も特に感じなかった。それが自分にとってプラスだったかマイナスだったかは、今でも分からない。結果として、大学院での研究をさらに進めてまとめた博士論文は、オイラーにおける力の概念の検討を軸に一八世紀の力学全体を再考するという、哲学史や思想史に近い内容となった。(2)

近現代日本の科学史資料をめぐって

そんな私が、大学院を出てから数年後に博物館に就職し、近現代日本の科学技術史に手を染めるようになったのだから、人生何が起こるか分からない。きっかけは、二〇一一年の東日本大震災だった。福島第一原子力発電所の事故は、まがりになりにも科学の歴史を研究してきた自分にとって対岸の火事とは思えず、このような事態を歴史的にどう理解すればよいかということが、避けて通ることのできない精神的課題となった。

とはいえ、職を得た先が博物館だったのは本当に偶然である。国立科学博物館で科学技術史分野の研究員を公募しているという情報に接するまで、博物館で働く未来を考えたことはたぶん一度もなかった。ただ、私は大学院生のころから科学史を一般向けに紹介することには熱意を持っていて、個人でウェブサイトをつくったりもしていたから、展示や講座をはじめとする普及活動には大いに興味があり、それが主たる動機で応募したのである。だが、博物館で過ごした八年間は結果的に、それまでとはまったく違う研究領域やテーマへと私を連れていくことになった。

一つ目は、科学者や研究機関の資料のアーカイブズである。国立科学博物館では近代日本の科学者の個人資料を所蔵していて、私はその中でも、物理学者の長岡半太郎（一八六五―一九五〇）や植物学者の矢田部良吉（一八五一―一八九九）といった人々の資料を対象に、整理と調査を手掛けた。こうした「科学者資料」には、ノート、原稿、書簡、写真、辞令、身の回り品などが含まれる。加えて、博物館の調査研究プロジェクトでは、国内にある複数の研究機関を訪れ、そこに残されている文書や機器を調べることにも携わった。大学院ではこの種の資料にほとんど触れてこなかったのが一転して、一次資料にもっとも近い立場になったわけである[3]。

当然ながら、そうした資料整理や調査の方法論は、私が大学院で身につけたものとはまったく異なっている。博物館に着任した当初は、何をどうすればよいかがまったく分からなかった。それでも、ほとんど義務感から、館内外の方々に教わって考え方や技術を学び、具体的な実践を少しずつ積み重ねた。この過程で私は、科学史の資料そのものを扱える専門家が国内にほぼ存在しないと言っても過言でないこと、そして、資料自体は各地に残されているが、いつ捨てられても不思議でない状態に置かれているのがむしろ普通であることを知った。こうした資料を後世に残していくことは、おそらく、自分のような人間が取り組まなければならない仕事なのだろうと思っている。

二番目に挙げられるのは、現代の科学に関する歴史研究である。先に、私は学部時代に物理専攻だったと書いたが、卒業研究ではコンピュータを使って物理の問題を解かせることに取り組んでいた。そのときの経験から、コンピュータが科学にもたらした変化には特に興味がある。たとえば、シミュレーションという方法の出現や、その延長線上にある「計算科学」の発展である。[4] 一方で、博物館での調査研究や展示制作を通じ、私は加速器に代表されるような巨大科学（ビッグサイエンス）のあり方にも関心を持つようになった。[5] 国立科学博物館はいわゆる科学館の機能も持っているため、科学の歴史を語る場合でも、最先端の研究成果をあわせて紹介することが求められる。この環境は、よい意味で、私が過去の中に閉じこもることを許してくれなかった。

現代を科学史研究の対象とすることには、特有の難しさがある。当事者である研究者（科学者）が存命のこともあるし、そうでなくても、その題材について現役の研究者がよく知っている場合が多い。オイラーの論文を読んで「こうだったのではないか」と論じたところで、本人や関係者は何も言ってこない。しかし現代科学が対象の場合にはこれが起こりうる。私は実際、数値予報（コンピュータによる気象予報）の歴史に関する論文を書いたあとで、そこに登場する研究者の一人――歴史上の人物――から、「この記述は間違っているのではないか」という連絡をいただいたことがある。たいへん恐縮しながらご自宅を訪ねたところ、幸いに怒られることはなく、むしろ貴重な昔話を聞かせていただいた。おそらく、本当に実りのある現代科学の歴史研究のためには、出版された論文や未出版の資料とともに、当事者の語りを有効に使っていく必要があるのだろう。このようなオーラル・ヒストリーの手法は私自身、まだ身につけたとは言いがたいのだが、聞かないよりは聞いたほうがよいという精神で、その後も幾人かの方々にお話を伺ってきた。これもまた、「読む」ことの一つの形であると思う。[6]

科学史から科学技術史へ

「西洋の古典から日本の資料へ」というのが博物館で踏み出したことの一つだとすると、もう一つの越境は、「科学史から科学技術史へ」とまとめられるかもしれない。「科学技術史」というのも一筋縄ではいかない言葉なのだが、さしあたっては「科学史・技術史」の略だと考えておこう。言いたいのはつまり、狭い意味での科学史だけでなく、ある種の技術史にも関わるようになったということである。

科学史と技術史は、似ているようでずいぶん違う。きわめて荒っぽい言い方をすると、科学史が頭で考えたことを問題にするのに対して、技術史は手で作ったものを問題にする。科学というものが歴史上いつ、どこで、どのようにして生まれたかを問うことには意味がありそうだが、技術に関しては明らかにそうではない。およそ文明が誕生したときにはそこに何らかの技術が存在したし、もっと言えば、有史以前の人類がつくった石器ですら技術史の対象となる。科学的知識が経済に直接インパクトを与えることはそれほど多くないが（だから「役に立たない」などといわれたりする）、技術は古代の車輪から現代のスマホに至るまで、社会のあり方に大きく影響してきた。

私自身は、こうした意味での技術史の専門的教育を受けてこなかったし、研究の仕方も知らなかった。だが、博物館での展示制作や調査研究では、技術の問題にも取り組むことを余儀なくされた[7]。そもそも博物館とは、モノを扱うところである。特にそれが人工物であるなら、そこには必ず技術が関係する。植物標本や絵画作品、科学者のノートといった資料ですら、見方によっては人間が創り出したオブジェクトである。技術史の射程は科学史よりもはるかに広く、かつ、社会との距離は科学史よりもずっと近い。

自分自身が博物館の展示制作に携わってきたために、私は特に展示という切り口から、技術と社会の関わりを歴史的に考えてみたいと思うようになった[8]。技術が展示される主な場所としては、博物館のほかに博覧会がある。たとえば一九七〇年に開かれた日本万国博覧会、通称「大阪万博」では、アメリカとソ連が競うようにして宇宙開発の展示をおこない、アメリカ館で展示された「月の石」を一目見ようとたくさんの人たちが押し寄せた。他方で、日本政府の出展したパビリオンには、石油化学コンビナートの巨大な模型や、原爆と原子力をテーマとするタペストリーが展示されていた。こうした展示は明らかに時代状況を映し出しているし、同時に、制作に携わった人たちの思想や苦労も透けて見える。展示もまた、「読む」対象になりうるだろう。(9)

ただ、宇宙ロケットや核エネルギーは確かに技術の問題ではあるのだが、科学であるとも言えないだろうか。少なくとも、人工衛星を打ち上げたり原子力発電所を建設したりすることは、焼き物をつくったり和紙を漉いたりするような「伝統技術」とは質が異なるように思える。むしろ、「科学技術」という言葉のほうがしっくりくる。

このことを科学史の立場から考えてみると、知識を生み出す活動としての科学は技術のあり方をどのように変えてきたのか、という問いを立てられるだろう。たとえば、古典力学はガリレオからニュートンやオイラーを経て、一八世紀末には理論的な整備がほぼできていたと考えられる。ではそうした過程で、力学の概念はさまざまな技術的問題とどのように関わっていたのか。あるいは一九世紀以降、今日に至るまで、力学の理論はどのような形で応用され、社会とのつながりを持ってきたのか。こうした問題群が、この先、私自身にとっての科学技術史の研究課題となっていくのかもしれない。

*

西洋科学の古典、近代日本の科学者資料、現代の研究者の語り、博物館や博覧会の展示――これらを読み解いていくために必要なスキルは、どう考えてみても異なる。私が科学史家としては例外的に、これほど多岐にわたる種類の対象と取り組んできたのは、たまたま置かれてきた環境のせいもあるだろうし、自分自身の性格によるものでもある。よく言えば興味関心の幅が広く、悪く言えば何か一つを極めることに向いていない。今日的な意味での研究者であるためにはむしろ、特定の「読む」力を徹底的に磨き上げていくほうが望ましいのだろう。

ただ、科学のさまざまな過去にアクセスするためには、複数の「読む」力が必要とされることもまた確かである。そして何より、異なる時代・地域・分野の古典や資料は、それぞれが違った面白さを湛えている。そうした読むことの多様な楽しみと、そこから見えてくる科学史の多彩な光景を求めて、これからも、常に新しいことに取り組んでいきたいと思っている。

註

※煩雑になるため、筆者の単著による文献は著者名を省略する。

（1）人文学の大学院に科学史の講座があるというのは例外的である。東京大学の科学史・科学哲学研究室は大学院総合文化研究科に置かれているし、東京工業大学の科学技術社会分野は現在、環境・社会理工学院に属している。

（2）博士論文にさらに手を入れて書籍化したものが、『力学の誕生――オイラーと「力」概念の革新』名古屋大学出版会、二〇一八年である。ただしこれは純然たる研究書のため、まったく予備知識なしで読むことは必ずしも勧めない。筆者による入門的な文章としては以下がある。「力学の誕生と発展」『科学史事典』日本科学史学会編、丸善出版、二〇二一年、八八―八九頁／「力学史と科学革命論（上・下）」『窮理』第八号、窮理舎、二〇一七年、八―一二七頁、および第九号、二〇一八年、三二―三七頁／「一八世紀ヨーロッパの力学研究――学者たちの交流と論争」『科学史研究』第五三巻、日本科学史学会、二〇一五年、四七三―四七九頁。

（3）資料の整理や調査は学術論文という形の研究成果になりにくい。筆者が手掛けた仕事を報告・紹介したものとして、長岡半太郎資料については、有賀暢迪・沓名貴彦「国立科学博物館所蔵・長岡半太郎資料の概要とその再整理について」『科学史研究』第五三巻、二〇一五年、四〇三―四〇五頁／「辞令・文書類から見た長岡半太郎の生涯――『長岡半太郎伝』補遺に向けての一検討」『国立科学博物館研究報告E類（理工学）』第四〇巻、二〇一七年、四一―五〇頁／「手紙がひらく物理学史［全一五回の連載］」『科学』第八八巻第一〇号―第八九巻第一二号、岩波書店、二〇一八年一〇月―二〇一九年一二月所収がある。矢田部良吉資料については、太田由佳・有賀暢迪「矢田部良吉年譜稿」『国立科学博物館研究報告E類（理工学）』第三九巻、二〇一六年、二七―五八頁／有賀暢迪・太田由佳「矢田部良吉資料目録 付・著作目録」『国立科学博物館研究報告E類（理工学）』第四一巻、二〇一八年、二三―五二頁／有賀暢迪・橋本雄太「ＩＩＩＦを利用した科学者資料の電子展示システムの試験開発――「矢田部良吉デジタルアーカイブ」を事例として」『デジタルアーカイブ学会誌』第四巻、デジタルアーカイブ学会、二〇二〇年、一六二―一六四頁を参照してほしい。館外での調査の一例は、「遺伝研に残る木村資生の資料を読み解く――科学者資料の整理と調査の現場から」『遺伝――生物の科学』第七三巻第六号、エヌ・ティー・エス、二〇一九年一一月、五三七―五四〇頁。

（4）論文になっている研究成果は次の二つで、いずれも気象学に関係している。「洗い桶からコンピュータへ――大気大循環モデルによるシミュレーションの誕生」『科学哲学科学史研究』第二巻、京都大学文学部科学哲学科学史研究室、二〇〇八年、六一―七四頁／「台風の数値予報の始まり、あるいは黎明期の計算気象学における問題意識の連鎖」『科学史研究』第五四巻、二〇一六年、三一四―三二六頁。関連して、次の二つの事典項目を執筆した。「シミュレーション」「天気予報」『科学史事典』日本科学史学会編、丸善出版、二〇二一年、八六―八七頁および四九四―四九五頁。

（5）「巨大科学」は二〇世紀の科学史、特に物理学史におけるキーワードの一つである。この世紀の物理学の展開を概観した本としては、ヘリガ・カーオ著／岡本拓司監訳／有賀暢迪・稲葉肇ほか訳『二〇世紀物理学史――理論・実験・社会（上・下）』名古屋大学出版会、二〇一五年がある。加速器に関して筆者が手掛けた資料報告は、有賀暢迪・菊谷英司・高岩義信・若林文高「東京大学宮本研究室電子シンクロトロン関係資料」『国立科学博物館研究報告E類（理工学）』第四三巻、二〇二〇年、三一―四〇頁。

（6）オーラル・ヒストリーに関しては、具体的な成果を公表したものがまだ存在しない。さしあたっては次の記事を参照してもらいたい。グレゴリー・A・グッド著、有賀暢迪訳「未来のために歴史を残す――アメリカ物理学協会（ＡＩＰ）のオーラル・ヒストリー」『日本物理学会誌』第七四巻、日本物理学会、二〇一九年、八五六―八五九頁。

（7）技術史について博物館で考えたことについては、次の文章で記した。「地質学的時空間における科学技術史の変容――あるシンポジウムと展示の経験から」『現代思想』第四五巻第二二号、青土社、二〇一七年一二月、二二二―二三五頁。

（8）国立科学博物館で関わった展示は、年代順に以下の通り。〔常設展〕「地球史ナビゲーター」「日本の科学者」「素粒子の世界を探る」二〇一五年七月一四日—現在／〔企画展〕「理化学研究所百年——お弁当箱からニホニウムまで」二〇一七年二月二八日—四月九日／〔特別展〕「明治一五〇年記念　日本を変えた千の技術博」二〇一八年一〇月三〇日—二〇一九年三月三日／〔NEWS展示〕「さようならキログラム原器——「はかる」単位、一三〇年ぶりの大改定」二〇一九年五月一四日—六月一六日／〔企画展〕「物理はふしぎで美しい！　磁石と水からひろがる相転移の世界」二〇二〇年一月二八日—二月九日／〔企画展〕「加速器——とてつもなく大きな実験施設で宇宙と物質と生命の謎に挑んでみた」二〇二一年七月一三日—一〇月三日。

（9）大阪万博の日本館については、次の二篇の論考にまとめた。"Presenting the Past, Present, and Future of Technological Innovation: The Japanese Pavilion at Expo '70 as a Discourse on Science and Technology Policy," in *Behind the Exhibit: Displaying Science and Technology at World's Fairs and Museums in the Twentieth Century*, ed. Elena Canadelli, Marco Beretta, and Laura Ronzon (Washington, D.C.: Smithsonian Institution Scholarly Press, 2019), pp. 221-236／「リニアと原爆——大阪万博日本館における科学技術展示の生成」佐野真由子編『万博学——万国博覧会という、世界を把握する方法』思文閣出版、二〇二〇年、二八二—二九六頁。関連して、次の二つの事典項目がある。「科学博物館」「博覧会と科学技術」『科学史事典』日本科学史学会編、丸善出版、二〇二一年、三七四—三七五頁および三七六—三七七頁。

楽器をとりまく人々をもとめて
——ある音楽史研究者が考え続けていること

小岩信治

　ＪＲ浜松駅から線路に沿って南西方向に二〇分ほど歩くと、線路の北側にＪＲ東海浜松工場、いわゆる「新幹線工場」が広がる。折々に最新車両が姿を現し、例年なら夏に新幹線好きな子供たちが集まる工場の北側、雄踏街道を隔てた反対側の曹洞宗見海院（浜松市中区東伊場）に、河合楽器製作所を創業した河合小市（一八八六—一九五五）の墓がある。一方、日本楽器製造（現ヤマハ）の創業者で河合を雇い育てた山葉寅楠（一八五一—一九一六）は、そこから北に約三キロ離れた玄忠寺墓地に眠る。

　山葉家の墓は当初、現在なお中心市街地にある浄土宗玄忠寺の境内にあったが、第二次世界大戦後に現在の場所に移された。現在地は三方原台地の南端、浜松市中心部を見下ろす斜面にある（中区中沢町）。それに対して、河合家の墓の周辺は山葉や河合の往時の活動範囲である。見海院から南にしばらく進むと、明治になって運用が始まっていた堀留運河がある。この運河は港のない浜松中心部から西への物流の動脈となっていた。やがて蒸気船が行き来し始めるその付近には河合の生家があり[1]、河合の誕生後間もなく、その付近の普大寺跡、現在オルガン坂と名付けられている道を下った場所で、山葉は一八八七年にオルガンを組み立てた。山葉風琴製造所（一八八八年設立）の歴史にとって重要なオルガン工場である。それは、船便に代わる交通手段としての鉄道整備が浜松付近でも本格化した時期であった。

堀留運河はもとより旧東海道など当時の風景は、今日までにずいぶん変わってしまった。水運はやがて廃れ、蒸気機関の時代（一九一二年に開設された鉄道院浜松工場では蒸気機関車も多数製造された）を経た後、今や東海道新幹線が一時間に約二〇本、東京と関西を結ぶために走り抜け、また地域の移動手段としては自動車が圧倒的になって久しい（浜松には自動車製造のスズキの本社がある）。浜松駅前にはアクトシティなど高層ビルや高層マンションが建ち並ぶ。けれども市中の小高い山や坂道は、日本の鍵盤楽器産業の序盤を支えた人々が目にしていたものと、基本的には変わっていないだろう。

こうして浜松を見守っている、今日では世界に知られる（鍵盤）楽器会社の創業者たちは、どのような時代を生きたのか。そのような問いに私が関わるようになったのはごく最近、ここ数年のことである。[2]

同じ静岡県でも浜松市のある遠州からひとつ東の駿河のくにに、静岡市や焼津市で育った私にとって浜松はずっと、「凧揚げでケンカする怖いところ」であり、またヤマハ四ツ池センターという、ピアノや電子鍵盤楽器つまりエレクトーンが上手な子どもが集まる場所があるらしいまち、でしかなかった。そのような私がやがて音楽学を学び、ベルリンへの留学を経てこの都市と関わることになった重要な契機は、市中の静岡文化芸術大学への就職である。けれどもそのような「おカネ」の話にすべてを帰するなら正確ではなく、その背景には人文学のあちこちで起きる、研究方法への、また自分自身への問いや疑いがずっとあった。

以下では、この冊子を手に取って言社研への進学を考える若い人たち、あるいは言社研で今悩みながら研究中のみなさんに向けて、人文学の巨大な知の世界のかたすみである音楽学の教員が研究者としての現在地にいかにたどり着いたかを例に、研究生活における「変わらないもの」について述べたい。それは、二〇二〇年以来の感染症対策の世界で今日をどう生きるかという切実な問題に直面している学生・院生・若手研究者にとって、生存者バイアスのかかった歴史記述にすぎないだろう。けれどもそのような時期だからこそ、ともすれば言い出さずに終わる研究者の個人史を書き留めることが、平時でもそうでなくても共通する研究のヒントを伝えることになるのではないか。

「クラシック音楽」のレコードを少し買い求め、子どもにピアノを習わせようというくらいには音楽好きな夫婦に、前述のとおり静岡県中部で育てられた私は、高校卒業後に東京藝術大学音楽学部楽理科に進学した。地元の高校、藤枝東高校の、まっとうな秀才たち、しかもバランス良く運動神経にも恵まれた生徒たちが揃っている環境と比べると、「藝大音校」そして「藝大寮」での生活は別世界であった。そのころの私の様子を過日石丸幹二が『あいつ今何してる』というテレビ番組で紹介したのを、ご覧になった人がいるかもしれない。私はその時期に、今や多彩な役者になった石丸さんをはじめ、現在さまざまな分野で活躍する人々に出会うわけだが、のちの私の研究に最大の影響をもたらしたのは間違いなく、鍵盤楽器奏者の上尾直毅である。彼は通奏低音、つまり一七〜一八世紀のヨーロッパで合奏のときに、最低音の声部をもとに鍵盤楽器奏者がどのように演奏したかを、チェンバロという楽器を使って実習する授業にいた。その授業は、音楽史の一環として今に至るまで楽理科が開講しているが、それを履修する奇特なピアノ科生は、少なくとも当時は、彼一人であった。そして、土曜日一限（当時はまだ昭和で、土曜日に授業があった）にチェンバロを弾き終わると、私は彼に連れられて秋葉原の電気街に行く。いまでいう家電量販店がひしめくその一角には、これまた今日想像しがたいことに、電気製品を扱う石丸電気のCD専門店があった。さらに彼の下宿に連れられていくと、壁いっぱいの棚にCDが収まっている。同い年の彼が東京に出てきてから買ったものはその一部に過ぎなかったはずだ。「これだけのものがまがりなりにも頭のなかに入ってるって、不思議なもんだよな。」「CDとか本とかの中身が、聴いたり読んだりせんでも頭のなかにぱーっと一瞬でたまるようにできてたら便利やろな。」右の通奏低音の授業の教員は多田逸郎。リコーダー奏者として本邦の古楽演奏史に重要な足跡を残し、都立芸術高校教員として多くの音楽家の記憶に残っている。多田先生が「池田の兄ちゃん」と呼んだ上尾青年は、それまで大阪の人と話したことのなかった私に、こうして知らないことばでいろいろつぶやくのである。私は東京に引っ越すとき、おそらく書棚「一段」に収まるほどのＣＤしか持っていなかった。だから彼を見てまず、同じ歳の人間がやっていることの作業の大きさに驚かされた。別ページの新野見卓也さんとの対談に関連づければ、量を体験していることの重要さを学んだ、ということだろう。

加えて私にとって新鮮だったのは、「クラシック音楽」（の細部）の魅力について彼が具体的に語ることだった。高校までの私の生活圏には、音楽の師匠たち以外にそのような人はいなかった。たとえばバッハの《ブランデンブルク協奏曲第四番》の終楽章の終盤では、バスが主音を異様に引き延ばしたあと怒濤のように音階を繰り出して最後のカデンツになだれ込んでいく。「かっこええよな。」そう言われた私は、何の免疫もないこともあって、そんなものかなぁと思うのである。現在の私が学生のみなさんを前にして使う言葉でいえば、評価である。それを聞いてどう感じる？　その感度の「きめ」が自分よりはるかに細かい人がいる、ということを当時の私は感じた。

けれどもこの「池田の兄ちゃん」が私のこれまでの研究に及ぼしたのは、何より、彼が「古楽」の専門家だったことによる。名手辛島輝治の弟子として普通にグランド・ピアノを弾く生活をしながら、彼の生活の大部分で鳴り響いていたのは一八世紀以前の音楽であり、ピアノ以外の音楽だった。当時は「オリジナル楽器」による演奏だと謳われていた。その後紆余曲折を経て現在ではＨＩＰ（Historically informed performance）という言葉で表現されるこの態度は、とくに当時は、後世になって使われなくなった楽器を見つけたり復元して演奏することで、それまでの「現代」楽器では困難な表現を開拓して成果をあげていた。レオンハルト、アーノンクール、ホグウッド、ブリュッゲン、コープマン、ガーディナー、ノリントンといった名前が、何やら変わったこだわりを持った人たちとして「クラシック音楽」のマーケットに目立ちはじめていたのである。ドイツ・グラモフォンの黄色いラベルが優勢だった私の小さな書棚には、それまで知らなかった（マイナー・）レーベルの、バロック絵画や唐草模様で彩られた個性的なＣＤが増えてゆく。右の「変わった人たち」がその後の四半世紀余りにおいて、ベルリンやヴィーンで「権威ある」オーケストラを指揮するなど大演奏家として評価され、そしてつぎつぎ鬼籍に入っていく今日、たかが五〇代で使うのは不相応だとしても自分が抱いているのは「隔世の感」というものだと思う。

さて私が入学した楽理科は音楽学を学ぶ学科であるが、私にとってこの「本業」は何ともつかみどころのない世界だったし、今なおそれは変わりない。とりあえず周りを見回すと、高校までに私よりはるかに多くの音楽と出会い、それに比例してさまざまな知識とことばをもった学生ばかりで、彼女・彼たちを差し置いて自分が音楽学の教員として大学の教壇に立ちつづけたことに対するうしろめたさは生涯消えないにちがいない。書いても仕方がないことだが、彼女・彼らのほうがよほど、若い人に音楽について伝えるにふさわしい。そのようななかで当時、私のなかで次第に確実になっていったのは、どうやら自分は作曲家研究「ではない」ことをしたい、ということだった。作曲家研究、というのは狭い音楽学の世界で飛び交う専門用語だが、言社研というか文学の世界の言葉なら作家研究である。いまどきではそれは、必ずしも「偉大な作家」を研究するだけではないが、少なくとも西洋音楽史研究の世界では、作曲家別にソートできる研究が当時は今よりさらに多かっただろう。楽理科学生としての身近な生活のなかでそれは、あの先生はモーツァルトの人、友人の何々ちゃんはコープランド、というような会話に現れる。

そのような研究を私ができなかったのはおそらく、関心を持って自分が詳しく語れる偉人作曲家がいなかったからだ。それは今でも変わらない。要はよく知らないのである。音楽を営む人間（そこには「偉人」も含む）には興味があって、学部時代にとある授業の期末レポートにそのようなことを書いた記憶は鮮明に残っている。けれどもそんな甘いことをぼんやり思っているだけでは生きていけない。卒業論文は一九世紀の室内楽、つまり少人数での合奏音楽について、統計的なデータを扱うそぶりはあってもその手法は入口にも立っておらず、かといって作品論を展開できるわけでももちろんない、当時の、いや今でも変わらない悩みをただ無防備に示すものになった。

それでも修士課程に進学した私は、少しは反省して、星の数ほどもある一九世紀の室内楽（冷静に考えれば、数人で合奏する音楽というのは、当時のヨーロッパの音楽実践の大部分といえる）について論じるなどという蛮勇は諦め、それに比べればはるかに点数の少ないピアノ協奏曲というジャンルに関心を向けた。その生活のなかで縁あって出会ったのが、霞ヶ関の一人の官僚、Aさんである。「一九世紀のピアノ協奏曲を研究する方が現れてよかったです。」お目にかかるたびにAさんは私に言った。そして彼がLP時代から収集してきた録音コレクション一覧が私の目の前に置かれた。手書きでびっしり、知らない作曲家の名前が並んでいる。

まがりなりにもその後今日に至るまでのあいだ、霞ヶ関で働く人々と出会ってくると、いまではAさんがいかに孤独であったかが想像できる。「同僚の余暇は麻雀かゴルフです。私の趣味を理解する人なんていません。」そう言って目を輝かせてピアノ協奏曲の話を続けるAさんは、自身も認めてはばからないオタクだった。けれども、音楽学という行き先のわからない船をひたすら漕いでいる私にはそれはどうでもよい。「これは名作です」「これは初録音です」「ラジオでエアチェックしたこの演奏を聴いてください」……そうして送られてくる「研究資料」とともに私はAさんの言葉を理解しようとした。けれどもまったくわかっていなかった。ルビンシテイン、シャルヴェンカ、ドライショク……Aさんが高く評価する彼らの作品を落ちついて検討できるようになったのは最近である。こうして私はAさんから、知に対する限りない情熱を今なお学んでいる。

博士課程を休学などでめいっぱい延長して、最終的にベルリン芸術大学に提出した学位論文のタイトルは「一八三〇年前後のピアノ協奏曲、その形式の考察」で、音楽形式論が中心の仕立てではある。そしてこの博論は形式分析の論文と見なされることがある。けれども私はそのようなつもりはない。関心があったのはこのジャンルをめぐる人々の活動であって、その議論の具体例としていくつかの作曲家兼ピアニストの成果物に焦点が向かったにすぎない。帰国後この論文を中心に、有り体に言えばこのタイトルで和書を出しても売れないので、一九世紀のピアノ協奏曲史に主題を広げた単著を刊行した。(3) もっとも超一流のピアニストが取り組むピアノ協奏曲というジャンルについて、ピアニストではない自分が述べる気まずさは打ち消しがたく、一連の書物で私が書いた内容が舞台上の表現者にどう感じられるか、かつて私の講義を東京藝大で受講していたピアニスト鐵百合奈とこのところ意見交換を続けている。演奏だけでなく言葉でも活き活きと表現できる鐵さんとの対談は、言社研の研究紀要『言語社会』に今年度までに二回、掲載されている[4]。

「一九世紀のピアノ協奏曲」が、今後も尽くしきれない大きな研究課題になり得るのは、よくいわれるようにこの世紀が「ピアノの世紀」だからである。おおむね一八世紀が始まるとともに誕生したピアノは、一九世紀に入って他の楽器に例を見ない技術革新を経て、一世紀のあいだに別の楽器といってもいいほどに変貌した。その繊細な弱音表現をむしろ強みとした基本的に木製の楽器が、金属のフレームに支えられ、千人単位の聴き手を前にオーケストラと対抗しながら存在感を発揮する巨大な楽器になったのである。こんな楽器はほかにない。そして、楽器自体の発展・変質とともにこの楽器をめぐるビジネスが拡大した。ピアノを学ぶ子女が増え、この楽器を学ぶ人のために楽譜が出版され、ピアノのリサイタルが数多く開催され、音楽学校の整備が一気に進んだ。ピアノをめぐる人々の活動が多面的に拡大していったのが一九世紀であり、そのような世紀を音楽によって、しかも大人数大音量の見世物として象徴するのがピアノ協奏曲である。だから、というわけではないが、博士課程を終えて帰国したときに最初に着手したのは、ショパンのピアノ協奏曲の「室内楽版」の演奏、もちろん自分ではできないので、それを手配することだった。非常勤講師として出講した桐朋学園大学の学生が、小節番号のない、不統一で演奏しにくいショパン時代の楽譜を私から渡されて、苦労しながら受講者六人でホ短調ピアノ協奏曲を講義室で演奏したことは、ほんとうに貴重な第一歩であった。少なくともショパンのイメージでは、ピアノ協奏曲は大人数のオーケストラと合奏するものとは限らなかった。彼の理解では、ピアノは後世の／今日のコンサート・グランド・ピアノのような強力な楽器ではなかった。

そして、その後赴任した浜松で、楽器博物館が所蔵するショパン時代のピアノ（プレイエル、一八三〇年）を使って、ショパンのこの《ピアノ協奏曲ホ短調》は小倉貴久子ら六人によって演奏され、録音された[5]。この曲の「室内楽版」の、ピリオド楽器による世界初録音である。それが話題になり、評価されてきたのは、まず何よりも小倉さんたちのすばらしい演奏によるのだが、二〇〇年前のピアノが今日とは違うスペックのもので、今日からみれば弱みとともに強みを持つことが、音で示されたことは大きかったはずである。一九世紀のピアノ音楽は、楽器の変転とともに大きく移り変わっていったのである。

私の主たる研究領域は科研費分類では美学・芸術諸学で、自己紹介では音楽史、とくに一九世紀のピアノ文化史、ということにしている。けれどもそれでは自分の関心を表現できないように感じて、数年前に「楽器産業文化学」という言葉を考えた。それについては静岡文化芸術大学の研究紀要に寄稿しており、関心を向けて頂けるなら参照をお願いするとして[6]、右に述べてきたのは、このような耳慣れない七文字熟語に至った経緯、ともいえる。

我田引水との批判を覚悟して述べれば、ピアノに関する「楽器産業文化学」は、近年注目を集めている。HIPの脈絡では、二〇一八年のショパン第一回国際ピリオド楽器コンクール、そしてそこでの川口成彦（ちなみに東京藝大音楽学部楽理科出身）の活躍ののち、ヨーロッパでも日本でも、歴史的ピアノ／フォルテピアノのとくに若い奏者たちが、「古楽」のみならず一九世紀のレパートリーを開拓しつづけている。本稿を執筆している二〇二一年には三重県に歴史的ピアノのための「楽器を弾ける」博物館が開館した（菰野（こもの）ピアノ歴史館、一〇月一一日）。他方、ピアノ産業についての著作の刊行が相次いでいる。三浦啓市は長年の資料調査の成果として『ヤマハ草創譜——洋楽事始から昭和中期までの70年余をふりかえる』（按可社、二〇一二年）、『日本のピアノメーカーとブランド〜およそ200メーカーと400ブランドを検証する〜』（同、二〇一八年）などを次々と刊行、そのあと井上さつき『ピアノの近代史——技術革新、世界市場、日本の発展』（中央公論新社、二〇二〇年）、田中智晃『ピアノの日本史——楽器産業と消費者の形成』（名古屋大学出版会、二〇二一年）が続いており、国内のピアノ産業文化史については出版ラッシュといってよいだろう。また日本に限らずピアノという楽器について考える青山一郎『一冊でわかる ピアノのすべて

――調律師が教える歴史と音とメカニズム』および坂本龍一ほか『ピアノへの旅』(ともにアルテスパブリッシング、二〇二一年)が改めて関心を喚起している。こうした近況を考え合わせると、作(曲)家・作品研究のその先なのか前なのか周囲なのかはわからないが、音楽をとりまくテクノロジー、そしてそれをめぐる人々についての研究領域が確実にある。とりわけピアノとその歴史は、こうして今後も関心を喚起し続けるだろう。

「楽器のまち」浜松で生活していて興味深いのは、この産業とその文化を支えた過去と現在の人々に、文書で、そしてリアルに「出会える」ことである。幸か不幸か、とりわけ大メーカーに所属すると、業界全体に波及するような個性的なわざをお持ちの方でも社外ではほとんど知られない。そしてご本人自ら固有名詞が出ることを遠慮なさる。だが山葉寅楠、河合小市をはじめ、まちがいなくそうした一人ひとりの活動の蓄積によって、(ピアノ)音楽は作り出されてきた。

音楽をとりまく人間に興味を持つ私は、もしかするとあまり音楽に興味がないのかもしれない。学生からは授業アンケートに「先生が音楽が好きだということが伝わってきました」と書かれることがあるから、そのようには見えていないのだろう。けれども大学に入学したときからずっと、果たして自分は音楽学をやっているのかという自問は続いている。とりあえず、楽譜を読めなければ音楽文化研究ができない、というわけではないことは、すでに指摘されて久しいがなお強調する意味があるだろう。そしてピアノのような、音楽活動のための媒体、つまりメディアへの考察が、従前よりさらに多様なかたちで可能であるはずだ。

いくつもの出会いに支えられた自分は、「音楽が興味を持つに値する何かである」ことを伝えるべくこれからも活動していくだろう。そのようなことを考えながら、ある日は佐鳴湖畔のベンチという青空オフィス、ある日は県居協働センターでの遠隔授業と会議、そして伊場や浜松中心市街地での買い出しのため、夏はアスファルトの照り返し、冬は遠州の空っ風にさらされつつ、私は寅楠や小市の活動した地域に自転車を走らせるのである。

【註】

(1) 河合楽器製作所、三浦広彦氏の資料調査に基づく。

(2) 二〇一五～二〇一七科学研究費基金(基盤研究C)「二〇世紀序盤の本邦における和洋の共鳴――楽器の響きから考えるピアノ文化(研究分担者:大角欣矢、奥中康人)、二〇一八～二〇二二科学研究費補助金(基盤研究B)「二〇世紀序盤の東アジアにおける東洋・西洋の共鳴――楽器の響きから考えるピアノ文化」(研究分担者:井上さつき、大角欣矢、奥中康人)。

(3) 小岩信治『ピアノ協奏曲の誕生』、春秋社、二〇一三年。

(4) 鐵百合奈・小岩信治「対談 ピアニストと音楽学者が語る イ短調ピアノ協奏曲の系譜――R・シューマンの「ピアノ協奏曲への道」」『言語社会』第一五巻(二〇二一年)、「対談 ピアニストと音楽学者が語る――ニ短調ピアノ協奏曲の系譜」『言語社会』第一六巻(二〇二二年)。

(5) 『ショパン――ピアノ協奏曲第一番室内楽版』小倉貴久子ほか、二〇〇六年。(浜松市楽器博物館コレクションシリーズ9)。

(6) 「「楽器産業文化学」構築の試み」『静岡文化芸術大学研究紀要』第一三巻(二〇一二年)。

近代日本言語史のために――自著総まくり

安田敏朗

一　はじめに

私の専門は「近代日本言語史」である。しかし、researchmapという研究者検索サイトで、研究キーワードに「近代日本言語史」を入れて検索すると、いまのところ私の名前しかでてこない。

言語社会研究科の入試説明会でこの話をして、ひとりしかいないわけだから私がこの分野の第一人者であり、したがってみなさんが入学して「近代日本言語史」を専攻すれば、すぐに三本の指に入れますと訴えても、会場の爆笑がとれないばかりか、同僚からは苦笑がもれる。

言語社会研究科が設置されたのは一九九六年五月だが、私はその年の三月に博士学位を取得し、六月に京都大学人文科学研究所に助手として採用された。ここで受けた刺激は大きかったが、二〇〇一年四月に言語社会研究科に異動し、それから研究科の片隅でひっそりと過ごしてきた。二〇二一年度現在、社会言語学者として名をはせた方々は定年を迎え、自虐ネタでも笑いがとれない者が残っている状況である。

笑いはともかく、「近代日本言語史」専攻を自称する学生があらわれない状況がずっと続いている。それは自分の研究内容を十分に説明していないせいなのかとも思い、この機会に一文を草することとした。

二　国語学からはなれて

大学学部では国語学を専攻した。なぜ国語学だったのかについては割愛するが、国語学の対象は、日本語、とくに文献資料に残された古い日本語であるとされている。そう定義して出発した学問である、と納得できればよかったのだが、そもそも国語とは何なのだろうか、ということを考えはじめた時点で、私が国語学者になる道は閉ざされた。

国語ということばがいつごろから登場し、だれがどのような文脈で使っていたのかを調べてみた。すでに、国語学者・かめいたかし（亀井孝）の論考（「「こくご」とは いかなる ことば なりや――ささやかなる つゆばらいの こころを こめて」『国語と国文学』四七巻一〇号、一九七〇年一〇月）で、「こくご」の登場は、「本質的に明治の事件である」と断言しているが、大きな影響をあたえたのが、近代国語学の祖といわれる上田万年（一八六七年―一九三七年）の講演「国語と国家と」（一八九四年）である。帝国大学でお雇い外国人のB・H・チェンバレン（一八五〇年―一九三五年）から博言学（のちの言語学）の講義をうけ、ドイツ・フランスに留学して帰国したばかりの若き帝大教授の講演は、国語研究の重要性と、国語への愛を説いたものとして知られていた（のちに上田万年『国語のため』（冨山房、一八九五年）におさめる。『国語のため』は平凡社東洋文庫にもおさめる（二〇一一年、安田敏朗校注・解説））。

ただ、私がかめいの論考に接したのは、一九九〇年ごろ。東欧諸国で革命が起こり、ソビエト連邦が崩壊にむかいつつあり、近代国民国家のあり方が問われだしたころであった。翻訳されたベネディクト・アンダーソン『想像の共同体――ナショナリズムの起源と流行』（白石さや・白石隆訳、リブロポート、一九八七年）を読んだのもこのころで、『国語のため』の扉にある「国語は帝室の藩屏なり　国語は国民の慈母なり」という上田のことばが示唆するように、明治期の帝大教授の政治性とともに国語学の政治性をもつよく感じざるをえなかった。たんに国語への愛を説き、そのために国語研究の重要性を指摘したもの、とするのでは不十分であった。先駆的には、先の亀井孝に一橋大学大学院で指導をうけた田中克彦の『ことばと国家』（岩波新書、一九八一年）でふれられていたが、国語学はことばそのものだけを考えればよいというのが主流であり（いまでもそうだろう）、その学としての成立が歴史的にもつ意味、国語が国家とともにあり、国民国家形成にはたした役割、そして国語学者たちがそのことをどのように考えていたのかという問題は、国語学の対象外であった。

三　『帝国日本の言語編制』へ

そこでまず、国語をどういう機能をもつものとして位置づけるべきかを、上田の主張などをもとに考えてみた結果、国民を統合していく諸制度（法律、教育、軍隊、メディアなど）をになう存在であると同時に、それを話すことが国民統合の象徴とされるもの、として議論をすすめていくことにした。こうした機能を整備することについて、制度的整備を共時的構築、象徴的整備を通時的構築とも呼ぶことにして、両者あいまって国語の構築がなされるととらえた。共時・通時という用語はフェルディナン・ド・ソシュール（一八五七年―一九一三年、講義録『一般言語学講義』など）の受けうりにすぎないのだが、同時代的および歴史的、といった方が通じやすいだろう。ところで、一般的に考えると、制度的整備をおこなうには、より簡易なものの方が普及も考えると効率的である。日本語の場合であれば漢字をどのようにあつかうのか、文体をどうするのか、あるいは言文一致といった問題もここに入り、場合によっては日本語を棄てて英語を国語にした方が効率的だ、といった議論も生じる。しかし一方で歴史的な構築によって国語を文化・伝統の象徴にしたてあげていくことで、それを話す国民としての歴史的一体感の醸成も、国民統合には不可欠である。この両者のバランスをとりながら、近代の国語の構築がめざされた。こうした一連の行為は、言語政策という形で政策・政治の対象となった。

国民国家の制度的整備や象徴的整備について、歴史学・政治学・教育学などの分野での研究蓄積はあったが、それとことばの問題とを結びつけることはさほど明示的になされていなかったように思う。また、近代日本は、国民国家形成と植民地の領有、「満洲国」をはじめとする中国大陸や東南アジアへの帝国的領域拡大と、その崩壊という歴史をたどっていく。国民国家・植民地・占領地といった異法域の結合体として帝国を総体的にとらえる帝国史という視点も、一九九〇年代には登場していた。

国語が国家とともにあるのだとすれば、こうした歴史的展開と国語も密接に関連しているわけであるし、国語に与えられた象徴的役割・制度的役割も、それを通用させる同時代的な範囲が帝国大に変化すると、時期や地域によって変容をみせる。そうした変容は、国語学者たちの言説にも影響をあたえたはずである。国内の、方言をふくむ言語変種や異言語そして植民地帝国内の多言語状況と、言語研究者はどのようにむきあって対処しようとしていたのか、という問いも発生してくる。帝国が崩壊したあとについても同様である。

こうして、日本語が統治技法の一種である国語として整備されていく過程、それが植民地帝国の統治技法としても応用されていく展開、そのなかでの異なることばとどのようにおりあいをつけていこうとしたのか、つまりは帝国期をふくむ近代日本という時空間に存在したことばたちの歴史を、さまざまな事象のなかに追うことを「近代日本言語史」の課題と考えるようになった。

ここまで述べた内容は、博士論文をもとにした『帝国日本の言語編制』（世織書房、一九九七年）にややくわしく記した。この内容をふまえて、大学一年生が辞書をひかずに読めるようにという要請のもと、『「国語」の近代史——帝国日本と国語学者たち』（中公新書、二〇〇六年）を書き、さらに高校生向けにという要請によって『「国語」ってなんだろう』（清水書院、二〇二〇年）を出した。

四　言語政策をめぐって——辞書・表記・方言

先の上田万年の講演「国語と国家と」がおこなわれたのは日清戦争の最中であったが、日清戦争での勝利に起因するナショナリズムの高揚にともない、文明国にふさわしい国語の整備がつよくとなえられるようになった。一八九七年に帝国大学に国語研究室が、一九〇二年には文部省に国語調査委員会が設置された。両者に深く関わったのが上田であった。国語研究室では歴史的研究と後進研究者の育成をおこない、国語調査委員会では表記・方言研究・口語法・標準語選定などによって具体的な国語のあり方を提示しようとした。

すでに明治政府は、文明国標準としての国語辞書の編纂を企画していたが、それは何が正しい国語（＝規範）であるのかを目に見える形で示すためであった。それゆえ近代的国語辞書の編纂はナショナリズムとともに語られ偉業視されがちであるが、日用品としての辞書の普及と辞書をひくことの習慣化がめざされたことなどもふくめて、近代にとっての辞書のあり方を考察したのが『辞書の政治学——ことばの規範とはなにか』（平凡社、二〇〇六年）であり、国家事業としてはじまりながら結局は大槻文彦（一八四七年—一九二八年）という一個人の努力でなしとげられた日本初の近代的国語辞書については、『大槻文彦『言海』——辞書と日本の近代』（慶応義塾大学出版会、二〇一八年）で大槻の生涯もふくめて論じた。

どのような国語を設定するかという言語政策機関での議論は、「国語国字問題」という形ですでに整理されているが、そこでおこなわれた諸議論（標準語・表記・かなづかい・敬語論など）を、「現在派」「歴史派」という対比のなかで整理してみた。これは対立する概念ではなく、時期や場面に応じてどちらかに重点をおきつつ議論がなされてきたととらえるとわかりやすい。ただ、極端に偏ると混乱が生じる。国語調査委員会の系譜をひく国語審議会（一九三四年—二〇〇一年）の歴史を概観した『国語審議会——迷走の六〇年』（講談社現代新書、二〇〇七年）では、バランスが崩れたときに起きる混乱と、それが委員会の「倫理化」を招き、結局は機能不全に陥っていくさまを描いた。

また、日本語の表記問題に関していえば、漢字の制限・廃止論も避けて通れない課題である。この課題については、漢字制限・廃止派を「応世」、それに反対する側を「伝世」とみなした論者のことばを借りて、それぞれが正反対を向いているのではなく、両者のベクトルがつくる場のなかで漢字が語られてきたことを論じ、圧倒的に「伝世」が優位ななかで漢字廃止論は、時代時代の「先端思想」（文明・効率・唯物論・民主主義・バリアフリーなど）と結びつくことで力を得ようとしていたことを指摘し、漢字廃止論の系譜をたどってみることで、ある程度の答えを示した。『漢字廃止の思想史』（平凡社、二〇一六年）がそれにあたる。

さらに、方言と称される日本語の変種がどのようにとりあつかわれてきたのかも、国語の構築を考える際に欠かせない。国語の具体相は標準語としてあらわれるが、方言は近代国家にとっては標準語普及の障害とみなされ排除の対象となる一方、「方言に古語が残る」と主張されるように、国語の歴史を担保する存在として包摂される対象でもあった。国民国家の正統性を保証するには、方言話者ではなく、方言そのものが必要とされたともいえる。このように、排除と包摂のベクトルがつくる場のなかで、国語にとって都合よく方言が語られてきたことを、明治から敗戦後まで方言が注視されるいくつかの「山」を設定して論じたものが、『〈国語〉と〈方言〉のあいだ――言語構築の政治学』（人文書院、一九九九年）である。この「山」（国語調査委員会設置、一九三〇年代の研究組織化、敗戦後の国立国語研究所設置）は方言学者・東条操（一八八四年―一九六六年）の指摘によるものだが、これをそれぞれ、国民国家日本の完成期・帝国日本の実体化期・「新生」国民国家日本期といいかえてみると、大きな社会変動とことばの問題への関心の高まりという関連がみいだせる。社会変動があると「われわれ」とは何かという問いがなされ、その問いと関連してことばへの関心も高まる、という構図である。それを国語教育学者・平井昌夫（一九〇八年―一九九六年）は戦争と関連づけて指摘している（頼阿佐夫『国語・国字問題』三笠全書、一九三八年）。戦争に限定しなくても社会変動とすれば、「国際化」あるいは「グローバル化」が強調されるなかでの「方言の復活」という動きをとらえることもできるし、バブル崩壊後の英語第二公用語化論（二〇〇〇年）も社会変動と無縁ではない。

ここまででわかるように、共時的・通時的という概念に、似たようなことばをいれかえて、それが正反対を向いたものではなく、九〇度で交わるベクトルが形成する場であれこれと議論がされている、という形で近代日本言語史をまとめようとしてきた。また、大きな社会変動があるとことばの問題に注目があつまる、という傾向も、先人の指摘にならっただけのことである。

五　ことばの学問をめぐって

こうしたあまり深みのないわくぐみにもとづいた話をくりかえしつつ、国語学や言語学などの学問の成立についても考えてきた。

上田万年は欧州留学を通じて、当時流行していた比較言語学こそが「科学」であるとして、その手法を日本周辺の諸言語にあてはめ、日本語との関係を探らせ、「日本語の位地」を定めようとした。そのためには諸言語のより古い形を再構成していく必要があった。上田自身はこれを「帝国大学言語学」と称し、周辺諸言語の研究を教え子に配分するかのようにおこなわせた。古代日本語は橋本進吉（一八八二年―一九四五年）に、琉球語は伊波普猷（一八七六年―一九四七年）に、そして朝鮮語は小倉進平（一八八二年―一九四四年）に、アイヌ語は金田一京助（一八八二年―一九七一年）に、といった具合に。このうちで、朝鮮総督府の官僚から京城帝国大学教授となり、のちに東京帝国大学教授にもなる小倉進平の業績を、朝鮮語の共時的研究よりも通時的研究に重点を置き、著名な朝鮮語方言研究の意図もより古い形を求めるところにあったという観点でまとめたものが、『「言語」の構築――小倉進平と植民地朝鮮』（三元社、一九九九年）である。また、金田一京助が、口頭で伝承されてきたアイヌのユカラの採録に注力し、いま話されているアイヌ語はそのうち消滅するのだから学ぶ必要はないと断言できたのも、ユカラに、アイヌ語の古い形が温存されていると信じたからであった。金田一の日本語表記論や敬語論などとともに論じたものが、『金田一京助と日本語の近代』（平凡社新書、二〇〇八年）である。

一方、上田万年の教え子で国語政策に長年たずさわった保科孝一（一八七二年―一九五五年）については、イ・ヨンスク『「国語」という思想――近代日本の言語認識』（岩波書店、一九九六年）で詳細に論じられている。

また、上田の「国語は国民の精神的血液」という定義は植民地ではあてはまらないのでは、という単純なことに気がついたのは、上田の教えを受け、朝鮮の京城帝国大学に赴任した時枝誠記（一九〇〇年―一九六七年）であった。朝鮮人の精神的血液は朝鮮語ではないか、というわけである。しかし時枝は朝鮮人の母語を国語にしてしまえ、という議論を展開する。しかも自身がソシュールの言語観への対抗としてうちだした言語過程観にもとづいて。詳細は、『植民地のなかの「国語学」――時枝誠記と京城帝国大学をめぐって』（三元社、一九九七年）で論じた。

以上は、方言やアイヌ語、朝鮮語といった国語にとっての他者を、どのように排除・包摂の場でとらえようとしたのかを論じたものだが、さらに、植民地の人々が話すようになった日本語を日本側がどうとらえてきたのかを、敗戦後の論調までふくめて整理したのが、『かれらの日本語――台湾「残留」日本語論』（人文書院、二〇一一年）である。日本側にとって都合のよいように「かれらの日本語」が非難・賞賛されていたことを述べた。これは日本の台湾認識のあり方とも無縁ではない。

さて、一九三〇年代になると、国語学に対し、いま現在話されていることばの研究をおこなっていない、だから植民地などでの教育普及という現実的要請に応じられないのだという批判がなされるようになった。国語学の外からなされたこうした批判は、あらたな「日本語学」という領域の成立につながっていく。たとえば、心理学を専攻した佐久間鼎（一八八八年―一九七〇年）は、東京アクセントの研究を皮切りに、標準語普及のために音声学的知識にもとづいた国語教育の必要性を主張した。一九三〇年代以降は植民地などでの日本語教育のためにも科学的知識が必要だとし、総動員体制下では「健康な日本語」論をとなえた。日本語学という領域も歴史的背景ぬきに論じることはできないことを指摘したのが『日本語学は科学か――佐久間鼎とその時代』（三元社、二〇〇四年）であり、日本語学が対象とする日本語が所与の前提として存在しないこと、視線が対象をつくりあげていくことなどを、できるだけ簡明に論じようとしたのが、『日本語学のまなざし』（三元社、二〇一二年）であった。

勢いあまって、国文学者・久松潜一（一八九四年―一九七六年）の言説整理にも手を出した。久松は、日本文学史に通底する循環パターンをみいだし、倫理学者・和辻哲郎（一八八九年—一九六〇年）の『風土——人間学的考察』（岩波書店、一九三五年）の議論の影響をうけつつ、国文学の時間的な整序と空間的な整序をおこない、文学史の長大な叙述をおこなった。そのパターンを援用して『国体の本義』（文部省、一九三七年）に代表されるような教学刷新の文教政策に緊密に関与し、日本精神論をふりかざしながら、ほかの学問分野と同様に総力戦体制下において国民の戦争協力を正当化していった。久松のテキストの戦前と敗戦後との微妙な差異にも注目しながら国文学の戦争責任を問うたものが、『国文学の時空——久松潜一と日本文化論』（三元社、二〇〇二年）である。

六　おわりに——近代日本言語史とは

ところで、近代日本言語史という名称を入れた著書はこれまで計五冊刊行してきた（すべて三元社）。

『近代日本言語史再考——帝国化する「日本語」と「言語問題」』二〇〇〇年
『脱「日本語」への視座——近代日本言語史再考Ⅱ』二〇〇三年
『統合原理としての国語——近代日本言語史再考Ⅲ』二〇〇六年
『「多言語社会」という幻想——近代日本言語史再考Ⅳ』二〇一一年
『近代日本言語史再考Ⅴ——ことばのとらえ方をめぐって』二〇一八年

これは、単発論文として発表してきたものや書き下ろしなどをまとめたものであり、話題は多岐にわたるが、そこから単著に発展したものもある。それぞれの本のタイトルに、その当時の関心の中心にあったもの、問題意識があらわれている。

ただ、近代日本言語史が何かを明示せずに「再考」からはじめているのは奇妙である。こうしてみてくると、これといった手法も理論もなく、好き勝手に興味のむくままに書いたものに、あまり考えずに名称をあたえただけともいえる。

ちなみに、この原稿執筆時点での最新刊は、明治時代に、お雇い外国人のドイツ人によりドイツ語でなされた帝国大学の医学教育によって生じた、ドイツ語の単語を日本語の語順でならべて助詞などでつなげた「てにはドイツ語」の盛衰を追い、医学界の言語的事大主義・権威主義を指摘した『「てにはドイツ語」という問題——近代日本の医学とことば』（三元社、二〇二一年）である。これもすききま産業的であるが、近代日本言語史の対象ということにしよう。

このように、手法も理論も、さらには学会などというものもないのだから、近代日本言語史とは学問というよりもむしろ「芸」なのかもしれないと、ふと思う。私の場合はあまり趣き深くない部類のものだが。だとしたら、教わるよりも盗みなさい、ということになる。もしそれに値するところがあれば、の話だが。

近代日本言語史とは何かという問いに十分に答えないまま、紙幅が尽きた。答えるべき中身がなかった、といってしまえば身も蓋もないのだが、これでいつまでも私はただひとりの第一人者でありつづけることができるのである。

一度きりの人生である。思いっきり棒に振ってもかまわないというくらいの覚悟がある人なら、この文章もわかってもらえるのではないか、と都合よく考えている。

サン＝ジェルマン・デ・プレの『百科全書』

小関武史

一　ディドロと『百科全書』

一つ年上のジャン＝ジャック・ルソーと比べると、ドニ・ディドロ（一七一三―一七八四）の知名度は日本ではあまり高くないように思われる。しかし、フランスでの存在感はなかなかのもので、ヴォルテールやルソーに引けを取らない。そんなディドロの認知度が日本では相対的に低いとすれば、日本語に翻訳された作品が少ないせいもあるだろう。法政大学出版局からは全四巻の『ディドロ著作集』が刊行されているが、広範囲にわたる著述活動の一部しか収められていない。岩波文庫で読めるものも『ラモーの甥』や『ダランベールの夢』などごくわずかで、しかもすぐに絶版になってしまう。白水社から出ている『ルソー全集』が本体一四巻と別巻二巻という分量を誇り、『社会契約論』だけでも複数の文庫で読めるルソーと比べると、ディドロはどうも影がうすい。

そもそも、ディドロの主著は何かと尋ねられても、多くの人は答えに窮するのではないだろうか。右に挙げた『ラモーの甥』や『ダランベールの夢』は魅力的な小品ではあるが、主著と言うのはためらわれる。では代わりの作品を挙げてみろと迫られると、私としても困惑を隠せない。ディドロに主著と呼べるものはないかもしれない――そんな気がするのだ。むしろ、ディドロの本領は分野をまたいであれこれ書き残したことに存する。ならば、高校世界史の教科書で出会う決まり文句のように、『百科全書』の編集者という肩書きこそ、ディドロに似つかわしいのではないだろうか。

しかし、そうは言っても『百科全書』は単著ではない。ディドロにとって、『百科全書』は不本意ながら関わることになった「雑務」だったのではないか。それさえなければ、ディドロはもっと存分に自らの才能を発揮できたのではないか。このように考える研究者も少なくなかった。こうした評価を変えたのが、ディドロ研究の泰斗ジャック・プルーストである。一九六二年にその名もずばり『ディドロと『百科全書』』という書物を公刊し、この「理性に基づく辞典」がディドロにとって決定的に重要だったことを論証した。『百科全書』なくして、ディドロはありえない。

かくいう私は、『百科全書』を経由してディドロに近づいた。『百科全書』に描かれた中国や日本のイメージを調べ、主要項目の執筆者としてのディドロに興味を惹かれた。近年は特定の誰かに注目するというよりは、さまざまなテクストが集まって一つの全体をなしているという『百科全書』の知のあり方そのものに関心が移動しつつある。

モノとしての『百科全書』も魅力にあふれていて、後述する一橋大学社会科学古典資料センター所蔵の『百科全書』に書き込みや抹消の跡を見つけたときは、当時の読者の存在を身近に感じることができた。私はディドロ研究者を名乗ることはできないが、『百科全書』の研究をしているとはいえる。

二　広場に面した古書店

ディドロはフランス東部のラングルに生まれたが、生涯の多くをパリで過ごした。パリのサン＝ジェルマン・デ・プレ広場には、ディドロの銅像が置かれている。だからというわけでもないだろうが、広場の南にあるポール・ジャム（Paul Jammes）古書店のウィンドウには、革装の立派な『百科全書』が陳列されていた。二〇一八年三月のことである。その耳寄りな情報は、研究者仲間の玉田敦子さん（中部大学）からもたらされた。

私は春休みを利用して、パリのフランス国立図書館で文献調査に従事していた。同じ目的で渡仏する研究者は多く、長期休暇中に国立図書館に行くと誰かしら知り合いがいるものだ。だから玉田さんと出くわしても何の驚きもない。

サン＝ジェルマン・デ・プレの古書店に『百科全書』が飾られていることは、このときに教えてもらった。ちょっとした休憩中の立ち話からでも、世界は広がるのだ。

その日は土曜日だったので、週明けの月曜日（三月一九日）に様子を見に行った。現地に着いたのは一四時過ぎで、確かに『百科全書』が飾られている。目立つように第一巻のタイトルページ（標題紙）が開かれており、後半の何冊かがその脇に積み上げられている。状態も悪くなさそうだ。早速店内に入ろうとしたが、鍵がかかっている。よく見ると、営業時間は一四時三〇分から一八時三〇分までと書かれている。少し早すぎたようだ。

どこかのカフェで時間をつぶそうかと思っていたら、通りがかりの男性が店の前で立ち止まって『百科全書』を眺め始めた。真剣に見入っていたかと思うと、誰かに電話をかけたではないか。すわ、ライバルの出現か？　最高気温が二度くらいしかないなか（この年のパリは寒くて、春なのに雪も降った）、私は少し離れたところからその男を観察し続けた。しばらくして、男は立ち去った。だが、油断はならない。私は開店を待った。

ところが、一四時三〇分を過ぎても、一向に店が開く気配がない。もう一度よく貼り紙を見てみると、営業日は火曜から金曜までで、月曜は休業日だったのだ。男が消えたのは、そのことに気づいたからにちがいない。

私は無駄に待っていたようだが、収穫もあった。心置きなくウィンドウを見られたおかげで、『百科全書』の隣に貴重な資料が並べてあることが分かったからだ。すなわち、リュノー・ド・ボワジェルマン（Luneau de Boisjermain）事件の訴訟関連文書である。リュノーは『百科全書』の予約購読者で、申込時と条件が異なると言って、ル・ブルトンをはじめとする出版者連合を相手に訴訟を起こした人物である。これを見て、私はこの書店を信用する気になった。リュノー文書の価値を知っている店主なら、店頭に飾っている『百科全書』がまがい物であるはずはない。

翌三月二〇日の火曜日、私は昼過ぎまで国立図書館で仕事をした。本来の文献調査をこなしたほか、リュノーの訴訟文書も閲覧してみた。他の文書と一緒に綴じられているが、中身は前日に古書店で見かけたものと同じだった。

午後遅く、私はポール・ジャム書店にやって来た。ウィンドウには、前日と同じように『百科全書』が飾られていた。店の扉が施錠されていて焦ったが、呼び鈴を押せばよいのだった。ほどなくして、上品な老人がゆったりと奥から出て来て、私を中に入れてくれた。

三　『百科全書』の諸版本

少し回り道になるが、ここで『百科全書』の版本の違いに触れておかなければならない。問題の核心は、「展示されている『百科全書』はどの版か」という点にあるからだ。

『百科全書』の出版は巨大な事業であり、一人の出版業者が単独で遂行できるようなものではなかった。仕掛け人のル・ブルトンは、同業者三名を巻き込んで出版者連合を形成し、リスクを分散する。さらに、予約購読者を募り、無駄に印刷して赤字を出さないように注意した。一七五一年夏に発行された第一巻は、約二〇〇〇部が刷られた。これが「パリ初版初刷」である。

この辞典の反響は大きく、後追いで購入を希望する人が続々と現れた。それに応える形で、出版者連合は一七五二年になって第一巻を増刷する（パリ初版二刷）。それでも足りなくなって、一七五四年にさらなる増刷に踏みきった（パリ初版三刷）。増刷のたびに、内容に微妙な変更が加えられる。不注意によるものもあるが、批判をかわすために意図的に文章を変更した箇所もある。このように、第一巻の初版には三つの異なるバージョンがある。第三巻以降は発行部数が安定するので、正規版の間に違いは見られなくなる。別の観点から見ると、『百科全書』の正篇文章篇一七巻が揃ったセット同士を比較すると、第一巻や第二巻にだけ異同が見つかる可能性がある、ということだ。したがって、版本調査においては第一巻に注目しなければならない。

話はこれで終わらない。『百科全書』には海賊版が存在する。これまで述べてきたのは、すべて正規ルートで印刷されたものである。一七七一年以降、フランス王国の権限が及ばないジュネーヴで『百科全書』が印刷され、それが広く出回った。これが「ジュネーヴ版」である。もちろん、馬鹿正直にジュネーヴ発行と名乗ったりはしない。パリで発行されたように装っているので、しっかりと見極める必要がある[1]。

ポール・ジャム書店に陳列されている『百科全書』は、第一巻のタイトルページが開かれていた。そこにすでにヒントがあり、どうやらジュネーヴ版ではなさそうだ。そうなると、パリ初版の可能性が高い。それだけの予備知識を持って、私は店に入ったのだった。

四　店主とのやりとり

書店主は高齢の上品な紳士だった。七〇歳は超えていただろう。話し方がゆったりしていて、相手に落ち着きを与えてくれる。私はまず名を名乗り、自分が一八世紀研究者であり、まさに『百科全書』の研究をしていることを告げた。単なる冷やかしでないことを分かってもらう必要がある。店主は私の求めに応じて、陳列されていた『百科全書』を見せてくれた。

いざ検分を始めようとして、私は準備に手抜かりがあったことに気づいた。『百科全書』の版本の違いを見極めるためには、いくつかのチェックポイントがある。ある程度は把握しているが、すべてを暗記しているわけではない。私のノートパソコンには版本調査に必要な情報を盛り込んだファイルがいくつか保存されていて、それらを頼りに古書店での実地検分を効率的に行おうと思っていたのだ。前日に訪れたときには、私のパソコンはスリープ状態にしてあった。スリープを解除すれば、すぐに必要なファイルを見られる仕掛けである。ところが、この日は昼過ぎまで国立図書館で仕事をしていて、切りのいいところまで作業がはかどった達成感から、パソコンをシャットダウンしてしまっていたのだ。

『百科全書』の現物を前にして、私は慌ててパソコンを起動した。必要なファイルを探し出す間も、第一巻をパラパラとめくる。これが初版初刷であれば、物理的に一目瞭然の跡があるはずだ。その場所は一体何ページだっただろう？

それまで私のすることを黙って眺めていた店主は、穏やかな笑みをたたえて口を開いた。「あなたはきっと、それがどの版か気になるのでしょう。それはね、パリ初版二刷ですよ。」

店主はすべてお見通しなのであった。

しかし、古書の世界に通じた店主が請け合ったからといって、自分で実際に確かめもせず、目の前の『百科全書』をパリ初版二刷と信じるわけにはいかない。初版二刷といえば、小樽商科大学図書館が所蔵しているセットが該当する。二〇一一年一〇月、日本フランス語フランス文学会の秋季大会が小樽で開催された機会をとらえて、私は大会前日に版本調査を行った。そのときのメモがパソコンに入っている。

私は店主の話に耳を傾けつつ、ファイルを探し出して読み始めたが、自分の残したメモが詳しすぎる。どこを見れば、初版二刷であることを手っ取り早く特定できるのだったか。そのとき、私の目は《AMOUR DES SCIENCES ET DES LETTRES（学問と文芸への愛）》という文字列がファイルに書き込まれているのをとらえた。そうだ、つい先ほども店主はAMOURという項目を引き合いに出していた。第一巻三六八ページの右欄に、単語の差し替えがある。そこが《ne peuvent（できない）》であれば初刷、《ne veulent（望まない）》であれば二刷である。確かに、検分中の本には《ne veulent》と印刷されている。

本当は他にもチェックすべき箇所はあるのだが、図書館で行う調査とは異なり、売り物を店主の厚意で見せてもらっている立場なので、それ以上の穿鑿は避けることにした。

私はちょっと感動していた。最終的な落ち着き先の決まっていない初版二刷を、今まさに自分の手で触っている。もしかすると、私がこの『百科全書』の今後を決めてしまうかもしれないのだ。

「初版初刷でなくてがっかりしましたか？」ぼうっとしている私の耳に、店主の声が聞こえてきた。「いえいえ、とんでもない。初版二刷は珍しくて貴重ですから。」

正気に返った私には、尋ねるべきことがあと二つ残されていた。由来と値段である。この『百科全書』一式は、どういう経緯をたどってポール・ジャム書店に持ち込まれたのか。そして、いくら出せば売ってくれるのか。

ポール・ジャム書店の『百科全書』は、言うなれば「出戻り」である。店主の説明によると、一九六〇年代に某資産家に売ったが、先方の事情で再び引き取ったという。事情の概略も伺ったが（それはそれで一篇のドラマだった）、個人の私生活に関わることなので、ここに記すことは控えたい。

買い戻したのは前年（二〇一七年）のことだという。店頭に陳列されるようになって、まだ日も浅かった。その間に、マザリーヌ図書館の司書が、『百科全書』の存在に気づいて見に来たそうだ。見に来たけれどもここにあるということは、マザリーヌ図書館は購入を見送ったということだろう。興味はあっても、おいそれと手を出せるものではないはずだ。前日にウィンドウを覗き込んでいた男の影もちらつく。

私は意を決して口を開いた。「おいくらですか？」

店主は悠然と構えたまま、私の質問に直接答える代わりに、名刺を持っているかと私に尋ねた。あいにく名刺の持ち合わせはない。そもそも私には名刺を持ち歩く習慣がない。正直に持っていないと答えると、カタログを送るのに連絡先を知りたいだけだという。そこで私は、店主の差し出す紙に自分の氏名と所属大学とメールアドレスを記した。店主はそれでいいとうなずいた。

その後はしばし雑談。『百科全書』の隣に飾ってあったリュノー・ド・ボワジェルマンの文書に話題を向けると、その由来についても一通り語ってくれた。薄い方の冊子は、ディドロが所持していたものだという。表にディドロの自筆メモがあるとか。見せてもらったが、私は草稿研究をしていないので、ディドロの真筆かどうかを鑑定することはできない。何から何まで店主の方が上手であり、私は手のひらで転がされているだけだった。

五　一橋大学社会科学古典資料センター

一橋大学には、社会科学古典資料センターという西洋古典籍の集積所がある。実学を重視する風潮の強い一橋大学にこういうセンターが存在することは、今となっては奇跡にすら思われる。『百科全書』の実物に用のある教員など、一橋にはほとんどいない。それどころか、古典資料センターに足を踏み入れたことがない教員も少なくないだろう。しかし、在籍教員の大半にとって縁がなくても、このセンターが日本の学界で果たしている役割は非常に大きいのである。実際、毎年秋に古典資料講習会が開催され、全国の図書館から受講者がやって来る。コロナのせいで講習会がオンライン開催に切り替えられた結果、二〇二一年度は例年よりも受講者が多くなったほどである。

社会科学古典資料センターには、状態のよい『百科全書』が二組所蔵されている。片方はパリ初版初刷であり、もう片方はジュネーヴ版である。

ポール・ジャム書店の『百科全書』がパリ初版初刷だったら、すでに同じ版を所持している一橋がもう一部買い取る必要性はない。だが、初版二刷となれば、ぜひ欲しい。私には決定権がないけれども、個人的にはそう強く願う。

本の中身を読むだけなら、同じものが二つも三つも同じ図書館にあるのは無駄であろう。しかし、書誌学研究の観点からすれば、同じ本の異なる版が複数あって、その場で見比べられることのメリットは大きい。百年後の研究者のためにも、「一橋に行けば『百科全書』を並べて見られる」という状況を作っておきたい。

果たしてどうなるか。長いあいだ、店主からは連絡がなかった。私が何者か身辺調査をしていたのかもしれないし、「カタログを送る」というのは「お断りします」という意味の婉曲表現だったのかもしれない。

二年以上経ってあきらめていた頃に、突然メールが届いた。差出人の名前からすると、店主の夫人か娘であろう。どうやら、私がどういう意図をもって店に立ち寄ったか分からなくなってしまったらしい。しかし、私の書き残したメモが発掘されて、顧客をほったらかしにしていたことに気づいた、という経緯があったようだ。「あなたはディドロに興味があるらしいが、ご要望に応じた跡が見られないので、ディドロの著作を集めたカタログを送ります」という趣旨のことが書かれていた。いや、だから私はディドロじゃなくて『百科全書』の研究をしているんですけど。あの『百科全書』はどうなったんですか? この原稿を書き終えたら、もう一度連絡を取ってみよう。

【註】

(1)『百科全書』の版本について、さらに詳しくは以下の論考を参照していただきたい。小関武史「書誌学と思想史研究をつなぐ——書誌から読み解く『百科全書』——」、Study Series 第七六号『書物の記述・世界の記述——書誌が描く一八世紀啓蒙の世界』、一橋大学社会科学古典資料センター、二〇二〇年三月、二三―四二頁。なお、ここで問題にしている『百科全書』は、正篇文章篇の一七巻のみである。『百科全書』と呼び慣わされている書物は、その他に正篇図版篇(一一巻)、補遺文章篇(四巻)、補遺図版篇(一巻)、索引(二巻)から構成されている。

心のしくみ、しくむ心——認知と物語をめぐって

川本玲子

思い返せば、日本から転入して二年間通ったカナダの高校を卒業して現地の大学に進むとき、心理学と英文学のどちらを専攻するかに迷った。だが心理学を学んでカウンセラーになってから、クライアントの悩みに感情移入して途方にくれる自分が目に浮かんだので、けっきょく英文学を選んだ。入学後は、毎週三、四冊のペースで容赦なく課されるいろんな時代の詩やら戯曲やら小説やらを読むのに必死だったし、ホームシックでボロボロになったけれど、今でも心にいちばん深く刻まれているのは、この時に読んだ作品ではないかと思う。英文学史の定番教科書で、オニオンペーパーで一、二千ページあり、極小の文字がぎっしりつまったノートン版『英文学アンソロジー』で読んだ、作者不明の『ガウェイン卿と緑の騎士』、ミルトンの『失楽園』の抜粋、一年を費やしたチョーサーの『カンタベリー物語』と『トロイラスとクリセイデ』、シェイクスピアやマーロウ、リチャードソンやフィールディング、オースティン、ハーディ、ジェイムズ、ウルフ、ベケット、ピンター……。これらを読んで思い描いた風景や人物たちの姿や、喚起された感情は、まるで自分自身が遠い昔に経験したことのように、断片的に、それでいて強く記憶に焼きついている。

しかし、本当に精読の仕方を教えてくれたのは、日本に帰国して入学した大学院の先生がただった。原語テクストを（右のような事情で）わずかばかり読んでいただけで、あとは何ひとつ知らなかったので、恩師の先生には「無知は力だな」といつもお褒めをいただいた。小説を読むにあたっては、当時まだ紙バージョンしかなかった『オックスフォード英語辞典』を一頁あたり何十回も引いて、ひとつひとつの単語の用法をためつすがめつ眺め、例文とテクス

トを見比べて、その響きやニュアンスを吟味した。学部時代には長すぎるという理由で敬遠していたヴィクトリア朝小説を初めてちゃんと読んだのも、この頃だった。

修士論文にエジンバラ出身の作家ミュリエル・スパークを選んだのは、カナダ時代に大学図書館で一気に読んだ『ミス・ブロディーの青春（*The Prime of Miss Brodie*）』（一九六一）の、一見図太くあつかましいのに、実はもろくて危うい主人公たちが何より印象に残っていたからだ。片端から著作を読んで、スパークの頭の中をつくづくのぞき込んだようなつもりになったけれど、いくぶん消化不良の感が残ったのは、おそらく彼女の同郷人なら脳内に再生できるであろう、スコットランド訛りの語り手の「声」が聞こえなかったせいかもしれない。スパークの小説には、自分の物語が他者に乗っ取られることを怖れ、これに抗う人がいつも登場する。かれらが巻き込まれるメタフィクション的なドタバタ劇では、誰もが嘘や妄想や願望を具現化させ、文字どおり創造的に生きようとする。自らのヴィジョンを信じて突き進む強さを持つ者だけが、最終的に自分自身の現実を形づくることができる。

その後、といっても今から一五年以上も前のことだが、在外研修先のアメリカで、研究の転機が訪れた。マサチューセッツ工科大学で物理学か工学を勉強していた友達が、そこでの心理学の講義に誘ってくれたのだ。講義の内容はすっかり忘れたが、子供の落書きのように単純な絵でできた、ごく短いアニメーションを見せられた。線で書かれた長方形の内外を、大小の三角形二つと小さな円形一つが、お互いに追いかけっこをするようにくるくると動き、近づいたり離れたりする。これは、一九四〇年代に心理学者フリッツ・ハイダーとマリアン・ジンメルによる実験で使われたものだ。人はある種の動きをする対象を見るとき、（たとえそれが無生物であっても）それが生きて主体的な意思を持っていると感じる。これを「アニマシー知覚」という。「この動画の内容を説明せよ」と指示された三四人の被験者（全員が女性の大学生であった）のうち三三人が、円形と三角形を意思のある生き物とみなし、またその半数が、二人の男性が一人の女性をめぐって争うという恋愛ドラマを読みとっていた（私もまったく同じ解釈だった）。また幾何学形の「人格」について問われると、多くの人が大きな三角形は粗暴で怒りっぽく、小さな三角形は勇敢だなどと答えた。しかしさらに興味深かったのが、アニマシー知覚が起こらなかった、残った一人の回答だった。

大きな黒塗りの三角形が長方形に入っていく。入っては出るが、出入りするたびに、長方形の一角が開く。すると別の小さな三角形と円形が登場する。大きな三角形が長方形の内側にいるとき、円形も中に入る。二つは円を描くような動きをし、円形は開口部から外に出て、長方形の周りを回っていた三角形のそばに行く。[1]

この人物だけは、三角形と円形を人に、長方形を家に見立てなかった――というより、彼女にはそのように見えなかったのだ。この話はずっと後になって、別の文脈で注目を浴びることになった。この被験者は、おそらく自閉症だったというのである。

講義の後、私は自閉症やアスペルガー症候群――現在では自閉スペクトラム症（Autistic Spectrum Disorder）、略してASDという診断名で統一されている――の当事者やその家族による自伝や手記などを渉猟し、かれらの感情や思考のありかた、周囲との関わり、行動や習慣、才能や趣味、就いている仕事などについて学んだ。すると、まったく新しい世界の見え方が浮かび上がってきたのと同時に、私自身を含む多数派（いわゆる定型発達）の認知の特異さにも気づかされた（くわしくは拙稿「物語ることへの抵抗」を参照されたい[2]）。

ASDに共通する特徴の一つが対人コミュニケーションの困難であることはよく知られるが、その原因は「心の理論」（他者の行動を導く動機や心情を推しはかる能力）の欠如だとする説がある。例のアニメにおける円形と三角形の動きや速度は決してランダムではなく、限定的な解釈を促すよう演出されていたのであり、被験者の大多数は、これを「正しく」受け止めていた。つまり、円形と三角形の物理的動作に①追跡や威嚇、逃亡といった意思的行動と、②恐怖や怒りといった感情を読みこみ、さらに人によっては、これらの動作の連続から③「ある人物をめぐる別の二人の人物の攻防」という関係性を読みとって、そうした関係性の一つの典型である④「恋愛の三角関係とその顛末」という物語のテンプレをかぶせたのだ。しかし、人は既知のもの、理解可能なものだけを積極的に認知し、それ以外を意識の外に追いやる傾向がある。つまり、認知（cognition）とは多くの場合、再認（recognition）なのだ。このアニメの物語を「可視化」するのは、あらかじめ現実や虚構を通じて得ていた、他者の感情や関係性のパターンの経験であろう。ＡＳＤには定型発達のように普段から他者の行動を優先的に注視する習慣がなく、こうした「物語スキーマ」の蓄積も起こりにくいのかもしれない。[3] 観察にもとづく他者の内面の推量と行動パターンの知識の両方を照らし合わせることが、社会的認知の基盤となるのだろう。

発達心理学者のサイモン・バロン＝コーエンは、男性の脳は「システム化」に長けている傾向があり、極端に男性的な脳は自閉症になる一方、女性の脳は「共感」に長け、極端に女性的な脳は精神症（サイコーシス）になると主張した。[4] 不用意に脳をジェンダー化するような言説を広めたこと、そして自閉症者を共感を欠く欠陥人間のように扱ったとされたことで、バロン＝コーエンはかなりのバッシングを受けたが、性別との関連が不明確であるとしても、人の脳には二つのまったく異なるはたらきが備わっていて、そのバランスが個々人の認知のあり方を決めるということには納得がいく。ちなみに心理学では、他者の立場でものごとをとらえ、考える認知的共感と、他者の感情を共有する感情的共感とを区別していて、バロン＝コーエンはのちに、自閉症は認知的共感を欠いていても、感情的共感はあるという立場を示した。ハイダーらの実験で見たように、自閉症ではまわりの出来事を人間的な物語に変換しようとする認知傾向が不在、あるいは希薄であるようだ。だとすれば、まさに現実と妄想の転倒が起こる疾患である精神症は、逆に強迫的に物語を読み込む傾向と深い関連があるのではないか。（なお、統合失調症の治療と父権制社会におけるジェンダーと病の認知との関連については、拙稿「創造と妄想のあいだ」にくわしい。[5]）

こうして偶然の出会いから、認知的多様性が文学研究にもたらす洞察について考えるようになったのだが、実はまさにこの頃、ポスト古典主義物語論の一つの潮流として、認知物語論という研究分野が成長しつつあった。[6] その中心的担い手であるデイヴィッド・ハーマンは、今世紀の初めに文学研究に起こった「認知の革命」を早くから予見したものとしてマーク・ターナーの論考を挙げ、その姿勢を「ニュアンスより体系性（systematicity）に。文学的表現を解するための、一見ユニークで特別に思える素質より、日常的な認知的能力に。そして、自覚的な意識という（狭い）領域のなかで起こることより、無意識の意味づけという作業に、より注目すること」と表現している。[7]ハーマンが「心と物語のつながりの研究」と大胆に定義する認知物語論は、必然的にメディア横断的なものとなり、小説やノンフィクションはもちろん、日常会話、ラジオドラマや映画、グラフィックノベルやロールプレイングゲーム、カウンセリングやセラピーなど、あらゆる「物語（的なもの）」が考察の対象となる。そもそも認知科学というのは十把一からげの総称であって、脳科学、心理学、心の哲学、言語学、人工知能研究と、心に関わる研究の諸領域がそこには含まれている。

このため、議論を小説にしぼったとしても、認知物語論的アプローチというものを一元的に定義するのは難しいが、小説を読むときの読者の心のはたらきは、日常的で自然な認知のあり方に基づいているという共通認識がそこにはある。[8]虚構世界の成り立ちの把握、登場人物像の理解や共感、出来事の展開の予測、全体の意味把握と倫理的判断など、従来の小説研究が取り組んできた問題を、心が意識的、無意識的に行なうさまざまな作業から見直そうということである。ある文章を読んだときに、たとえば場面風景や人の移動・運動の描写、色彩や質感、音や手触りの描写、人物の外見や言動や感情などの描写による脳内反応をＭＲＩで解析してみると、空間認知や身体認知、感覚記憶やエピソード記憶、共感に関わる部位がそれぞれ単独で、あるいは複合的に動員されていることがわかる（もちろん、本物の世界を相手にしている場合と小説を読んでいる場合では、反応の大きさや連携する脳の部位が異なってくる）。また逆に、小説を読むことで共感が鍛えられ、実社会におけるふるまいに影響し、ひいては利他的な行為を導くという、以前は都市伝説的に信じられていた「仮説」も再検証されている。[9]

小説を構成する単語のひとつひとつが個々の読者の心に喚起する、複雑にからみあった無数の概念やイメージやストーリーの断片のようなもの、それらが意識的・無意識的に形作る感情や思考は、登場人物や物語展開への理解や評価や共感、そして全体のテクスト解釈にどう影響するか。また逆に、読者があらかじめ持っていた価値観や世界観は、小説世界との出会いによってどのように変化しうるのか。文体や構成に美しさや統一性、あるいはいびつさや不完全性を感じたときに起こる快・不快の感情は、テクストが書かれた言語における読者の習熟度や、一般的読書や小説に特化した読者の読書経験値と、どのように相関するか。こうした問いは、異なる脳機能の問題に細分化され、徐々に洗練されていく検査方法をもって、それぞれに取り組まれていくだろう。

ただしそれでも、こうした要素を統合し、ひとつの虚構世界を練り上げて、登場人物や読者によるその体験を融合する「物語」というものをどう認知するのかという問題は残る。認知物語論の先駆者の一人であるモニカ・フルーダニクは、物語（narrative）とは登場人物（あるいは人らしいもの）の感情を伴う経験を提示するもの、すなわち経験性（experientiality）を持つものだと考えた[10]。しかしこの定義に照らして考えるなら、ハイダーらの円形と三角形のアニメは、多数派の被験者にとっては物語であり、ＡＳＤとおぼしき被験者にとっては物語ではなかったということになるだろう。また、アニメを見た人々が行った心的作業①〜④のうち、どこまでが作者らによって「しくまれた」もので、どこからがかれらによって「読み込まれた」のかを決定することはできない。小説という媒体も、作者と読者のあいだで、現実には存在しない感情や意思の送受が起こるという点では、これと何ら変わりはない。フルーダニクが言うように、経験性こそが物語性であるとすれば、それらはいずれも映像または文章のテクストに内在するものではなく、（これがずるい言い方であることは、重々承知しているが）作者とテクスト、そして視聴者または読者との関わりの中にあるはずだ。

ここ数年で、マルコ・カラチョーロやカリン・クッコーネンらによる「第二世代」認知物語論研究というものが進んでいる。かれらの主張によると、私が小説を読むとき、私という個人の身体性、経験、感情、そして社会的・物理的環境との関わりといった動的な要素が、私の読みを「行為志向的（enactive）」に形づくっているという[11]。しかし、小説はいずれも何らかの形で現実の主観的経験を言語的に表象したものであり、その読書もまた主観的経験である。この「経験の経験」の全貌を解明することなど、どれだけ認知科学が発展しても、望むべくもなさそうに思える。マリー・ロール・ライアンは、文学研究者が脳科学をかじったところで、せいぜい昔から小説が描いている心のあり方を追認するに留まっている現状を指摘し、両分野のあいだで有意義な連携が可能になるのは、ＭＲＩのイメージング技術が脳のニューロンすべてを特定し、解析できるようになり、また心身問題が解決されて、脳の状態が心を作り出す仕組みが明らかになったときだろうと述べている。[12]

けっきょくのところ、物語論と小説の研究者が目指しうる、そして目指すべき目標は、二重の主観性を帯びた「経験の経験」を、自分にできる限り緻密に鮮明に、できる限りごまかさずに言語化することなのかもしれない。振り出しに戻った感は否めないが、新しい認知物語論は、一読者としての自分自身のヴィジョンの個別性を、その狭さや歪みをも含めて謙虚に、しかし堂々と受け止める姿勢を教えてくれるように思う。その狭く歪んだ視界が、作者であれ虚構的な人物であれ、他の誰かのまなざしと不意に、闇夜のサーチライトのように交差する一瞬を求めて、私たちは小説を読むのではないだろうか。

【註】

（1）Heider, Fritz and Marianne Simmel. "An Experimental Study of Apparent Behavior." *The American Journal of Psychology*, Vol. 57, No. 2, April 1944. p. 246.

（2）川本玲子「物語ることへの抵抗：自閉症者の自伝を読む」『言語社会』第三巻。二〇〇九年。一二八―一四六頁。

（3）ただし、ＡＳＤはその名のとおり「スペクトラム」であり、アニマシー知覚や心の理論を有する度合いにおいても、幅広い個人差がある。

（4）Simon Baron-Cohen, *The Essential Difference: Male and Female Brains and The Truth about Autism*. Basic Books, 2009. 女性に精神症が多く、自閉症が少ないとされることについて、これを先天的な傾向と決めつけるのは性急だろう。従来、女性は男性よりも優しさや気遣いを期待されやすく、それゆえ社会的な役割の一環として認知的共感を鍛えざるを得ないのかもしれない。自閉症の診断の男女比の偏りについても、女性のほうが自閉症的な傾向を隠すのに長けているからだという説がある（Meng-Chuan Lai, et al. "Quantifying and Exploring Camouflaging in Men and Women with Autism." *Autism*. Volume 21, Number 6, August 2017. pp.690–702. doi: 10.1177/1362361316671012）。

（5）川本玲子「妄想と創造のあいだ――C・P・ギルマンの「黄色い壁紙」再考」中野知律、越智博美編著『ジェンダーから世界を読むⅡ――表象されるアイデンティティー』所収、明石書店、二〇〇八年。二一九―二四二頁。

（6）英語では postclassical narratologies と複数形で表記されることも多い。構造主義（古典）物語論の功績と限界を踏まえ、読者の多様性や作者・読者間のコミュニケーションを視野に入れた物語論的分析を行なうための方法論の総称である。

（7）Mark Turner, *Reading Minds: The Study of English in the Age of Cognitive Science*. Princeton UP, 1991. David Herman, "Directions in Cognitive Narratology". Jan Alber and Monika Fludernik eds., *Postclassical Narratology: Approaches and Analyses*. Ohio State UP, 2010. p. 138.

（8）認知物語論の歴史と関心対象等については、ポスト古典主義語物論の主要な研究者たちが運営する以下のウェブサイトが参考になる。David Herman, "Cognitive Narratology." *Living Handbook of Narratology*. November 2013. https://www.lhn.uni-hamburg.de/node/104.html

（9）文学が読者の人格や実人生でのふるまいに与える影響に関する脳科学、心理学、文学の立場からの研究としては、それぞれ以下のようなものが例として挙げられるだろう。Diana I. Tamir et al., "Reading Fiction and Reading Minds: The Role of Simulation in the Default Network." *Social Cognitive and Affective Neuroscience*. Volume 11, Number 2, 2016, pp. 215–224. doi: 10.1093/scan/nsv114
Keith Oatley, "The Cognitive Science of Fiction." *WIREs Cognitive Science*, Volume 3, Number 4, 2012. doi: 10.1002/wcs.1185
Suzanne Keen, *Empathy and the Novel*. Oxford UP, 2010.

(10) Monika Fluernik, *Towards A "Natural" Narratology*. Routledge, 1996.

(11) Karin Kukkonen and Marco Caracciolo, "What Is the 'Second Generation'?" *Cognitive Literary Study: Second Generation Approaches*, special issue of *Style*, Vol. 48, No. 3, 2014. pp. 261-274. https://www.jstor.org/stable/10.5325/style.48.3.261

(12) Marie-Laure Ryan, "Narratology and Cognitive Science: A Problematic Relation." *Narrative Representation in Art, Cognition, and Social Interaction*, special issue of *Style*, Vol. 44, No. 4, 2010. pp. 469-495. https://www.jstor.org/stable/10.5325/style.44.4.469

「冥界を動かさむ」——想像のインタビュー

中山 徹

Q　問わざるをえない問いからはじめましょう。二〇二〇年以来のいわゆるコロナ禍は大学に何をもたらしたのでしょうか。

A　いきなり本題に入るのは、落語でいえば、まくらなしに噺に入るようなもので、わたしの好きな流儀です。それはともかく、わたしは二〇一九年の暮れから今日（二〇二一年九月）まで、つまりコロナ禍の期間、スラヴォイ・ジジェクの『性と頓挫する絶対』（青土社）という本の翻訳に取り組んできました。わたしは彼の思考から多大な影響を受けています。以下の話はそれを前提にして聞いてほしいと思います。

コロナ禍によって教育のあり方は根本的に変わりました。それが学生や教員に何をもたらしたかは、大学が行ったアンケート調査とそれに対する分析をみれば、よくわかります。では、それ以外では何がいえるのか。大学の授業はコロナ禍を通じて無意識を獲得する……最近そんな妄想にとりつかれています。エルンスト・ルビッチ監督の『ニノチカ』に出てくるジョークを使って説明しましょう。カフェで客が注文をします。「ウェイター、クリームなしのコーヒーをたのむ」。ウェイターが答えます。「申し訳ございません。クリームは切らしておりまして、ミルクしかございません。ミルクなしのコーヒーではいかがでしょう」。ジジェクはこのジョークについてこういっています。ブラック・コーヒーとミルクなしのコーヒーの差異はまったく潜在的＝仮想的であり、実際に出されるコーヒーに違いはない。これと同じことはまさにフロイトのいう無意識にもいえる。無意識はまったく潜在的＝仮想的なものであり、深層の心理的現実などではない。要するに無意識とはミルクなしのコーヒーにおけるミルクのようなものだ、と。[1] コロナ禍はこのジョークの大学版ともいえるものを可能にしたのではないか。わたしはそう思ったのです。教員がいます。「わたしの担当するこの授業はライブ配信なしの対面型にします」。教務課の職員がいいます。「あいにくライブ配信は認められていません。選択肢はオンデマンドしかありません。オンデマンドなしの対面授業ではいかがでしょう」。ただ対面授業をやりたいなら、たんに「対面にします」といえばよい。いいかえれば、この教員にとって授業はたんなる授業ではないのです。それはライブ配信の不在という欠如を具現化したもの、つまり途中をかなり端折っていいますが、精神分析でいう欲動の対象なのです。この教員はたんなる授業ではなく、無としてのライブ配信を具現した授業をしたい。教務課の職員はラカン派精神分析家よろしくこのことを見抜いた。職員は「ライブ配信なし」の代わりに「オンデマンドなし」を提示することで、とにかく無の具現としての授業、欲動の対象を教員に提示したのです。

Q　ジジェクは『パンデミック』という本のなかで逆説的な希望を語っています。肉体的に距離を取ることで他者とのきずなはかえって強くなる。親しいひととの接触を避けねばならないからこそ、そのひとの存在の重要性が経験できるのだ、と。[2] あなたは学生に対してこのような経験をしましたか。

A　残念ながら、そのような経験はしませんでした。しかし、それはむしろこれから、いま述べた意味での無意識をかかえこんだうえで起こるかもしれない。これからの対面授業はコロナ禍以前の授業のいわば「否定の否定」としてあります。しかし、それでもとの授業に戻るわけではない。そもそも以前はわざわざ「対面」とはいわなかった。対面は当たり前だったからです。しかしそれが当たり前ではなくなった。授業は「対面」授業として生まれ変わったのです。コロナ禍終息後の授業は、見た目はコロナ禍以前のそれと変わらないが、意味は変わる。ここに、当たり前のことが当たり前でなくなったことに、なにか革命的なものを感じませんか。ジジェクはこうした潜性的な変化にこそ革命を見出しています。「革命において、何かが「実際に変化する」必要はなかった――『ニノチカ』の例にもどれば、一杯のコーヒーの場合、革命はミルクなしのコーヒーをクリームなしのコーヒーに変える」[3]と。学生も教員もともにこの革命のなかにあるのだとすれば、それはきっと両者の「きずな」に影響を与えるのではないか。わたしはフロイトの革命的書物『夢判断』のエピグラフ（出典はウェルギリウスの『アエネイス』）が好きです。「天上の神々を動かしえざりせば冥界を動かさむ」。フロイトにとっては無意識がこの「冥界」でした。コロナ禍を通じて大学が変革のために「動かす」べき「冥界＝無意識」を得たのだとしたら……そんなことを考えているのです。

Q　大学はZoomという新しい技術を授業へ導入したわけですが、これは教育にどのような影響を及ぼしたのでしょうか。

A　授業のやり方は大きく変わりました。しかしここでもわたしの興味は、それとは異なるレベルで何がいえるのか、ということです。新しい技術はこれまでも、たとえば既存のアートのあり方にショックを与えてきました。映画批評家のアンドレ・バザンは写真を造形芸術の歴史におけるもっとも重大な出来事とみなしましたが、それは「写真のおかげで西欧絵画はリアリズムへの執着をきっぱりと捨て去って、美学的自律性を取り戻すことができた」[4]からでした。チャップリンはトーキーに抵抗しました。彼は録音された声の不気味さに意識的だったと思います。はじめてサウンドトラックがついた『街の灯』（一九三一年）では音楽やノイズはあっても声はありません。『モダン・タイムズ』（一九三六年）では声が出てきますが、それは機械（ラジオ、スピーカー）によって再生されるものであって、生の声ではない。声を取り入れたら自分の映画全体が変わってしまう、彼はそう直感していたかのようです。しかしZoomがこうした例に比肩する衝撃を授業のあり方に与えたかといえば、それは疑問です。

Zoomのような技術は何をもたらすのか。ひとつは抽象化であると思います。それはたとえば、ひとが電話をはじめて使ったときの経験にいえることです。プルーストの『失われた時を求めて』のなかにマルセルがはじめて電話を使って祖母と話す場面があります。彼は祖母の身体から離れた、抽象化された彼女の声だけを聴く。そして驚きます。その弱々しい声は、彼の記憶にある祖母の声ではなかったからです。この経験は祖母に対するマルセルの感じ方全体に影響を及ぼします。彼はこのあと祖母を訪ねますが、彼女はもはや彼の記憶にある魅力的でやさしい祖母ではないのです。ジジェクはこういっています。「このようにして、自律的な部分対象としての声は、それが属する身体に対する知覚全体に影響する可能性がある。ここから得られる教訓は、身体の統一性を直接経験すること――そのとき声は身体の有機的全体に適合しているようにみえる――には必然的な神秘化がともなう、ということである。だから真理を見抜くためには、この統一性を引き裂き、そのひとつの側面を分離してそれに焦点を当て、そのうえで、この要素がわれわれの知覚全体に影響するのにまかせることが必要である」[5]。オンラインで授業をしていると、学生の存在は多くの場合その声だけに抽象化されます。あるいは声すらなく、PC画面上の名前によってかろうじて表象される……そんなレベルにまで学生の存在は抽象化されます。では、わたしたちはマルセルのように、この経験を契機に学生という存在を脱神秘化できるのか。あるいは逆に、学生のほうが教員を脱神秘化するのだとしたら……。これはすぐには答えられない問いです。

Q　教員を脱神秘化する力を秘めた（？）大学院生に期待することは何でしょうか。

A　大学の広報誌『HQ』（二〇一八年夏号）のインタビュー（「研究室訪問」）で同じ質問を受けたとき、わたしは次のように答えました。院生には、ヴァルター・ベンヤミンのひそみに倣い「現像液になれ」という言葉を贈りたい、と。文学にかぎらずあらゆる芸術作品を写真のフィルムとみなすとすれば、その現像液は必ず未来にあります。いいかえれば、未来の現像液で現像されることを前提に、すべての芸術作品はつくり出されている。つまり作品は未来の世代にみずからの実現を託している。『不思議の国のアリス』ではないですが、作品には"DEVELOP ME"（わたしを現像して）というラベルが貼ってあるのです。この呼びかけを受けとめ、ひとりでも多くの学生が人文学の研究に挑戦してくれることを願っています。これはエキサイティングな体験となるはずですが、楽ではない。作品に対してその現像液になることは自分自身の変容をともなうからです。「わたしを飲んで」や「わたしを食べて」というラベルの呼びかけに応えたアリスが伸びたり縮んだりしたように。

この答えをすこし補足しましょう。このようにいうと、あたかも作品の真の意味なるものがあらかじめあって、研究者はそれを探り当てるかのようにきこえるかもしれませんが、そうではない。まず現像するという行為が先にある。意味はそのあと、遡及的に生み出されるのです。ヘーゲルなら、作品という自己は「他であることのうちでじぶん自身へと反省的に立ちかえる」[6]というでしょう。「他である」とは、解釈されること、「現像」されることであり、批評家になるとは作品にとっての「他」になることだと思います。そう考えると、翻案（アダプテーション）も一種の批評であることがわかります。ジジェクがドゥルーズのいう「純粋差異」（「潜在的（ヴァーチュアル）な差異」ともいいかえられます）を説明する際に、おもしろい経験を語っています。[7]『ビリー・バスゲート』というE・L・ドクトロウの同名小説を原作とする映画があります。それをみたジジェクは、これは失敗作だと思う。そして原作の小説はもっとすばらしいに違いないと想像する。そこで彼は原作を読んでみる。すると原作は映画版よりもなおひどいということがわかる……。映画は失敗した翻案だったわけですが、しかしそれは遡及的に、実際の原作よりも出来のよい原作、アクチュアルな原作に対してヴァーチュアルなものとしてある原作を生み出したのです。この第二のヴァーチュアルな原作は、原作よりも原作らしい、いわばイデアとしての原作に相当します。これをふまえて極言すれば、あらゆる解釈、あらゆる批評は失敗した試みであり、失敗であるからこそその効果として「真なるもの」（ヘーゲル）を生み出す、といえるでしょう。わたしが誰よりも影響を受けた批評家であるポール・ド・マンに『盲目と明察』という名著があります。これはまさに批評家による誤読の価値を、それがもつ真理を生み出す効果という視点から論じたものではなかったでしょうか。この意味で批評・解釈においては、いかにうまく失敗するかが鍵となります。だからわたしはベケットの『いざ最悪のほうへ』に出てくるフレーズ“Try again. Fail again. Fail better.”が好きなのです。

Q　あなた自身の研究についてお尋ねします。『ジョイスの反美学――モダニズム批判としての『ユリシーズ』』（彩流社）という本のねらいは何だったのでしょうか。

A　ベンヤミンはファシズムを「政治の美学化」あるいは「政治生活への美学の導入」と定義しました。わたしはこの意味でのファシズムの問題を言語、身体、知覚といった領域にひろげることを試みました。そしてそこからブリティッシュ・モダニズムの文学や美学をとらえ直そうとしたのです。周知のように多くのモダニスト作家はファシズムに惹かれました。しかしジョイスは惹かれなかった。この差異にどのような力が働いていたのか、それを見極めたいという気持ちがありました。ひとことでいえば、わたしはジョイス文学をファシズムへの抵抗として読もうとしたのです。それがどこまで成功しているかはわかりません。でもやってよかったと思います。すくなくともこの仕事は講義でいかされています。たとえば、現代思想の講義において学生にもっとも受けるトピックのひとつはジョン・ケージとノイズ・ミュージックなのですが、それはジョイス論を書く過程で未来派音楽について考えたことがベースになっています。

Q　それに続くプロジェクトはありますか。

A　わたしはジジェクをはじめド・マンや合衆国のラカン派ジョアン・コプチェクのテクストを翻訳してきました。コプチェクの『〈女〉なんていないと想像してごらん――倫理と昇華』（河出書房新社）は視覚芸術と精神分析に興味がある学生に読んでほしい本です。ジジェクの翻訳に限っていえば、『性と頓挫する絶対』は十冊目にあたります。ここ十年間でわたしの書いた論文はすべてこの三人および合衆国のマルクス主義批評家フレドリック・ジェイムソンの影響下にありました。現在はそれらを一冊にまとめたいと思っています。内容を目次（案）のかたちで示しましょう。

Ⅰ　モダニズムのポリティクス
第一章　性的差異の二律背反――カント、フロイト、ラカン派精神分析
第二章　理性使用の性的差異――「三ギニー」あるいはヴァージニア・ウルフ版「啓蒙とは何か」
第三章　トランスアトランティック・パララックス・ビュー――ウィンダム・ルイスのヒトラー論をめぐって
Ⅱ　モダニズムの構想力
第四章　リアリズムの条件――『村上春樹とポスモダン・ジャパン』の余白に
第五章　死（者）の労働――ジョン・ヒューストン「ザ・デッド」論
第六章　モダニズムのアレゴリー――ジェイムズ・ジョイス「死者たち」論
Ⅲ　モダニズムの倫理
第七章　分配的正義から交換的正義へ――「我が家の楽園」としてのコミュニズム
第八章　婚姻論の四角形――ショー、小津、キャプラ、そしてベケット
第九章　象徴の狡知――『若き芸術家の肖像』あるいはジョイス版『実践理性批判』
Ⅳ　芸術の終焉
第一〇章　現象の弁証法――ワイルド、ヘーゲル、ポストロマン主義
第一一章　死の欲動とイデア――ジジェク的存在論から「芸術の終焉」以後の芸術へ
補論　ポール・ド・マン『ロマン主義と現代批評』をめぐる断章

あとになって、ここに普遍、特殊、個別というヘーゲルの三つ組みに相当するものがあることに気づきました。すなわち、構想力や理性をめぐる普遍的な問題、「純粋理性の二律背反」を特殊化したものとしての精神分析的な意味での「性的差異」、そして個別テクストの（マルクス主義的、脱構築的）精読です。この三要素がちょうど建築でいうスパ

ンドレル（三角小間）のように予期せぬ理論的空間を形成し、そこから批評的強度が生まれる。それがわたしの理想なのです。第一一章ではアンディ・ウォーホルの個別作品を「イデア」＝「現象としての現象」という普遍的問題と「欲動」という概念（ジジェクによれば、これはヘーゲルのいう「否定性」を特殊化したものです）を援用して論じていますが、手ごたえを感じています。

Q　さきほど「現代思想」という言葉が出ましたが、言語社会研究科には「古典思想」という講義もあります。現代思想と古典思想との違いは何でしょうか。

A　素朴ですが本質的な質問です。わたしは立川談志が好きです。彼は若いころから古典（伝統）と現代の対立と向き合い、それを解決しようとしました。落語論もいつか書きたい。志ん生、志ん朝、談志……この三人の関係はヘーゲルのいう芸術形式の三段階、象徴的–古典的–ロマン的に対応しているのではないか。ひそかにそう思っています。それはともかく、古典／現代の対立は、古い／新しい、評価の定まったもの／評価の定まらぬものという対立をおおむね意味しています。わたしはこの二項対立が好きではない。フロイト流にいえば、ここには原初的に抑圧されたものがある。それは「近代」です。思想・哲学・文学は古典／現代で分かれるのではない。前近代／近代で分かれるのです。近代とはひとことでいえば、カント以後ということです。ひとはカントやヘーゲルを哲学者と呼びますが、ジジェクにいわせれば、この二人は一般的な意味での哲学者ではありません。カント以後、古典的なスタイルの哲学、「世界観」や現実のポジティヴな構造を提示するものとしての哲学は不可能になった。カントの「批判的」転回とともに、哲学は世界観というより批判的方法を提示するものになる。これは自己反省の方法、みずからの可能性の条件——より厳密にいえば、不可能性の条件——を吟味する方法です。カント以降、哲学の体系全体はそれを内側から不可能にする失敗や矛盾によって横断されることになる。(8)同じことは文学の分野でも起こりました。それがロマン主義です。フランスでいえばルソー、ドイツでいえばヘルダーリン、英国でいえばワーズワスです。研究科ＨＰの教員紹介の「メッセージ」でも簡単に触れていますが、ワーズワスは「想像力」に呼びかける詩を書いた詩人です。想像力とは、読んで字のごとし、像なきものに像を与える能力ですが、彼の詩は、詩を詩たらしめるその能力を吟味する詩であったのです。談志は「落語にまくらはいらない」といったことがあります。しかし彼はこのまくら不要論を、ほかならぬまくらとして語った。自己言及のパラドクスですね。あるいはアイロニーといってもよい。いずれにせよ、談志にあっては落語の（不）可能性の条件を吟味すること自体が落語だった。彼はこの意味でロマン派だと思います。それはともかく、このロマン主義の特性をいちばんよく理解していたのはおそらくド・マンです。彼はロマン派をカント、ヘーゲルから読むだけでなく、カントやヘーゲルをロマン派として読んだ。そして二〇世紀の文学批評の起源がロマン主義にあることを明らかにしたのです。このことは、わたしが友人と訳したド・マンの『ロマン主義と現代批評』（彩流社）を読んでいただけるとわかると思います。質問にもどっていえば、「古典思想」であれ「現代思想」であれ、それらはともに前近代／近代という敵対性（アンタゴニズム）に横断されている。重要なのはそれを忘れないことです。

Q　言語社会研究科の入試を受けようと思っているひとたちにメッセージはありますか。

A　二〇二二年度入試のポスターには、第一部門の存在意義を表現するコピーとして「天地と切り結び人の世を絢爛にするために」と書かれています。「天地と切り結ぶ」つまり天地と刀をまじえて切り合う、ということです。天地とチャンバラをするといってもいい。だとすれば、「世を絢爛にする」とは、研究において大河内傳次郎のようにみごとなたちまわりをみせることでしょう。個人的にはこのコピーをマルクス主義的に読みたくなります。天＝上部構造および地＝土台（下部構造）と切り結ぶ、というふうに。この切り合いは九九・九パーセント負けます。言社研の修士論文を何百冊重ねてもイデオロギーや生産関係はびくともしない。しかし希望をもちましょう。『夢判断』のエピグラフをもじっていえば、「天地を動かしえざりせば冥界を動かさむ」です。学生には自分が動かすべき冥界を見つけてほしいと思います。

【註】

（1）Slavoj Žižek, *Sex and the Failed Absolute*, London: Bloomsbury 2020, p. 171.〔スラヴォイ・ジジェク『性と頓挫する絶対――弁証法的唯物論のトポロジー』中山徹／鈴木英明訳、青土社、二〇二一年、二四〇頁〕

（2）Slavoj Žižek, *Pandemic: Covid-19 Shakes the World*, New York: Polity 2020, p. 3.〔スラヴォイ・ジジェク『パンデミック――世界をゆるがした新型コロナウィルス』中林敦子訳、Ｐヴァイン、二〇二〇年、七頁〕

（3）Žižek, *Sex and the Failed Absolute*, p. 358.〔前掲書、四八二頁〕

（4）アンドレ・バザン『映画とは何か（上）』野崎勧／大原宣久／谷本道昭訳、岩波文庫、二〇一五年、二〇頁。

（5）Žižek, *Sex and the Failed Absolute*, p. 452.〔前掲書、六〇六頁〕

（6）Ｇ・Ｗ・Ｆ・ヘーゲル『精神現象学　上』熊野純彦訳、ちくま学芸文庫、二〇一八年、三五頁。

（7）Slavoj Žižek, *Less Than Nothing: Hegel and the Shadow of Dialectical Materialism*, London: Verso 2012, p. 617.

（8）Slavoj Žižek, *Incontinence of the Void: Economic-Philosophical Spandrels*, Cambridge, Ma.: MIT 2017, p. 3.

第四部　キャンパスから飛びたつ

【前頁写真】
（上）桜の季節の一橋大学東一号館
（下）一橋大学国立東キャンパス正門
撮影：小泉順也

それはなぜ修士論文になり、そして論文ではない本になったか

堀 祥子

——すでにアカデミアの人間ではない、つまり立脚すべき方法論をもたない書き手が、ひとりの嘘つき男の目線から物事を語ろうとする危うさについて、私はいくども自問自答した。

『ベートーヴェン捏造——名プロデューサーは嘘をつく』あとがき(1)

——時にベートーヴェンやシンドラーが憑依したかのごとく、その心情まで再現してみせる。あらら、そんなに書いちゃっていいの？ と思いきや、本書は著者の修士論文をもとに、一般向けに書き改められたもので、記述は膨大な史料に基づく。

——江川紹子氏による書評(2)

序——「博士課程に行かなかった人」のその後

博士論文が学術書として刊行される事例は多い。研究者が若書きの修士論文をいくらか改稿して公表することもある。しかし修士課程でアカデミアから去った人が、のちに修士論文をベースにした本を刊行するケースは、それらよりはるかに少ないだろう。なぜ少ないのか。おそらく、そうした人たちは己の中途半端さに自覚的だからだ。

修士課程の二年間は、容易に名伏しがたいはざまの時間だ。もちろん専門性を深めたり、見識を広げるという目的が大前提としてあるが、大学卒業からストレートで進学した二〇代の若者にとっては、常に将来への煩悶と葛藤がつきまとう二年でもある。博士課程に進まない人にとってはモラトリアムの延長戦としての、あるいは就職対策期間としての二年。一方、博士課程に進む人にとっては、研究者としての最初の二年である。能力に差がなくても、次の門の前でドロップアウトする予定の人と、その門を開けて先の道を行くつもりの冒険者との意識の差はあり、前者の私は少なからず敗北感をおぼえながら修士論文に取り組んだ。「あとちょっとだけ、何者でもない自分でいたい」というのらくらした気持ちで修士課程に入った私だったが、修論を書き終える頃には、この二年で急ごしらえした装備をこれ以上強化するでもなく、脱ぐでもなく、ただ去っていかねばならないのを悔しく思っていた。キンコーズで製本した完成論文は、口頭試験のあと、指導教官の田辺秀樹先生による鉛筆書きのツッコミを付されて返却された。なんとか修了。おめでとう。四月から、晴れて一般企業に就職だ。

修士修了者は世間から見れば「社会人になるのが遅くなった人」でしかなく、入社してからしばらくは遅れを取り戻すのに必死だった。運よく、自身の専攻である音楽にかかわる企業で働けたので、これまで研究に使ってきたエネルギーや欲望を仕事にシフトさせるのは難しくなかった。「なんとなく研究の世界の雰囲気を知っている人」というポジションは仕事の上で無益ではなく、その意味では修士まで行ったのも悪くなかったと思えた。二〇代から三〇代はじめまでは、このまま一会社員としてそこそこ充実した人生が送れるだろう、と考えていた。

それがめぐりめぐって、三〇代半ばに至って、本棚の隅で埃をかぶっていた修士論文をもういちど引っ張り出し、一般書として大幅にアレンジして刊行する運びになった。その刊行をきっかけに、いま現在は会社員兼文筆家として活動している。いったい何が起き、何を考えてそれを実行したのか。多くの人から訊かれるこの質問に自分なりに回答しようとしたのが本稿である。

言語社会研究科はもともと修士課程の院生に対して多様な進路を奨励しており、公式アドミッション・ポリシーには「博士課程に進学し、研究対象への考察を深め、博士号の取得を目指す」に加え、「修士課程修了後、高度な外国語能力や国際的な知識を生かし、社会で活躍する」「人文的教養に基づいた独創的な表現活動を行う」[3]という項目がある。僭越ながら自分の半生に当てはめるとすると、私は二番目の方向性で就職し、最近になって三番目を実践しはじめた、ということになるだろう。もちろんそれは結果論にすぎないわけだが、ややレアな紆余曲折を経ていまに至る修了生の一事例として本稿をお読みいただければ幸いである。

そもそもなぜこの修士論文を書いたか

『かたられるベートーヴェン――「会話帳」から辿る偉人像の造形』というのが、私が二〇〇七年に提出した修士論文のタイトルである。いうまでもなく「かたられる」の「かた」は「語(る)」と「騙(る)」に掛けている。

「会話帳」とは、聴覚を失った晩年のベートーヴェンが、友人や仕事仲間とコミュニケーションをとるために用いていた筆談用のノートだ。一三九冊が現存し、書簡や日記と並ぶ重要な史料と見なされていたが、秘書アントン・フェリックス・シンドラーの手によって一八四〇年前後に改竄が行われていた事実が一九七七年に国際ベートーヴェン学会で公表され、音楽業界内にとどまらず一般メディアもトピックとして取り上げるほどの騒動になった。しかし、改竄箇所の科学的な解析は速やかに進んだものの、シンドラーが「なぜ」このような改竄を行ったかという動機の追求は不十分なまま、彼の行為を研究倫理の観点から糾弾する声だけが加熱していった。そうした状況を踏まえた上で、会話帳という特殊な史料の基本構造と、シンドラーが行った改竄の手法と内容を再検証し、彼が会話帳を改竄したのは当時社会的に要請されていた理想のベートーヴェン像を提示するためであったと結論づける、というのが本論の概要である。

もともと私はベートーヴェンの周辺人物(弟子、秘書、友人、パトロン)が大好きで、彼らが登場する小説を書いたりするごく一般的な同人オタクであった。そして会話帳は、二〇〇〇年前に生きた彼らの生の声が聞けてしまう驚くべき史料だ。現在であれば会話帳はSNSやコミュニケーションアプリのタイムラインにたとえうるが、修士論文を書いた当時はまだTwitter日本語版もLINEもなかったので、ただただフェティッシュな欲望を喚起させる魅惑的でいささか気味の悪い史料だった。夢中にならないわけがない。研究上の大義は自分なりに懸命に考えたにせよ、基本的にはオタク的な意味での愛の対象物を無理やり論文のスタイルに落とし込んだのが私の修士論文であった。ただ、楽譜ではなくテキストの読解を主軸としたこの論文は、音楽大学内ではなく「一般大学の人文系研究科のなかの音楽ゼミ」から生まれるにふさわしい内容ではあったかもしれない。

なぜ本を出すことになったか

新卒で入社した会社の仕事は楽しかった。音楽商品の企画はもちろん、音楽の派生商品として書籍やマンガを制作する機会もあった。社会的な影響力とは無縁の小さな事業ではあったが、自分なりに充足を感じていた。

ただ三〇代前半から、会社のみを活動拠点にしている状態への疑問が頭をもたげてきた。転職するつもりはなかったが、人員の流動の少ない小さなオフィスで働き続けて自分の視野が狭まっていくのが怖くなってきた。加えて、さまざまな商品の制作や販促にかかわるなかで、会社員として手がける匿名の企画やテキストでは俗に言う作家性が出しづらく、だんだんと物足りなさを感じだした。そこで、ひとまず営利は気にせずに会社以外の場所で個人活動をしようと思い立ち、二〇一六年の春頃、限られた友人知人との交流用に使っていたTwitterの鍵を開けたり、ブログを始めたりと、ウェブでの発信を細々と始めた。

そんな折、知人のピアニストから、ベートーヴェン作品を扱ったサロン・コンサートでトークをしてほしいという依頼を受けた。喋るのは苦手意識があったが思い切って引き受けて、そのときに、会社員としての自分と区別するために初めてペンネームを使った。その後、歴史上の料理にまつわるエピソードやレシピを探求する活動をしている方と知り合い、ベートーヴェンの「会話帳」に登場する料理をふるまうイベントを提案。そのイベントにゲスト参加したり、共同で同人誌を作ったりもした。

このイベントで出版元の編集者と知り合ったのが、本の刊行に結びついた。個人活動を始めるより前から、成仏できない地縛霊のようにこちらを見ている本棚の修士論文の存在はずっと気にかかっており、なんらかの形でリライトして再公開できればと考えていた矢先だった。幸い編集者が内容に興味を示してくれたので、ハードディスクのディレクトリの奥底から修士論文のデータを引っ張り出して、メールで送った。その後、数回の打ち合わせのなかで企画書を作り、それが出版社内で承認されたのが二〇一七年の秋だった。

振り返れば、個人活動したいと考えはじめてからここに至るまでは驚くほど急速だった。運が良かったという一言に過ぎるし、世の中の多くの成功体験エピソードと同じく、再現性があるとはいえない。ただ、やりたいという欲望を臆せずに露わにしていると、感づいてくれる方が現れるのは確かだろう。

また本を出すにあたっては、覚悟を持つ必要もあった。私の場合は、（結果的にその懸念は不要だったものの）会社が出版を認めてくれなかった場合の想定は一通りし、それを回避するための各所への事前相談もした。こういう立ち振る舞いは、修士論文を書き終えたばかりの若い頃にはできなかったかもしれない。

執筆をどのように進めたか

電子書籍やウェブの有料課金サービスや同人誌などで誰もが自力で本を作れるようになり、編集者不要論が活発な今日この頃だが、私は編集者と一緒に本の内容や構成を考えたり、もらった赤字をもとに文章や内容をブラッシュアップしたり、自分の思い込みを根本から破壊されるのがとても好きだ。むしろそうした編集者との化学反応なくして商業本を刊行する意味はなく、この本にも編集者のアイデアが無数に詰まっている。何よりも革命的だったのは「会話帳という『モノ』ではなく、シンドラーという『人』を主役にできないか」という提案だった。たしかに私は会話帳にモノとしての愛着を感じていたが、その想いは会話帳に登場する人びとへの興味関心があってこそだ。会話帳を主語にした論文を、「会話帳改竄事件」の犯人であるシンドラーの心情を主軸に据えたピカレスク・ロマン風ノンフィクションに作り変えるのには妥当性があった。

執筆期間は一年弱だった。もちろん会社員としてフルタイムで働き続けながらだ。どうやって時間を捻出したのかとよく訊かれるが、平日は朝か夜の一、二時間、休日はなるべく多くの時間を注ぎ込むだけであり、それ以上の裏技は何もない。生活スタイル上、本の執筆は自分に向いていた。月刊連載の締め切りは泣いても笑っても毎月来てしまうが、本は執筆開始から完成までのスパンが長いので、本業の繁忙期を考慮して自分でペースを調整し、余裕があるときにコツコツ進められる点がありがたかった。

資料に関しては修士時代に集めたものでほぼまかなえたが、当然ながら直近の十年で新たに発表された論考もあり、それらも一通りチェックした。さらに近年の大きな変化といえば、図書館や研究機関のウェブサイト上にあるデータベースの充実化である。このおかげで、修士論文の執筆時には入手できなかった当時の新聞記事を新たに盛り込めた。ちなみにベートーヴェンの会話帳は、本書の執筆中にアーカイブ化が進み、二〇二〇年以降は全冊のデジタル画像をオンラインで誰でも閲覧できるようになっている。[4] 二〇〇一年に会話帳全集が完結する前は現地に行かねば閲覧できない秘蔵史料であったことを思えば、隔世の感がある。[5]

刊行のその後

拙著『ベートーヴェン捏造——名プロデューサーは嘘をつく』はかくして刊行された。初版は二〇一八年一〇月。

ありがたいことに新聞、雑誌などに十件を超える書評が出て、刊行から二ヶ月で増刷が決まった（二〇二二年一月現在で三刷）。

いくつかの書評や感想を読んで驚いたのは、一般の人びとのアカデミアへの信用度の高さである。本書はシンドラーの心情を濃厚に描写しており、ときおり一人称「俺」の独白が入る大胆な作りである。もちろん彼の心情は私なりの根拠をもとに推測して描写しているのだが、それが研究領域のイマジネーションなのか、より小説的なイマジネーションなのかはきわめて微妙なところだと自覚している。しかし評者や読者は、「論文をベースにしているから大丈夫」という絶対的な信頼を抱いて読んでくれるのだ。

繰り返しになるが、修士課程とはモラトリアムの延長戦、もしくは研究者の卵としての二年にすぎない。その短い期間のなかで生み出される論文とは、（もちろん皆がそうではないと思うが）ある程度は破れかぶれで、一生懸命さがなんぼの代物である。私も本を書くにあたって、修士論文内に数々の間違いや稚拙な展開を発見して赤面した。たしかにこの本は修論を軽妙な語り口に書き換えてはいるが、その際に論文の自己再検証は行っており、本のほうが正確性は上がっているはずだ。（それでも時間が経てば、また失態を発見して悶え苦しむのがテキストの宿命なのであるが）

求められる仕事を超えるには

本が刊行された翌々年の二〇二〇年は、ベートーヴェンの生誕二五〇年記念年だった。雑誌、ウェブ、演劇のパンフレットへの寄稿、講座やイベントへの出演、学習マンガやテレビ番組の制作協力、二冊目の本。続々と依頼が降ってきた。一冊目の本の執筆期間よりも、このベートーヴェン・イヤーのほうがはるかに慌ただしくハードだった。

依頼者は依頼する相手の特性を実によく見ている。執筆や準備の時間が確保できなくてやむなくお断りした仕事はあるが、私の能力と大幅にかけ離れた仕事はひとつも無かった。「ベートーヴェンやその周辺事情を知っていて、堅苦しくない文体で語れる人」というポジションにいつの間にかなっていた。それはありがたいし、実態にも適っている。ただ、わずか数年で急激に書き手としてのキャラクターが定まってしまったことへのジレンマも強くあり、「ベートーヴェンの研究者ではないがまずまずの識者」という立場の難しさを痛感するに至った。私は本のあとがきに自身を「アカデミアの人間ではない、つまり立脚すべき方法論をもたない書き手」[6]と書いた。音楽業界に関していえば、大学に属していない識者は山のようにいる。プログラムノートから演奏評まで何でも書ける万能型ライターもいるし、演奏家の多くは作品や楽器の研究家を兼ねている。アマチュアだが特定の作曲家や作品に関しては専門家レベルに詳しいという人もいる。だから、私のようなふわふわした者が紛れていても疎んじられはしない。

一方で、ホロコーストや従軍慰安婦問題などをめぐって近年はびこる歴史修正主義を先導しているのは、「立脚すべき方法論をもたない」、つまり学問的な史料の扱いや読み方を無視して、自身のイデオロギーに沿う新説を真実としてまくしたてるアマチュアの論客たちである。ともすると自分の存在や書いた原稿がそうした粗悪な修正主義に加担しているのではないか、という危機感はつねに胸のど真ん中にある。音楽やカルチャーの話であれば免責されるとは思わない。いうまでもなくベートーヴェンは政治利用されやすい作曲家のひとりである。

そうなると専門性をいかに歪みなく深化させるかが課題になってくるが、反面、このまま「ベートーヴェンの人」でいていいのかと悩む自分もいる。コメンテーターのように広くあまねく何でも語るのにはおそらく向いていないのだが、書く対象を一九世紀前半のドイツ語圏や音楽ジャンルに限定したくないという気持ちも強い。できればベートーヴェン周辺以外の「副専攻」をいくつか持ちたいし、その土台としての基礎教養をもっと強化したいと考えている。

このような考えに至ったのは、この数年での状況の変化も関係している。まず、新型コロナウイルスの感染対策のために会社の業務が完全にリモートワークになり、収束後もこの体制を継続することが決定した。もとより四六時中机に向かって作業する生活に慣れた状態で、さらに在宅がデフォルトとなると、本業をこなし、連載や単発の仕事を月に数件受けても、まだ少し時間の余裕がある。新しい領域に踏み込むにはうってつけの生活環境だ。

そして二〇二二年一月に四〇歳を迎えた。古い価値観をアップデートできず、無邪気に差別発言をし、ハラスメント行為に及ぶ中高年の醜聞が世を賑わせる中、若者でなくなったあとの人生をいかに生きるかという問題は、一人間としても文筆家の端くれとしてもきわめて切実である。ひとつの足場に執着しない活動は、多少なりとも失敗の回避に役立つだろう。

インプットやアウトプットの手法に関しては模索中だが、もし三冊目を出せる機会がきたら「副専攻」の領域で出したいというのがいま最大の目標だ。ジャンルとしてはフィクションにも挑戦したいが、もし研究として取り組みたいテーマが見つかったら、人生でもういちど言語社会研究科にお世話になるかもしれない、ともひそかに思っている。

私の修士課程はモラトリアムの延長戦としての二年だった、と冒頭に書いた。二〇代の頃は社会人として遅れを取るリスクも少なくないと感じたその二年は、三〇歳を過ぎてから本当の財産として我が身に返ってきたと強く感じている。それは修士論文を本にしたことだけに限らない。世の中で事件が起きたとき、魅力的な作品に出会ったとき、自分自身で何かを手がけようと思うときに、研究の世界をつねに参照して思考できること。自分の思考が粗雑になっていないかセルフチェックできること。専門家と比べて自分の何が欠けているか自覚できること。それらは言語社会研究科での修士課程の二年がなければ得られない視点だった。「あとちょっとだけ、何者でもない自分でいたい」——二三歳の私のあのときの邪な想いは、四〇代を迎えたいまのためにあったのかもしれない。

【註】

（1）かげはら史帆『ベートーヴェン捏造――名プロデューサーは嘘をつく』柏書房、二〇一八年、三一〇頁。

（2）江川紹子「ベートーヴェン捏造――忠実な元秘書の理想像」『北國新聞』二〇一八年一一月二四日、一三面。

（3）「どんな人を求めるか（公式アドミッション・ポリシー）」『一橋大学大学院 言語社会研究科』。
https://gensha.hit-u.ac.jp/admission/admission-policy.html（参照：二〇二一年九月二三日）。

（4）Digitalisierte Sammlungen der Staatsbibliothek zu Berlin の検索窓から“Konversationsheft”で閲覧可。
https://digital.staatsbibliothek-berlin.de/（参照：二〇二一年九月二三日）。

（5）Deutsche Staatsbibliothek Berlin von Karl-Heinz Köhler (Hg.), Ludwig van Beethovens Konversationshefte, Band1-11, Leipzig, 1968-2001.

（6）『ベートーヴェン捏造――名プロデューサーは嘘をつく』、三一〇頁。

あなたのお母さんに向けて書いてください

綿野恵太

「あなたのお母さんに向けて書いてください」

あるベテランの人文系編集者に言われた言葉だ。人文書業界は狭い世界だが、その編集者が担当した本は必ず話題になる。ぼくは太田出版に入って一年目、新人研修が終わって編集部に異動したばかりだった。新人編集者として「原稿を依頼するときはどんなお願いをしているんですか」とアドバイスを求めたのだった。

答えを聞いたぼくは怪訝な表情を浮かべていたと思う。すぐにベテラン編集者は言葉をつないで説明してくれた。

「つまり、お母さんというのは一種のたとえで……親でも兄弟でも友人でも恋人でもだれでもいい。あなたのことを信頼しているけど、あなたの研究についてなにも知らない。そういうひとに少しでも興味を持ってもらえるように、あなたの考えが伝わるように書いてください。そういう意味だよ」

ぼくは黙ってビールを飲んでいた。

そのあと別の飲み会の席で、文芸誌にいくつかの批評を発表し、初めての単著を準備している文芸批評家と同席することがあった。ぼくはその批評家に編集者としての意見を求められた。

「お母さんに向けて書いたほうがいいらしいっすよ」とぼくが答えると、

「おかあさん⁉」

とバカにした感じで聞き返された。「なにぬるいことを言っているんだコイツ」と思われたに違いない。じつはぼくもベテラン編集者に言われたとき、内心そう思ったのだった。しかし、いま思うとなかなか含蓄のある言葉だったなと感じる。

二〇一二年に大阪から上京して、一橋大学の言語社会研究科に入った。ただただ働きたくない一心で大学院に進んだので、研究にはあまり身が入らなかった。講義もあまり記憶に残っていないが、初めてのゼミのことはよく覚えている。フランス文学者の鵜飼哲教授のゼミで、アルベール・カミュの小説『ペスト』を読むというものだった。ペストで封鎖された都市の描写が、前年に起きた福島第一原発事故の様子を想起させると言われていた。

大教室に集まった四〇人ぐらいのゼミ生を前にして、鵜飼先生がカミュとアルジェリアの関係についてひとしきり解説すると、学生に何か話すようにうながした。するとある学生が「わたしは福島県出身なんですが、原発近くの避難所では日本語がわからない外国人が、なにが起こったのか理解できないまま、ただ呆然としていた、という話を聞きました。『ペスト』を読んで真っ先にそのことを思い出しました」と目に涙を浮かべながら語った。

正直なところ、ぼくはなぜ泣くのかさっぱり理解できなかった。たまに雑誌などで「泣きながら編集した」とか編集後記で書く編集者がいるけれど、どれだけ悲惨な事件や出来事があっても、湧き上がる感情はいったん押さえて、冷静な態度で編集や学問に望むのがプロではないか、と考えていた。しかし、原発事故でぼくの想像もつかない体験をしたのかもしれない、当事者にしかわからないことがあるのだろう、と黙っていた。

ゼミが終わって別の先輩と帰り道が一緒になると、その先輩が「あの子は沿岸部出身者ではないのに、なんで泣いていたんだろうね」と話し始めた。そして、自分が福島県沿岸部の出身で、父親と兄が除染作業の仕事をしていることを教えてくれた。

しばらくして講義にもあまり行かなくなり、上京したばかりの浮ついた気分で飲み歩いてばかりいた。二日酔いで吉祥寺の井の頭公園に遊びに行って、手漕ぎボートのうえでゲロを吐いたこともある。ただ、もともと根はそんなに明るいほうではないので、遊び呆ける生活も徐々に苦しくなり、飲み友達との交際も絶って『子午線 原理・形態・批評』という同人誌を出す準備をしていた。

大阪に住んでいたころ、近畿大学に勤めていた文芸批評家の絓秀実の講義にもぐっていた。そこで知り合った長濱一眞と、『映画芸術』という雑誌の編集者だった春日洋一郎を誘って、同人誌を始めた。最初は小さなミニコミ誌を想定していたが、詩人の稲川方人から先年に逝去した詩人の古賀忠昭の遺稿を掲載できないかというオファーがあって、話が大きくなった。現代詩と文芸批評を掲載する雑誌として創刊し、現在まで六号を刊行している。

こういう経緯で成立した同人誌なので、絓秀実や稲川方人が裏で操っているとよく陰口を叩かれた。見ず知らずのある詩人が、暴力団にたとえて「おまえたちは稲川会だろ!」と罵倒してきたこともある。たしかにぼくら同人が彼らの仕事から影響を受けたことは間違いないが、編集方針に関してはそもそも相談さえしたことがなく、編集者の春日洋一郎の発案が多かった。

ところで、この春日洋一郎というのは無茶苦茶な人間だった。中学を卒業すると高校に進学せず、定職にもつかずブラブラして、三〇歳を超えるまで親の金で古本を買いあさり、映画館に通い詰めた男だった。そのため現代詩と映画について膨大な知識を持っており、そこを買われて『映画芸術』の編集者として働いていた。

この春日がぼくの実家に一週間ほど滞在したとき、ぼくの父親と酒を飲んだことがあった。父は百貨店で働いたのでサービス精神はそれなりにあるほうで、映画に詳しいという春日に気を利かせて、「笑福亭鶴瓶と吉永小百合が出てる『おとうと』を観たんやけど、あの映画はどやったですか」と尋ねた。こういうとき相手は素人なんだから「あのシーンが良かったですね」とか「吉永小百合がきれいですね」と当たり障りのないことを答えておけばいい。

しかし、春日は、

「監督の山田洋次は共産党支持だから民衆を撮るのが好きなんですよね」

と言い出した。父は一瞬戸惑った表情を見せたが、そのまま聞き流して別の話を始めた。「シネフィルってのは社会性がないのか」とぼくはヒヤヒヤした。

父親は団塊の世代で大学に進学していれば、ちょうど一九六八年前後の学生運動に遭遇していたはずだ。しかし、父は祖母ひとりで育てられた母子家庭だったので当然貧しく、中学を卒業すると背広をつくる神戸の職人のもとに丁稚奉公にいった。「神戸のおしゃれな洋服屋でショーウィンドウのガラス拭きでもするんかなとおもたら、着いたのが汚い長屋やったのをいまでも思い出す」とよく語っていた。

その後、服飾メーカー勤務を経て百貨店で技術職として定年まで働いた。百貨店は一部上場の大企業だったから、同僚には大卒が多かったのだろう。実家の本棚には大江健三郎や高橋和巳の小説があったりして、父が周囲と話を合わせるために買ったことがわかって、いまでもぼくは実家の本棚を見ると泣きそうになる。

同じ中卒だが三〇歳までぷらぷらと遊び呆けていた人間の存在を知ると、父がショックを受けることは必至なので、高校卒業後から編集者としてずっと働いている、という嘘の経歴をふたりで示し合わせたのだが、飲みかわすうちに「どうやらこいつはロクでもないやつや」と父に感づかれたらしい。酔いも回ってそろそろお開きにする時間になったころ、なぜそういう話になったかは忘れたが、春日が自分の生まれたときの話を始めて「ぼくは未熟児で生まれたんですよ」といった。すると、突然父は「きみはいまでも未熟児やな」と言い残して、自分の寝室に戻っていった。

父のような学歴もなく、技術を身につけて腕一本で中産階級にのぼり詰めた人間ほど、子供には学歴を付けさせたいと願うもので、教育には熱心だった。ぼくの「人的資本」を高めるために惜しみなく投資した。しかし、皮肉なことに、息子のほうはボンクラに育って、父が経験したことがなかった学生運動に興味を持った。

『子午線』のコンセプトのひとつにノンセクトの活動家へのインタビューがあった。詩人の安里ミゲル、ミュージシャンの花咲政之輔、詩人の究極Q太郎へのインタビューを通じて、一九九〇年代から二〇〇〇年代の左翼運動を振り返るという企画だった。彼らはそれぞれ武井昭夫の「思想運動」や「フリーター全般労働組合」、ペペ長谷川・神長恒一らの「だめ連」、「早稲田大学サークル部室闘争」などにコミットしており、また「反天皇制全国個人共闘・秋の嵐」や柄谷行人らの「NAM」、松本哉らの「素人の乱」といった運動とも人的交流があったので、オーラルヒストリーを残す意義があると考えていた。そのあたりの運動の詳細を記録した外山恒一『全共闘以後』（イースト・プレス、二〇一八年）はまだ刊行されていなかった。

当然ながら、父はぼくがやっていた同人活動や、太田出版の編集者として担当した本、その後出版社を辞めて執筆した本について、まったく理解を示さなかった。「そもそも左翼や右翼ってなんや？　中国が尖閣諸島に攻めてきたらどうすんねん？」とか「アイデンティティって辞書引いたけどようわからへんわ」と言われて、こういう本を書いて欲しいと五木寛之『大河の一滴』（幻冬舎、一九九八年）を渡されたりした。

そんな父を持っていたので、たとえばリベラル知識人が、自分の考えは万人に受け入れられて当然のように話すのを見ると、普通にギョッとする。「本当にこの人の家族や友人も同じ考えなのだろうか」と。若い人ほどリベラルな価値観を持ちやすく、リベラルはこれまで慣れ親しんだ文化を悪習として否定するところがある。保守に比べて世代的な対立を招きやすいはずだ。

とはいっても、論理やエビデンスによって啓蒙しようにも、その実証性に基づくこと自体がかなり特殊な営みだし、その人の生き方が反映された信念はそうそう変わらない。しつこく言い募ったり、暴力をちらつかせれば、しぶしぶ認めてくれるかもしれないが、腹の底はわからない。というか、一方的に他人の考えを変えようとする姿勢自体そもそも傲慢なのだが、政治には「道理」だけでは解決できない「無理」の部分がある。それは、信じることや信仰といった宗教に近いものだ。

その意味で「あなたのお母さんに向けて書いてください」というベテラン編集者の言葉は、たしかに気持ち悪い感じがするけれど、単に研究をわかりやすく書けという意味ではなく、この「無理」に対して「道理」でなんとか挑め、という意味だとぼくは思っている。

大学院時代は同人誌に精を出していたが、修了まであと一年になると、将来を考えざるをえなくなる。しかし、研究を続ける気もないし、就職活動もしたくない。「うまく行けばそのまま出版社に入れるし、将来ものを書くためのコネがつくれるのでは」という邪な気持ちで、太田出版の雑誌『at プラス』のインターンに応募した。そして、狙いどおり、ぼくはそのまま太田出版に就職することになる。

『at プラス』はすでに休刊したが、「思想と活動」を掲げる季刊誌で、執筆陣には上野千鶴子、大塚英志、大澤真幸、柄谷行人、國分功一郎、中沢新一、水野和夫、宮台真司などがいた。同じ左派・市民派系の雑誌『世界』(岩波書店)や『現代思想』(青土社)『情況』(情況出版)に比べると、メジャーな書き手を起用していた。

高見広春『バトル・ロワイヤル』(一九九九年)や、浅田彰・柄谷行人編『批評空間』(一九九一―二〇〇〇年)など読んでいたが、太田出版自体に愛着があったわけではない。面接のときに「太田出版はどんなイメージですか?」ときかれて「九〇年代に一世を風靡した出版社ですよね」と答えたり、先輩編集者が催してくれた歓迎会で「わからないことがあったら、なんでも聞いて」と言われて「本当に面白いと思ってそんな本を編集したんですか?」と返したりしていた。

インターンとして働き始めたころ、『at プラス』は哲学者の國分功一郎がコミットした小平市道路計画反対運動をよく取り上げた。玉川上水の遊歩道や小平中央公園の雑木林を突っ切るように道路の建設が予定されていたため、計画の是非を問う住民投票を求める声が上がっていた。國分功一郎はメディアで積極的に発信し、エコロジー問題に傾斜していた中沢新一や、原発めぐる国民投票を求めていた宮台真司を招いてシンポジウムをおこなっていた。

『at プラス』の編集長の肩入れはなかなかのもので、一二月の寒い時期に小平駅前にみずから立って署名を集めていた。編集長はヒールの高い靴をカツカツと鳴らしながら歩くひとだったので、長時間立ち続けるのはしんどくないのかな、と思ったのを覚えている。住民投票の条例案が可決された市議会を住民グループらとともに傍聴して、「無事に決まったって！」と喜びを爆発させてオフィスに入ってきたりした。だが、条例には投票率が五〇パーセントを超えないと開票しないという条件が付けられ、投票率は三五パーセントにとどまり、住民投票は不成立で終わることになる。

当時は福島第一原発事故後で脱原発デモが定期的に開催され、批評家の柄谷行人がデモへの参加を強く呼びかけていた。「日曜日にデモがあるから行くよ」と編集長に連れて行かれたことがある。大阪に住んでいたとき、脱原発デモにも参加していたが、会社命令になると途端にイヤな気がしてくるものだ。丸の内線で国会議事堂前駅に向かいながら、貴重な休日がつぶれるのか、とゆううつな気分になったのを覚えている。

デモの中心部から少し離れたところが集合場所で、警察の誘導でいろいろ迂回させられて進むと、「長池評議会」というのぼりが立っていた。柄谷行人の周りにはすでに数人の編集者が集まり、元新左翼の活動家だった太田出版の前社長もいて「革マルがビラを配っていましたよ」と憎々しげに話していた。柄谷行人が知識人ぶることなく、大勢の中の一人として参加していたことに好感を持ったが、取り巻きが編集者ばかりだったのは辟易した。

とくに知り合いもいないので端のほうで静かにしていると、「NO ABE」とプラカードを掲げた若手思想家が歩いてきた。手を振って挨拶すると「ぼくみたいな立場の人間がデモに参加することに意義がありますからね」と滔々と語られたが、いったい何の意味があるのか、いまでもわからない。途中で若手思想家が柄谷行人のほうにチラッチラッと視線を送っていることに気づいたが、引き合わせるほどの力はないのでぼくがまごついていると、見かねた文芸誌の編集者が無事に紹介してくれた。

夕方近くになると集まりは解散になって、丸の内線に乗って新宿三丁目まで出て、歌舞伎町の中華料理屋で打ち上げが恒例だった。デモには参加せず、飲み会からやってくる評論家もいて、声は大きいが書くものがつまらないこの評論家がぼくは嫌いだった。

そのほかにもいろんな運動を特集したり、デモの現場にもよく行った。人文系研究者たちが民主党（当時）に政策を提言する「リベラル懇話会」を立ち上げて、北田暁大東大教授らが記者会見をするというので、永田町に取材に行った。渋谷で安倍政権反対デモを見学したあと、いまやベストセラー作家となったブレイディみかこに「日本のデモはなんか楽しそうじゃない、真面目すぎる」と言われた。貧困支援団体を取材したとき、反緊縮政策を主張していた稲葉振一郎や松尾匡の名前を出したら、相手の対応が急に冷たくなって、党派の壁を感じた。

しかし、その後、原発は次々と再稼働されて、第二次安倍政権は七年八ヶ月にも及ぶ憲政史上最長の長期政権となる。左派やリベラルは負け続けたわけである。


デモや集会が終わると関係者だけで打ち上げをしたりする。ちょうどそのころ安倍晋三首相（当時）の応援団のひとりとして小説家の百田尚樹が注目を浴びていた。飲み会に混じったぼくが太田出版の社員であることを明かすと、「『永遠の0』なんて戦争を肯定する本を出して恥ずかしくないのか？」と怒る左翼の人がいたし、『atプラス』を「百田尚樹の金で出ている雑誌」とからかってくる編集者もいた。しばらくすると、元少年A『絶歌』（太田出版、二〇一五年）が刊行されて「酒鬼薔薇の金で……」と言われることになるのだが――。

たしかに『atプラス』という雑誌自体も採算が取れていなかった。正確な数字は忘れたが、同人誌である『子午線』とそんなに変わらへんやんけ、と思ったことがある。保守系の論壇誌や文芸誌には「救心」や「黄桜」などたくさん広告があるが、『atプラス』は人文系出版社の交換広告ばかりだった。

一時は定期購読サービスなどをして固定ファンを増やそうとして、営業部のえらいひとが、ある人文系出版社では読者の集まりを催したり、出版物のご案内を定期的に送ることで、固定客をつくることに成功して売れ行きを伸ばしているから参考にしろ、と言ってきた。だが、よくよく調べてみると、大学で環境保護や現代思想系サークルに偽装して学生を勧誘したり、洗脳のような強引な布教が問題視されて、「カルト」と批判されている団体の系列出版社で、同僚と大笑いしたこともある。

結局、雑誌自体でペイすることができないので、メジャーな書き手や才気あふれる若手研究者にオファーして、雑誌に掲載された論考を単行本化することで採算を取ろうとしていた。実際、白井聡『永続敗戦論――戦後日本の核心』（太田出版、二〇一三年）が大ヒットしていた。ただし、そうなると雑誌をやる意味がもはや無くなって、ウェブでいいという話になるし、いまやほとんどの雑誌がウェブメディアに移行しつつある。だが、当時は人文系ウェブメディアといえば「シノドス」（荻上チキ、芹沢一也、飯田泰之）ぐらいしかなかった。

百田尚樹のお金で出ていたわけではないが、『永遠の0』の大ヒットもあって赤字雑誌を続ける程度の余力が太田出版にはあった。というか、そもそもぼくが編集者になれたのは百田尚樹のおかげである。ぼくがインターンに入ったころ、百田尚樹のデビュー作『永遠の0』の映画化が発表された。当時の社長がその担当編集者だったので、オフィスには特攻隊員を演じる主役の岡田准一の大きなポスターが貼ってあった。元新左翼の前社長は「戦争を煽るポスターを貼ってけしからん」と怒っていたが――。多くの出版社は編集者をいちから育成する余力はもうない。人材は慢性的に不足しているので経験者を積極的に採用したがる。けれども、イケイケだった太田出版はあまり使い道のない「人的資本」だったぼくを採用したわけである。

「百田尚樹のお金で出している」と揶揄する編集者たちは人文系の中小出版社が多かったけれど、彼らもまた読者が少ないという同じ問題を抱えていたのだった。太田出版に比べるとさらに部数は少なかったはずだが、部数が少なくても本一冊をつくるコストはそんなに変わらない。彼らはそのコストを書き手に払わせているだけだった。原稿料や印税を払わないのである。

すべての研究や主張がポピュラーになれるわけではない。しかし、原稿料をタダにすると、原稿の質が低下する、と多くの編集者が経験から語っていた。書き手も無意識に手を抜くし、編集者も善意に頼るので、厳しい注文をつけたり、ボツにできなくなる。高い志や理念があれば、原稿の質も保てようが、そういうものはたいてい長続きしない。読者が少ないからこそ原稿料や印税をタダにせざるをえないわけだが、原稿の質が低下すれば読者はさらに少なくなる。

『at プラス』は二〇一七年に休刊したが、市民社会に浸透して多数派を形成して政治変革を目指す「陣地戦」（アントニオ・グラムシ）を意気込んでみせたところで、この程度の数の読者だけではどうにもならないし、実際にどうにもならなかったわけである。仲間内でワイワイしたいだけなら話は別だが、これはいまも左派全体の問題でもありつづけている。

多くの人は民主主義に興味がないんじゃないか――ブランコ・ミラノヴィッチ『資本主義だけ残った――世界を制するシステムの未来』（西川美樹訳、みすず書房、二〇二一年）を読むと、そう思わざるをえない。大学院の頃は自治会や労働組合の活動に熱心な知人が周囲にはいたし、学生運動や障害者運動の活動家たちにインタビューもしてきた。そういう運動の積み重ねが重要なのは理解しているつもりだが、たいていのひとは民主主義的に政治に参加できなくても、効率的な統治がおこなわれ、それに見合った経済的な恩恵が受けられれば、文句は言わない。これはなにも中国やシンガポールといった「政治的資本主義」の国々のはなしではない。実際、二〇二一年の衆議院選挙も投票率が約五五パーセントで、戦後三番目の低さだったし、あれだけ注目を集めた二〇二〇年のアメリカ大統領選挙でも有権者の三割は投票に行っていない。

よくよく考えてみると、多くの人が企業という民主主義的ではない「階層的な組織」で働いている。労働者が投票して新製品を決定したり、経営方針を全員で話し合ったりはしない。ミラノヴィッチが指摘するように、このような

「階層的な組織」のほうが「どうやら効率的だし高賃金をもたらすから」である。とはいえ、労働者が不利な立場であることに変わりないわけで、企業に対抗するために労働組合という民主主義的な組織がある。しかし、多くの人は会社に不満があったとしても、資格習得やキャリアアップに励んで、もっと良い条件の企業に転職していく。多額の奨学金を抱える学生も、授業料無償化を求めて学生運動をやるよりも、借金を返済すべく、一流企業への就職や起業家としての成功を目指している。民主主義的に団結して変革を目指すよりも、有能な企業家として「人的資本」を高める選択をしている。人文書の狭い世界にいると、このことはすぐ忘れてしまう。

もちろん、それは資本主義に従順な主体になっているだけだ。市場経済はとんでもない不平等を生んでいるし、その不平等を是正するためにも民主主義はやはり必要となる。だからこそ、「選挙に行こう」と呼びかけられるわけだが、しかし、資本主義と議会制民主主義（選挙制）は一見対立するように見えて、実際は共犯関係にあるのではないか。

このことは近著『みんな政治でバカになる』（晶文社、二〇二一年）で書いたことだが、法哲学者のイリヤ・ソミンによれば、多くの人が投票において合理的な判断ができるほど政治的知識を持っていない（『民主主義と政治的無知――小さな政府の方が賢い理由』森村進訳、勁草書房、二〇一六年）。というのも、現在の選挙制度においてはみずからの一票が結果を左右することがほぼないために、政治的知識を獲得しようとしないからだ（合理的無知）。資本主義を生きる忙しいぼくたちは、政治的知識を勉強するよりも、労働、家事、介護、育児、趣味、睡眠をどうしても優先してしまう。ときとして資本主義に対抗することもあるわけだが、議会制民主主義（選挙制）は資本主義と結託してぼくたちを政治的無知にしている。

ある調査によると一六歳以上の男女の約半分が本を月一冊も読まない。読書量が減ったと答えた人々の主な理由は「仕事や勉強が忙しくて読む時間がない」だった（文化庁　平成三〇年度「国語に関する世論調査」）。自己啓発書やビジネス書の圧倒的な売り上げを考えると、月一冊以上本を読む人の多くは有能な企業家になるために読書をしているはずだ。つまり「教養」は人的資本を高めるための投資なのだ。とはいえ、そういった読書家が人文書を買い支えているることも事実だろう。

さて、これまで偉そうにいろいろと語ってきたが、ぼくに編集者としての能力がないのは明らかだった。編集者としては無理だったけれど、書き手としてなら、そんな読書家の思考にひっかき傷ぐらいつけられるのではないか。毎日の労働や日々の生活に追われる人々に向けて。そう思って今日も原稿を書いているわけだが、果たしてどうだろう。

（付記：一部の表記や固有名は変更しています）

与話情浮名一橋（よわなさけうきなのひとつばし）

重藤 暁

序幕　早稲田落研部室の場

二〇一四年の冬、一橋大学院言語社会研究科の入試当日は大雪で、膝くらいまで雪が積もっていました。入試当日は、私に不釣り合いなほど立派な革靴を履いて行きました。入試の一週間前、アルバイトしていた焼き鳥屋さんに毎日来ていた落語家の師匠から「俺には合わなかったから、これ履いていけよ」といただいた革靴でした。慣れないピカピカの革靴と大雪で、西キャンパスを歩くのが本当に大変だったので、入試当日の様子をいまでも強く覚えています。

そもそも一橋大学院言語社会研究科という存在は、早稲田の落研の部室で知ることとなりました。私は早稲田大学の基幹理工学部に入学しました。当初は希望に満ち溢れていたのですが、理工学部の授業の内容があまりにもむつかしかったため早々に挫折。社会文化領域コースに移りました。社会文化領域コースは早稲田の理工学部が設置した「無理して理系で卒論を書かなくてもいいから、自分のやりたいことを自由にやりなさい」というエアポケットのようなところでした。ただエアポケットがすぎるのでほとんど学生に知られておらず、早稲田大学演劇博物館の副館長だった秋葉裕一先生からの指導を独り占めできました。白衣を着ながら小型モーターをコンピューターで制御している同級生の横で、落語の研究をするというなんとも頓珍漢な大学生活を送ることとなりました。社会文化領域コースで落語を研究することになったのは、私が早稲田の落語研究会に所属していたからです。自分たちで落語を演じるのではなく、文字通り落語を研究するサークルでした。その伝統には小沢昭一が絡んでいて云々……となかなか面白い部史もあるのですが、紙幅の都合でここでは省略します。

さて将来のあてもないのに呑気に過ごしていた大学四年生（二〇一三年）の秋、落研の部室にあった過去の資料を漁っていると、一冊の紫色のキャンパスノートを発見しました。ノートには落語界の現状分析と今後の予測が書かれていました。推測するにどうやら二〇〇三年頃に書かれたもの。ぺらぺら読み進めていくと、これがとてつもなく面白い。寄席といい落語協会といい立川流といい、ノートの予測通りに落語界が発展していたからです。「この世界には予言者がいた!!」と、これまでにないほど興奮。紫色のキャンパスノートの表紙には、「タツオ」の文字。いてもたってもいられません。

思い立ったが吉日、すぐさま落研の先輩から紹介されたアルバイト先の焼き鳥屋にて「タツオ」なる人のことを調査していました。「安部達雄」という先輩がいたこと、いま「サンキュータツオ」として芸人活動をしながら、一橋大学院言語社会研究科で教えていらっしゃること。いますぐにでも予言者に会いたい。バイト先の焼き鳥屋さんに毎日来ている常連の落語家の師匠から「安部達雄って名前懐かしい名前を聞いたなぁ。ヤツが学生の時、よく飲んだんだよ」という話も伺うことができ、まだ見ぬ予言者への思いは募るばかりです。

今考えればやたけな発想ですが、予言者「タツオ」に会うためには一橋大学院言語社会研究科に入学しなくては！と、翌朝にはウェブサイトで確認。言社研の教員一覧に書いてあるお名前を一人ずつCiNiiで検索していると、知り合いの教授と第二部門の西谷まり先生が共著を書いていることを発見。すぐさま西谷先生をご紹介いただき、メールを送りました。するとその日のうちに西谷先生から「あなたは落語の研究したいようだから、第一部門の武村知子先生にご連絡したら」とお返事をいただき、すぐに武村先生にメールを書いたように思います。部室で「タツオ」の文字を見つけてから実に三日間の出来事。我ながら節操がなく、この時期を思い出すと赤面します。

二幕目　一橋大学院言社研の場

二〇一三年一二月、武村先生と初めてお会いした日は、随分と寒い日だったと覚えています。紅茶を入れてくださって、いままで見たことがないタイプのケーキを切ってくださいました。いま考えるに、一二月ということでシュトーレンだったと思います。武村先生に「実は、安部達雄先生がきっかけで言語社会研究科を知りました。落語の研究がしたいと思っています」と切り出すと、「あら、いいじゃない」と答えてくださったのですが、私はシュトーレンにたっぷりかかっていた粉砂糖を武村先生の研究室の机にこぼしてしまったので、相槌を打つふりをして広がった砂糖を拭っていました。武村先生から帰り際、「セーターにお砂糖ついているよ」と言われたことを覚えています。

二〇一四年大雪の中でおこなわれた言語社会研究科の入試面接試験。武村知子先生と森本淳生先生が面接員でした。武村先生から「修了後の進路などはありますか？　進路が見つかっていなかったり、あるいは答えたくなかったら答えなくても結構ですよ」と言われたので、当日履いていた革靴の縁もあり「落語家になりたいです」と答えました。武村先生と森本先生は笑ってくださいました。面接で笑いが取れてホクホクしながら面接会場を後にすると、寒そうに立っている同い年くらいの受験生がいました。結果はどうあれ笑いが取れれば勝ち、と上機嫌だったもので、その受験生に話しかけてしまいました。「僕はスエヒロといいます」と答えながら怪訝そうな顔をされました。

二〇一四年二月、笑いだけでなく無事に合格通知を受け取ることができ、件のバイト先の焼き鳥屋さんに行くと、相変わらずカウンターには常連の落語家の師匠がいらっしゃいました。「師匠から頂いた革靴で受験したら、無事に合格できました」「お約束だよ！　よし！　今日は祝い酒だ！」と日本酒を注いでくださいました。これが祝杯の味か！　とゴクゴク飲みました。面接当日のことを話したら笑ってくださって、「大学院卒業してなにもやることなかったら、俺のところに来いよ」と酔っ払いながら言ってくださいました。

二〇一四年四月、言語社会研究科の入学ガイダンスに行くと、隣の席にスエヒロさんがいました。「あの時、突然話しかけられてビビったわ」と言われ、早速飲みに行くことに。スエヒロさんから「大学時代、酔っ払ったら全身裸にジャケットだけ羽織る「ピーターラビット・スタイル」が流行った」と聞き、「これがアカデミズムか！」と衝撃を受けました。早々にピーターラビット・スタイルになっていたスエヒロさんは「安部達雄先生の授業一緒に受けてみない？」と持ちかけたらすぐOKする気のいい方で、早速次の日達雄先生の初回の授業に行きました。ついに念願の予言者に会える。ドキドキしながら待っていると、達雄先生は五分ほど遅れて教室に入ってきました。まず私たちを見て一言、「この授業は留学生向けの授業だから、君たちはたぶん受講できないよ」。入学早々に絶望！　しかしここまで来てそう簡単に諦めるわけにはいきません。そのことを武村先生にお伝えすると、武村先生がかけあってくださり、無事に達雄先生の授業を受けることができました。

国立の銀杏並木の緑も深まってきたある時、キャンパスを歩いていると入試試験の面接員だった森本先生に声をかけられました。「君は落語家になりたいの？」「実は口からの出まかせなのですが、ちょっと本気で……」と答えると「だったら常磐津節を習っておかないと、常磐津節の師匠を紹介するよ」。常磐津節は歌舞伎座で聞いたことはありましたが、実際に自分が習うことになるとは想像していませんでした。ただ直感的に面白そうだと思い紹介していただくようお願いしました。

三幕目　常磐津節稽古場の場

次の月、森本先生に連れられて、常磐津節の師匠のお稽古場に行きます。最初森本先生のお稽古の様子を見学しました。森本先生は「忍夜恋曲者（将門）」という曲を習っていました。三味線を弾いて森本先生を指導している常磐津節の師匠は、幻想的な雰囲気を持つ佇まいでした。「なんだかわからないけれども、霞がかかったように感じた！」と初めて間近で見た一流の藝にやられました。すると常磐津節の師匠の方から「来月時間ある？　スーツだけ着て、東京駅に来てくれない？」と言われました。私は「はい！　わかりました」と答えました。結局何をするのかわからないことに気がついたのは、その日の夕食の後でした。

指定を受けた日にスーツを着て東京駅に向かうと、「じゃあ、行くから」とタクシーに乗せられました。行き先は国立劇場の楽屋口。「あれ？　言ってなかったっけ？　今日、日本舞踊の会の本番だから、楽屋仕事してほしいんだ」。そこには常磐津節の先輩方がいらっしゃって、常磐津節の師匠から「新しいお弟子の子、楽屋仕事を教えてやってください」とご紹介をいただきました。私は太っていてなかなか正座ができなかったので楽屋でしっかりと座っていることができず、「家に帰ったらすぐに痩せよう！」となんども思いました。これを書いている今もそう思っています。

二〇一四年一〇月、達雄先生から「渋谷の映画館で落語会を開くことになったから手伝ってくれない？」と言われました。若手とベテランの落語家・講談師・浪曲師を揃えた、演芸初心者向けのコンセプトを持つ落語会が開かれる。達雄先生の次なる未来予測を目撃したいこともありすぐにお手伝いをはじめました。達雄先生の予測は今回も的中。コンセプトは功を奏して、落語ブームを起こすきっかけのひとつとしてメディアに取り上げられるようにもなります。その落語会の楽屋は活気にあふれ、焼き鳥屋の師匠も出演していました。その盛り上がり具合はすさまじく、私もお手伝いという立場を忘れ、会場でケラケラ笑っていました。その楽屋には神田松之丞さん（現・伯山先生）もいらっしゃいました。

そんなこんなで言社研に入ってからとにかくワクワクするようなことが起こった一方、研究は全然進まず、毎回武村先生に「なんでもいいからなにか書いてね」と言われ続け、なにか書いてはゼミの先輩方に読んでいただきダメ出しの日々。ダメ出しをいただいたあとは、スエヒロさんと二人で集まっては日本酒を酌み交わしピーターラピット・スタイルの日々でした。

四幕目　病室の場

とんで修士論文を提出しなければならない冬がやってきました。正月、焼き鳥屋の落語家の師匠が入院したと情報が入りました。師匠から「いま、入院している。見舞いは来なくていい。入院している病院は、〇〇にある××病院だから」とショートメールがありました。「師匠、お見舞い行きますよ！」と返事をすると、「お約束だよ！」。

修士論文を放って、師匠の病室にかけつけました。点滴を打ちながら、毛布にくるまっている師匠が「おい、聴いてくれよ。この点滴の中身はポカリスエットなんだってよ、参っちゃうよ」と笑っていました。座布団の上では矍鑠としている師匠は、ベッドの上では両手で収まっちゃうくらい小さく感じられました。病室のテレビで流れている正月番組（壁をかけあがっていく改造車をつくる技術者のドキュメンタリー番組）をふたりでただ眺めながら、「僕、常磐津節習っています」「そうか、常磐津いいじゃねぇか、プロになるのか？」「なりたいと思います」すると師匠は「お約束だよ！」。

結局修士論文は書けませんでした。「正月、落語家の師匠に会いにいったので、書けませんでした」と武村先生に言うと、「また来年ね」と言ってくださいました。

二〇一六年五月、歌舞伎座で常磐津の先輩方が出演している「男女道成寺」を見ていると、携帯電話が震えました。歌舞伎座に入った時たしかに電源は切った。歌舞伎座は携帯電波を妨害する設計だから、メールや電話ができないはず。それなのにもかかわらず、携帯が震えた気がしたので変な胸騒ぎがしました。「男女道成寺」の見どころの常磐津と長唄のかけあい〽ふっつり悋気　から〽風情なり　も頭に入りません。公演が終わり、すぐに劇場ロビーに行き、携帯電話を見るとたしかに電源は切れている。やっぱり気のせいか。電源をつけるとお弟子さんから一通のメールが入っていました。「師匠が亡くなりました」と。

すぐに劇場を出てお弟子さんとお電話をしてから、達雄先生に連絡を入れました。「今晩は収録が終わったら、その後あいてるから」と言っていただき、師匠が行きつけだったお店に集合。朝までずっとずっと師匠の話をしました。思い出話を話せば話すほど師匠が亡くなったという事実を受け入れられるのではないかと思ったのですが、話すほどに師匠が亡くなったという事実を受け入れられないことに気づきました。始発電車が動き出す時間が来てお店を出るタイミングで、達雄先生から「家まで送る」と言っていただき車に乗っけてもらいました。夜明けの首都高。オレンジのテールランプ。師匠が亡くなったという事実。朝日が昇る直前の東京の景色はとても綺麗でした。「いま見ている景色は一生忘れられないものになるだろうなぁ」などと自分を俯瞰していると、達雄先生から「そろそろ修論書かないとな。武村先生に迷惑かけるなよ」と言われました。

実はその日から修士論文を提出する日まで、とくになにも覚えていません。ただマーキュリータワーで研究していた時「もし僕がドラマの主人公だったら、人が変わったように研究に没頭しただろうなぁ」と思ったこともあったような気がするので、おそらく没頭していなかっただろうと思います。ただそのような様子を武村先生はずっと見守ってくださり、何度も「なにか書いたら見せてね。なんでも見るからね」と言ってくださり、本当に何度も見てくださいました。

五幕目　修論提出窓口の場

心ここに在らずの状態で研究しながらも、達雄先生がキュレーターをやっている落語会のお手伝いと、森本先生からご紹介いただいた常磐津節の師匠のお稽古はずっと続けていました。落語会のお手伝いをすることで会場の雰囲気づくりや番組構成を学び、どのように観客に古典芸能を提示するのか、どうやって来場したお客様を楽しませるのか、来場しなかったお客様へのアプローチはどうすればいいのか、などを体感することができました。常磐津節の師匠は本当に丁寧に指導をしてくださいました。私は遅い入門だったから、骨が折れたかと思います。お客様を楽しませることとはなにか? 芸を継承するとはなにか? 腹に力を入れて、声を張って、少しずつ身体で理解していきました。にもかかわらず、武村先生のもとでの研究は進まず、修士論文もただただ文字数が増えていくだけのものとなっていったように思います。

そして二〇一七年の年が明け、いよいよ修士論文の提出日がきました。ここまできたら出すしかないと思い、即日製本してくれる早稲田の印刷屋さんを探し製本してもらったものを持って、言社研の窓口に行きました。その時のバツの悪さ、武村先生への申し訳なさ、あのじめじめとした感覚。落語に出てくる「敷居が鴨居になっちまって、顔を出せなかったんです」というフレーズをそのまま体感しました。「出し終えたら一声かけてね」「はい!」と約束したにもかかわらず、研究室に行くことができませんでした。二週間後、口頭試問があり武村先生とお会いしましたが、それ以降お会いすることができていません。私は先生に不義理を働いてばかりです。

歌舞伎には、三代目瀬川如皐がつくった「与話情浮名横櫛」という名作があります。そこには昭和歌謡曲の大ヒットソングにも引用されるような歌舞伎界屈指の名台詞があります。主人公の与三郎が、三年越しに会うお富に向かって言う「いやさお富、久しぶりだなあ」という台詞です。新型コロナウィルス蔓延のため休業した歌舞伎座が二〇二〇年八月再開した時にかかった演目も「与話情浮名横櫛」。与三郎の「久しぶりだなあ」という台詞は、再開場を待ち望んでいた観客の心を掴み、歌舞伎座は割れんばかりの拍手に包まれていました。私も歌舞伎座で「与話情浮名横櫛」を見ていてふと思いました、「そうだ、あれから武村先生に三年間会っていないんだった」と。「与話情浮名横櫛」の与三郎だったら、情があって切っても切れない縁があるから三年経てばお富に会えるけれども、私は今後武村先生に会うことができるのだろうか。今回、このように言語社会研究科の本に私のエッセイを載っけてくださるということで、まだ武村先生との間には情が残り、縁は切れてないのではないかと思っていますが……。武村先生に「いやさ先生、お久しぶりです」と言える日は、はたしてやってくるのか。「与話情浮名一橋」の結末はハッピーエンドだったらいいなぁと思っています。

六幕目　歌舞伎座舞台の場・ラジオブースの場

さて、修士論文を出した二ヶ月後いつものように落語会のお手伝いをしていると達雄先生から声をかけられました。「あのさ、○日空いてる?」、空いているので「はい」と答えると「じゃあその日スケジュール開けておいて、詳細は電話がいくと思うから」と言われました。翌日知らない番号から電話があり、出てみると「もしもし、重藤さんのお電話ですか? 神田松之丞です、今度お頼みしたいことがあるので、まずお会いしませんか? うなぎでも食べましょうよ」。うなぎを食べながらお話をうかがうと「ラジオ番組をはじめるということで、相方として笑っている人が欲しい、落語会でよく笑っているから君がいいと思ってタツオさんに聞いてみたんだ」という旨をお伝えいただきました。そしていまも松之丞さん(現・伯山先生)のラジオの笑い屋として毎週笑っています。チケットが取れない天才講談師の話芸を毎週ラジオブースの中で独り占めできる幸せ。満員電車に乗っている時などは、「この車両の乗客の中で僕が一番伯山先生の話芸を堪能している」と思ってみてはひとりでニヤニヤしています。一橋での出会いは、つくづく私を遠いところに連れてってくれたように思います。

さらにその一ヶ月後、常磐津節の師匠から東京駅近くの良い雰囲気のお蕎麦屋さんで天ぷら蕎麦を食べている時に「これからすごく辛いと思うけれども、プロになってみないかい?」と言われました。思ってもみないことでしたが、しかし望んでいたことではありましたので、「お願いいたします」とすぐに返事をしました。「うん、これからもっと頑張らないとね」とニッコリ笑いながら海老の天ぷらをくれました。その海老の天ぷらの美味しいこと。焼き鳥屋の師匠と病室で交わした約束は、曲がりなりにも守ることができたように思います。

そして二〇一八年三月「常磐津佐知太夫」という名前を許され歌舞伎座に初出演。演目はあの日歌舞伎座で見たものと同じ「男女道成寺」。初舞台を終えたあと、常磐津節の師匠と東京駅近くの良い雰囲気のお蕎麦屋さんに連れて行っていただき、「これからがスタートだよ」とまた海老の天ぷらをくれました。師匠のお皿にししとうの天ぷらを運びながら「これからがスタートだよってありふれた言葉だと思っていたけれども、いざ師匠から言われると身が引き締まる思いがするんだ」などと思いました。

そろそろ紙幅が尽きてきたので、ギュギュッと駆け足で情と縁と現在の話を。早稲田の理工学部のエアポケット「卒論何書いても良いよ」コースでの指導教官と昵懇の仲だった常磐津の先輩にお会いすることができました。いまその先輩からも常磐津のご指導をいただき、また早稲田大学演劇博物館が運営する演劇映像学連携研究拠点にて共同研究をさせていただいています。その先輩の古典芸能に対するものの捉え方などを全て「コピーしよう」と自分の中で決めています。また常磐津のある先輩から「この前ラジオ聴いてたら聞き覚えのある笑い声が流れてきたんだけれども、あの笑い屋って君だよね?」。いまその先輩からお三味線を習っています。

また京都市が設置した伝統芸能アーカイブ&リサーチオフィスと常磐津の先輩方と共同して「伝統芸能文化復元・活性化共同プログラム」を遂行しています。このような大きな研究をさせていただくきっかけも、もとはといえば言語社会研究科の入試面接です。私の学問も芸事も、思えばここから始まりました。

一橋大学院言語社会研究科での三年間は、頂戴することができた「人の情けにつかまり」続け、でもその情けは固く決して「折れ」ることがなかったため、いま自分なりの研究と表現を目指して日々生きていることができています。本当にありがたい限りです。自分一人でできることなんてたかが知れています。これからも「浪花節だよ人生は」ならぬ「常磐津節だよ人生は」と、芸に研究に精進していく所存です。

最後に、親愛なる武村先生、本当にごめんなさい。立派に学芸を修めた暁には、今度こそ先生との「約束」を果たすため、いつの日か一橋に帰ってきたいと思います。あと半世紀はかかるかもしれませんが、どうかそれまで、お元気でいてください。

研究者という約束——言語社会研究科で歩んだ一〇年

長名大地

一　はじめに

一橋大学大学院言語社会研究科（以下、言社研）の修士課程に進学したのは二〇一〇年四月のこと。二年でなんとか修士を終え、博士課程へ進学した後、博士号を取得して大学を離れたのは二〇二〇年三月のことだ。およそ一〇年間、言社研に在籍していたことになる。今春で二五周年を迎えた言社研の半分近くにあたる月日を過ごした。現在、私は東京国立近代美術館の研究員として働いている。ここでは、言社研で研究生活をスタートさせ、紆余曲折を経ながら、「研究者」と名乗れるようになった一学生の話をしたい。これから言社研を目指す方には、こんなやつもいたのかと思ってもらえたら嬉しい。

二　研究者を志したきっかけ

研究者を目指すようになったきっかけは、國學院大学の学部生時代に出会った恩師との出会いに遡る。恩師はパウル・クレー研究者の故・宮下誠先生だ。美術のみならず、音楽の講義も持っていた先生から、二〇世紀芸術の奥深さを学び、すっかりのめり込んでしまった。美術に関して少しは触れていたものの、現代音楽に関する知識は全くなかったため、よく公共図書館でクラシックＣＤを借りては聴きを繰り返していた。先生は「美術も音楽も文学も芸術の根底では通じているものがあるから無関係ではない」とよく仰っていたように思う。ある日、その公共図書館で先生のパウル・クレーに関する講演会があった。私はその前にいつものように借りたＣＤを返していた。どうやら先生はそれを後ろから見ていたようで、「長名く～ん、一服しようよ」と喫煙所に誘われた。先生がタバコを燻らせている間、私は先生の講義を受けて考えていることを話していると、先生から「さっき君が返していたＣＤは誰々（作曲家の名前は忘れてしまった）のでしょ？」と。「はい、お金がないので先生が講義で紹介していたＣＤを借りてはダビングして聴いているんです」と答えた。ニコニコしていた先生が少し真面目な顔をして、ちょっとタバコを一吸いし、「なに、君は研究者になりたいの？」と。その瞬間、いろんな考えが頭の中を駆け巡り、そんなの無理だろうと思ったはずなのに、なぜか「研究者」という言葉によって、あれやこれや考えていた将来の道筋がパッと啓けたような気がした。次の瞬間、「はい」と答えてしまった。先生はニヤリと「茨の道だよ」と言った。たしかにそうだった。けれど、「はい」と答えたことに後悔はしていない。

とはいえ、そもそもどうやったら研究者になれるのかなんて全くわからなかった。まず大学院への進学、それしか頭になかった。しかし、そう易々と話が進むわけでもなく、大学卒業後はフリーターとなって、日々の生活費を稼ぎながら、ひっそりと勉強をしていた。そうこうしている間、宮下先生が他界してしまった。亡くなった日のことは、今でも忘れられない。胸にぽっかり穴が開くという表現そのもので、しばらくの間、数日間だろうか、全く動けなかった。享年四七歳。ご自宅に伺った際、奥様が大きな骨壷に手を添えて「これが宮下です」と言われたのを覚えている。これからどうしたらいいのか。前に進むには、先生と交わした約束を果たすことしかないと思った。それが私にできる唯一の弔いではないかと思うようになった。

研究者を目指すきっかけはそんなところにあった。最初のステップは修士課程への進学。生前、宮下先生からは「キタちゃん（喜多崎親先生）の下で美術史を叩き込んでもらってきなさい」と言われていた。だから、喜多崎先生（現・成城大学文芸学部教授）がいらした言社研一択だった。そして、どうにかこうにか進学を果たせたものの、新しい環境に慣れることに必死だった。進学して一年も経たない内に、なんと喜多崎先生から、来年度、成城大学に移りますと言われてしまった。放心状態となったけれども、修論提出まで見てくださること、後任の先生も検討されていることから、留まることにした。実際、追いかけることも考えたものの、如何せんお金がない。一橋大学に残ることにした。それが、まさか一〇年の付き合いになるとは思ってもみなかった。

三　修士課程

二〇一〇年四月、言社研の修士課程に進学し、マックス・エルンストというダダ、シュルレアリスムで知られるドイツ出身の画家に関する研究を開始した。進学して驚いたのは、現役生と同じくらい社会人から入ってきた学生が多いことだった。また、美術を専門にしている学生に限らないため、さまざまな研究領域があることを知ることができた。言社研で出会えた友人や先輩・後輩なくして、今の自分はないと思っている。一橋大学では、修士課程以上の学生になると、マーキュリータワーという建物の中に共同部屋の研究室を持てる。私のいた研究室はパーティションで区切られた八つの机と本棚が置かれた小さな部屋で、大体一つの机を二人で使用する構成になっていた。進学や修了に伴って、研究室のメンバーは変わっていったけれども、夜な夜な交わした会話の数々は、研究生活を彩る大切な時間だった。修士の二年間は長いようで短く、修了要件として求められる単位数もそれなりにあるため、講義の課題をこなしながら、個人の研究も進めねばならず、結構忙しいのだ。

そうであっても、夏休みなどは学外活動に取り組んだ。ゼミの先輩から六本木にある国立新美術館（以後、新美）でのアルバイトを紹介してもらい、週一回程度美術館で働くことになった。当時の名称は情報資料室で、図書室の運営に関わる部署だった。そこで寄贈資料の整理などに携わった。アルバイトを開始してまもなく、東京新聞の文化事業部でのインターンシップにも参加した。当時、新美で予定されていた「ゴッホ展」は、東京新聞の共催展でもあって、その打ち合わせ現場に同行した際、新聞社の方がインターンも同席していますと挨拶したら、当時新美の情報資料室長を務められていた平井章一さん（現・関西大学文学部総合人文学科教授）がいらして、「あっ彼、うちにアルバイトで来てもらっていますよ」と仰って、偶然が重なりその場に驚きの声が上がったのを覚えている。東京新聞ではインターン後もしばらくアルバイトで使ってもらい、大変お世話になった。和太鼓や、浅草公会堂での日本舞踊の大会など、美術に限らない文化事業部の仕事を知ることができた。そんなこんなで、先述の通り喜多崎先生が去られることも含めて、刺激の多い一年目となった。だがもっとも忘れられないのは、修士二年目を迎える前に起こった東日本大震災だ。発生時は奨学金か何かの手続きで郵便局にいた。突然、大きな揺れが起こり、「この建物はかなり地下深くまで掘って作られていて頑丈なので、しばらくここで待機してください」と言われ、揺れが収まるまでソファーで待った。テレビからは、とんでもない映像が飛び込んできた。すぐに大変なことが起こってしまったことがわかった。少し落ち着いてから、ボロアパートに帰っても、しばらく余震が続いた。原発事故も重なり、放射線の影響を危惧する噂が蔓延し、電力不足により国立市では計画停電も行われた。手元にあった蝋燭に火をつけて復旧するのを待っていたように思う。この時期、とても心細かった。特に、こんな社会状況の中、人文学を研究することの意義ってなんだろうかと深く考えるようになった。

東日本大震災の混乱が残る中、修士二年目が始まった。喜多崎先生が移られてからは、アドルノ研究者の藤野寛先生（現・國學院大學文学部教授）が指導教員となってくださった。先生からは学部生向けのドイツでの短期語学研修プログラムをご紹介いただき、夏休みの一ヶ月間をワイマールのバウハウス大学で過ごすことができた。初めて海外で生活し、ドイツ中を旅して回った。マックス・エルンストの生まれ故郷であるケルン近郊のブリュールにも行った。ケルンから電車で移動する際、ドイツ人のおじいさんと一緒になり、原発事故について話をしたのを覚えている。おじいさんは東日本大震災のことを深刻に受け止めていて、日本ほどテクノロジーが進んでいる国ですら制御できない原発は廃止すべきだと話してくれた。ブリュールはとてもいい街で、同地に建てられたマックス・エルンスト・ミュージアムでは二日にわたってじっくり作品を観賞した。充実したドイツ生活から帰国後、いよいよ修士論文に取り掛かる時期になった。卒論を経験しているとはいえ、実質、初めて論文に取り組むわけで、締め切り前の一ヶ月間は地獄だった。しかも、博士課程に進学する場合は研究計画書も作成しなければならず、修論という目下の課題に取り組みながら、進学後の三年間を展望するなんて、どだい無理な話だった。修論を書き上げたのは締め切り日の朝、研究計画書をまとめあげる際は、修論の提出を翌年に伸ばした友人たちに支えてもらった。六〇時間以上マーキュリーの研究室に閉じこもり、寝ずにいたせいで勝手にシェイキングする手を押さえながら、書類一式を携えて事務室に向かった。事務の方に手渡すと「お疲れ様」と笑顔で返してくれた。ああ、ようやく終わったんだと安堵した。久しぶりに帰宅したものの、しばらく眠れなかった。その後、博士課程への口述試験に臨み、ボロボロに言われてしまった時は、ああもう終わったと思った。進学できなかったら、奨学金も絶たれてしまうため、修了という選択肢しかない。研究者を目指すという約束を果たすのは、難しくなってしまう。ちょうど同じ頃、新美で研究補佐員（非常勤で五年が年限）の公募が出た。アルバイトでお世話になっている資料室の枠だったことや、美術館の職員という立場での仕事に惹かれて応募した。その結果、博士課程の進学と新美での勤務が決まり、本格的に二足の草鞋がスタートした。

四　博士課程

そもそも、博士課程の進学と研究補佐員の仕事がなぜ両立できるのか、疑問に思う方もいると思う。新美の研究補佐員は週四日勤務で、平日一日が空けられるため、ゼミの日を確保できたのだ。博士課程は、ただ論文を書けば終わりというわけではない。修了要件としてそれなりの単位数も必要になる。その平日一日のおかげもあり、三年間で必要な単位を取得できた。また、喜多崎先生の後任で、ポール・ゴーガンやナビ派を中心としたフランス近代美術史の専門家である小泉順也先生が言社研にいらっしゃったのもこの時期だ。先生には博士論文が完成するまで八年にわたってご指導いただいた。修了後も講義のゲストスピーカーに呼んでもらうなど、何かと気にかけてくださっている。

そんな新しいことづくしのスタートだったこともあり、二年ほどは仕事と授業をこなすことに必死で、研究を進めることなんてできなかった。薄給で年限のある仕事、けれど、現場で働ける機会は捨てがたい、とはいえ、研究は一向に進まない。時間だけが過ぎていく状況に焦りを感じていた。転機となったのは、新美で発行されることになった研究紀要だ。創刊号への投稿は研究補佐員にも開かれており、エルンストに関する論文を書いた。査読結果を待つ間、ずっとヤキモキしていたのを思い出す。無事に論文の掲載が認められたことによって、ようやく研究者としての一歩を進めることができた。そこからコンスタントに、一年に一本の論文執筆を目標にした。実際の生活はどうだったかというと、国立から六本木への往復（南武線の谷保駅から登戸駅経由で小田急に乗り換え、千代田線直通で乃木坂駅まで）、帰宅前にはマーキュリーに寄って夜中まで論文を読んだり書いたりして、家に帰って泥のように眠った。そして、仕事、あるいはゼミという日々を送っていた。仕事をしながら研究を進めるというリズムに慣れたのはようやく三年目を迎えた頃だと思う。論文を書くことができるようになり、博士論文との関係を強く意識するようになった。最初の論文で扱ったテーマが、エルンストのアメリカ亡命期に取り組んだオシレーションという技法に関するものだったこともあり、徐々にその他の亡命芸術家と現地のアメリカ人画家との交流に関心が移っていった。博士進学の際に書いた研究計画書とは全く違うものになっていった。

五　国立新美術館

貧乏学生で親から仕送りをもらったことがない私にとって、研究だけに打ち込んでいい時間というのは想像できず、ずっと仕事とセットという感覚があった。だから、新美の研究補佐員として採用されたことは、必ずしも仕事がそのまま研究に直結するわけではないけれど、さまざまな資料に触れられる貴重な経験と考えていた。採用されてからは、「もの派」の作家たちの活動拠点としても知られた田村画廊、真木画廊を運営していた山岸信郎さんという画廊主の方の旧蔵資料の整理に携わった。その他、アートライブラリーの運営に関わる資料の準備など、いわゆる裏方仕事に従事した。新美のライブラリー運営は閲覧と登録業務の多くを外部に委託しており、その入札に向けた仕様書の作成や、選書、利用案内やホームページの更新、書庫の温湿度管理、図書や雑誌の登録作業など、それまで利用する側でしかなかった図書館の舞台裏を知った。もちろん、展覧会を中心とする美術館の動きも。資料に触れる機会が増えていくにつれて、その専門家になることを意識し始め、司書課程の勉強も始めた。

美術に関わる資料で最も重要なものは展覧会カタログだ。展覧会カタログは基本的に会場でしか入手できないにもかかわらず、美術史研究の重要な研究成果が盛り込まれた資料だ。ライブラリーでは寄贈交換という取り組みによって、国内外の美術館から収集している。また、書籍の形をとっていないチラシや、案内ハガキといった、いわゆるエフェメラも、重要な研究資源である。研究において何が資料になるか、広く資料として捉える目を養えたのは大きな財産になった。山岸さんだけでなく、批評家の針生一郎さんの旧蔵書の寄贈等にも関わった。資料が図書に限定されていれば図書館の論理に当てはめられるが、エフェメラや手稿類を含む資料群については、総体として捉える視点も必要となり、いわゆるアーカイブの知見の重要性も学んだ。資料の整理といっても、さまざまなのである。多くの仕事をこなしながら、研究論文の執筆を繰り返しているうち、あっという間に四年が過ぎてしまった。今後の身の振り方に悩んでいるとき、ちょうど一橋大学附属図書館で契約事務職員の募集が出ているのを見つけた。もっと資料の専門家として経験値を積みたいと思い、ダメ元で応募したところ、採用が決まった。

六　一橋大学附属図書館

二〇一六年四月、一橋大学の博士課程に在籍しながら、図書館員として働く変わった立場の職員となった。それまでの週四日勤務から五日のフルタイム勤務に変わった。新しい経験に期待しながら、ゼロから図書館について学ぶ気持ちで臨もうとしていた。そんな矢先、初出勤を控えた前日、父親が死んだ。末期癌で自宅療養を続けていたが、まさか、初出勤の前日にその日を迎えるとは思いもよらなかった。翌朝、一睡もしないまま附属図書館に向かった。「よろしくお願いします」と挨拶した後で、「実は昨晩、父が亡くなりまして……」と切り出した。とてつもなく申し訳ない気持ちでいっぱいだった。状況を察してくださり、今日から職員なので忌引きが取れますから、もうお帰りいただいて大丈夫ですからと言っていただいた。なんて出だしだとがっくりしながら、自宅に戻り、埼玉の実家に向かった。葬儀やらなんやらで結局一週間ほど忌引きをいただいてしまった。そんな状況からのスタートだったにもかかわらず、図書館の方々は、暖かく迎えてくれた。私はとにかく挽回せねばとの思いで一生懸命働いた。担当部署は利用者サービス係で、カウンターに座り、貸出・返却、本を棚に戻す納本作業、書架移動、督促、学生へのレクチャー、企画展の準備などの仕事を担った。自分自身が利用者でもあり、図書館の仕組みや実情がわかったことは、調査の仕方にも大きな変化があった。特に、データベースの種類や利用方法など、図書館の取り組みを知ることは研究能力の向上に繋がった。美術館を離れて驚いたのは、職員の方との会話の中で、美術に関する話題が全く出ないことだった。図書館の中では美術という領域はごくごく小さいものだったのだ。そういう意味でも、一般の方々にとって、自分の研究対象がいかなるものなのかを身をもって知る機会にもなった。図書館員としてフルタイムの仕事をこなしながら、いかに美術史の研究を進めていくべきかについては相当苦しんだ。昼休憩の時間は、一五分でご飯を食べ終え、それ以外は研究に当てるなどして時間を作った。

七　研究者としての自覚の芽生え

美術館を離れたことに悔いはなかったものの、研究環境には不安を抱いていた。そんな中、上智大学の林道郎先生（上智大学国際教養学部教授）から「現代美学研究会」にお声がけいただき、週に一度、仕事終わりの時間に四谷キャンパスに伺えることになった。とても優秀で気さくなメンバーの中に加えていただき、研究会では美術書の翻訳などに取り組んだ。正直なところ、ハイレベルでついていくのに必死だった。その他、マックス・エルンスト研究をされている石井祐子先生（九州大学基幹教育院准教授）からお声がけいただき、シュルレアリスム研究者の鈴木雅雄先生（早稲田大学文学部教授）やイヴ・タンギーやジョルジュ・デ・キリコの研究者の長尾天さんが中心となって早稲田大学で開催していた「シュルレアリスム美術を考える会」にも参加させていただけることになった。そのご縁で、早稲田大学の「WASEDA RILAS JOURNAL」に論文を掲載することもできた。仕事の裏側で、多くの研究者から刺激を受け、支えていただきながら、研究環境を維持することができたのだ。

さらに、言社研と国立市の社会連携に取り組まれていた言社研の武村知子先生からは、国立市で研究について市民の方にお話しする院生講座の機会をいただいた。二〇一七年三月と四月の二度、国立市公民館で研究に関する発表をさせていただいた（その他にも、国立市公民館には何度もお世話になった）。美術史の知識を前提とせずに市民の方に伝えるにはどうすればいいのかを武村先生から手取り足取りご指導いただき、とても素晴らしい経験となった。図書館での勤務や公民館での講演会を経験し、研究者として歩んでいくために必要な力を養うことができたと思っている。附属図書館での二年目は、勝負の年と考えていた。実際、とてもハードな一年だった。フルタイムで働きながら、博論のプロポーザルを提出し、美術館で働く先輩から展覧会の文献一覧を作成するお仕事や、マーク・ロスコというアメリカの抽象表現主義の画家に関する伝記の翻訳にも関わらせていただいた。また、美学会の全国大会で研究発表もこなした。自分自身が研究者として認められるために、必要と考えた業績を積んで行こうと必死だった。

その状況下で、東京国立近代美術館で研究員の公募が出た。狭き門とわかっていたものの、挑戦することにした。書類、筆記審査が通り、最終面接に臨むことになった。これまでやってきたことを信じようと思った。美術史の研究者であり、美術館と図書館での勤務経験があることは、自分自身にしかない武器なんだと信じるようになっていた。そして、最終面接を迎えた。手応えは全くなかったけれど、後悔もなかった。とにかく、へとへとになって帰宅した。結果はどうなるのだろうと、面接でのやりとりが頭の中をぐるぐる駆け巡っていたが、翌日には「シュルレアリスム美術を考える会」のシンポジウムでの発表を控えていた。その発表も当日に原稿を書き上げて、ギリギリの状況でこなした。翌週、附属図書館の仕事をしているとき、電話が鳴った。

八　おわりに

二〇一八年四月、東京国立近代美術館の研究員に採用され、ようやく研究者ですと名乗れるようになったと感じている。職場では主にアートライブラリの運営や美術資料に関する調査研究を担当している。ようやく近代美術の研究者という側面と、図書館員としてのキャリアが合致する場所にいられるようになった。新しい職場に慣れることだけでなく、美術館の情報発信に尽力できるよう、初年度から機関リポジトリの導入や、アーカイブズ資料の整理など、これまで培った経験を活かせるよう積極的に働いている。その一方で、個人の研究も続けた。当時、武蔵野美術大学に在籍されていた田中正之先生（現・国立西洋美術館館長）に推薦いただいた鹿島美術財団の「美術に関する助成」では、その報告論文が優秀賞を受賞した。紆余曲折を経ながらも、地道に取り組んできたことが少しずつ認められてきた実感がある。なかなかまとめられずにいた博士論文も、絶対に仕上げると決意し、二〇一九年一〇月に「第二次世界大戦下のアメリカにおける美術の変容――シュルレアリスム、素朴派、抽象表現主義を巡って」というテーマで学位申請論文を提出した。審査を経て、二〇二〇年三月に無事博士号を取得できた。ここで研究者として、本当のスタートラインに立てたと思っている。時間がかかってしまったものの、ようやく宮下先生との約束を果たすことができたのではないだろうか。言社研には一〇年もお世話になってしまった。こんなわけのわからない学生を暖かく迎え、面倒を見てくださった先生方には感謝の気持ちしかない。言社研は、その機会の全てを与えてくれた大切な場所だ。

　最後になりましたが、言語社会研究科二五周年、本当におめでとうございます。今の私があるのは、言社研のおかげです。

アフリカ系アメリカ人文学・文化研究とジャズ

佐久間由梨

私の研究は、いかに文学研究と音楽研究を融合できるのか、そして、アジア人としてアフリカ系アメリカ人文学・文化を探求するとはどういうことなのか、という問いとともにある。卒論執筆時代から現在までのおよそ二〇年間、日本の大学院からアメリカの大学院に進み、大学での非常勤講師を経て、専任教員として語学科目とアメリカ文学・文化の科目を教えるという環境の変化のなかで、見えること、感じること、課題となることも変化してきた。いまだに研究については試行錯誤の状態ではあるが、これらの問いと向き合うなかで、私自身が発見したことについて記したい。

アフリカ系アメリカ人文学作品の音楽表象を読み解く

私は学部時代にジャズ研に所属しており、卒論はジャズについて書きたいと漠然と考えていた。しかし、ジャズの練習ばかりに励み勉強熱心ではなかったために、学部四年生だった私にはジャズ・ファンとしての知識以上のものは全くないし、音楽研究の方法論も分からず途方に暮れる状態。学部時代の指導教員の先生からも、ジャズで卒論を書くとファンレターのようになってしまうだろうと助言され、それはその通りだと深く納得した。そこで、ジャズを文学作品中にしばしば描き、同性愛者であることを公表していたアフリカ系アメリカ人作家、ジェームズ・ボールドウィンの『もう一つの国』(一九六二年)で卒論を書き、予想以上に楽しかった。卒論では、ブルースやジャズに関連する場面を一つ一つ精査しながら、音楽の場面が人種や性をめぐる偏見や差別と葛藤する場になっていることを論じた。

ボールドウィンの作品を読み、文学のパワーを感じた。でも、その当時は、ジャズ関連の分野で就職をしたいとも考えていた。ジャズが好きという気持ちだけで、当時の日本における最良のジャズ雑誌の一つである『スウィング・ジャーナル』を出版していたスウィング・ジャーナル社の入社試験を受けたが、予想通りの不採用。もっとジャズについて知りたい、アメリカについて学びたいという気持ちを胸に、修士課程に進学した。これが私の研究のスタート地点である。

修士課程に進学後は、ボールドウィンに加え、ジャズ・ポエトリーでも知られるラングストン・ヒューズの研究をするようになった。二人の作品を読む中で、特定の作家を研究するだけではなく、アフリカ系アメリカ人の文学と音楽の両方を、奴隷制時代から現代にいたるまでの広範な歴史とともに理解する必要があると気づくようになった。また、この頃、卒論時代からの指導教員の先生が、授業に加えて読書会もしてくださり、そこでポール・ギルロイの『ブラック・アトランティック――近代性と二重意識』(一九九二年)を読み、理論的文章に初めて触れた。ほとんど理解できなかったにもかかわらず、ギルロイのブラック・ミュージックの分析が心に響き、博士課程に進学して、もっと理論も学んでみたいと思うようになった。言語社会研究科の博士課程に進学し、指導教員の新田啓子先生をはじめとする先生方から、文学や理論だけではなく、熱意をもって学問をするとはどういうことかについても教えていただいた。いま思い出しても本当に貴重な経験だった。

博士課程進学後から留学時代は、奴隷制体験記から一九六〇年代までのアフリカ系アメリカ人の文学作品を幅広く読むことを目標にした。同時に、同時代のブラック・ミュージックの歴史を、宗教伝統(黒人霊歌、ゴスペル、ソウルなど)、世俗伝統(ブルース、R&B、ロックンロール、ロック、ファンクなど)、ジャズ(ラグタイム、ニューオリンズ・ジャズ、ビッグ・バンド・ジャズ、スウィング、ビバップ、ハードバップ、クール、モード、フリー、フュージョンなど）という三つの潮流に分類し、それぞれについての歴史的理解を深めるべく研究書を読みすすめた。文学作品における音楽表象を読み解くという目標のもと、これまで多様な文学作品を分析してきた。ボールドウィンの「サニーのブルース」（一九五七年）やヒューズの『遅れた夢のモンタージュ』（一九五一年）、ジーン・トゥーマーの『砂糖きび』（一九二三年）、ネラ・ラーセンの『流砂』（一九二八年）、ミシシッピ川の大洪水をめぐるブルースの歌詞を挿入するスターリング・A・ブラウンの詩「マ・レイニー」（一九三二年）などを題材に論考を執筆した。

加えて、ジャズを小説やエッセイに取り込んだ日本人作家として、村上春樹や中上健次に注目し、日本人が黒人文化のジャズをいかに受容してきたのかという点についても調べたことがある。日本におけるジャズ受容を検証する中で、ジャズが日米両国において、いわゆるボーイズクラブの男性文化であることを痛感し、人種だけではなく、ジェンダーの観点からも改めてジャズ史を見直す必要性があると感じるようになった。

数年前から、ブラック・ライヴス・マター期におけるジャズの動向について研究を進めているが、その中で気づいたことは、ＢＬＭ運動および同時代のジャズが、ブラック・フェミニストにより提唱され、人種、ジェンダー、セクシュアリティ、階級などの要素が互いに交差しながら差別を強化する仕組みを意味する「インターセクショナリティ」という考え方を重視していることである。現代のジャズ・コミュニティは、ジャズという人種差別に抗議してきたはずの文化が、実際には女性を排除する男性中心の文化でもあったことに自己反省的になっているのだ。ＢＬＭ運動および #Me Too 運動により、ジャズをめぐる価値観自体が変化しているのを日々感じる。現代アメリカ文学がこの先、どのようにジャズを描いていくことになるのか、その動向がとても楽しみである。

文学と音楽の形式——ベイカー、ゲイツ、そして即興

文学作品中の音楽表象を研究するなかで、文学作品のメッセージが、その「内容」のレベルだけではなく、「形式」（どのようなジャンル、スタイル、文体をチョイスしているか）によっても表現されているということがみえてきた。さらに、アフリカ系アメリカ人の文学作品の形式の多くが、意識的あるいは無意識的に、ブラック・ミュージックの音楽形式と類似していることにも意識が向くようになった。私が研究対象とした文学・音楽作品はいずれも、過去の形式を差異とともに反復する形式を持ちあわせていたのである。

アフリカ系アメリカ人の文化を特徴づける反復的な形式については、八〇年代に黒人文学批評の礎を築いたともいえる批評家たちによって探求されている。ヒューストン・A・ベイカーは『モダニズムとハーレム・ルネッサンス——黒人文化とアメリカ』（*Modernism and the Harlem Renaissance*［一九八七年］）のなかで、アフリカ系アメリカ人文学のモダニズムが、「形式の習得（mastery of form）」と「習得の変形（deformation of mastery）」という実践に特徴づけられると論じる。[1]「形式の習得」とは、黒人作家が、白人が期待する黒人性の形式（一八九〇年代においては、白人が顔を黒塗りにして滑稽な黒人像を演じるブラック・フェイス・ミンストレルの形式）を習得して、白人の期待通りに演じることを意味している。これは、ともすれば、白人により押しつけられた非人間的かつ劣等な人種ステレオタイプの形式を反復するだけの迎合的な行為に見えるだろう。しかし、白人たちが黒人を非人間とみなしていた時代において、白人たちが期待する黒人像の「形式／マスク」を習得し、それらを戦略的に利用することは、白人社会に受け入れられ、作品が読まれる機会を獲得し、ひいては人種問題への関心を高めるための戦略だった。しかしこれだけでは終わらない。ここから「習得の変形」が生まれる。これは、白人が期待する「形式／マスク」を習得した上で、それを意図的にアフリカ系アメリカ人に固有の要素を導入しながら反復し、新しい表現形式へと刷新していくことを意味する。

ヘンリー・ルイス・ゲイツ・ジュニアが『シグニファイング・モンキー――もの騙る猿／アフロ・アメリカン文学批評理論』(*The Signifying Monkey: A Theory of African-American Literary Criticism*［一九八八］)のなかで提唱した「シグニファイング(signifyin')」という概念もまた、[2] 反復による既存の言語および形式の刷新というニュアンスを含んでいる。「シグニファイング」とは、アフリカ系アメリカ人の言語実践にみられる複数の特質で、一例をあげれば、黒人作家が過去の黒人の作品や形式に言及する「インターテクスチャリティ」や、白人が相手の場合、意図的に滑稽かつ無知な言語で応答し相手を欺くことを意味する「マスキング」などが含まれる。いずれの場合においても、「シグニファイング」とは、既存の(あるいは主流文化の)言語や対話形式を、比喩的かつ別様に反復して表現することを意味する。

文字通りの意味と比喩的な意味、表面的な意味と潜在的な意味が二重に響きあうという形式的な特質は、アフリカ系アメリカ人文学に限られたものではない。ゲイツによれば、ジャズの即興もまた「シグニファイング」の一例だ。ジャズにおける即興は、なんでもありの自由な演奏なのではないかと勘違いされることもあるのだが、実際には、既存の、あるいは主流文化の音楽形式のルール(小節数、コード進行、リズム)を習得した上で、その習得した形式を別様に反復することにより演奏されている。ゲイツが挙げる初期のジャズにおけるシグニファイングの一例は、ジェリー・ロール・モートンが一九三八年に録音した「Maple Leaf Rag (A Transformation)」で、これは一九一六年に録音されたラグタイム・ピアニストであるスコット・ジョプリンの代表曲「Maple Leaf Rag」を差異とともに反復し別様に表現した楽曲である。ベイカーの概念を借りれば、即興を行うためには、伝統的な音楽形式を習得すること(「形式の習得」)に加え、既存の形式を新しい音楽要素を導入しながら拡張あるいは再構築し、より自由で自発的な即興演奏を開拓すること(「習得の変形」)が必須なのだ。

ではなぜ、アフリカ系アメリカ人の文学・音楽には、このような反復的な形式が頻出するのだろうか。言語社会研究科に在籍していたときに執筆した論考「スイングする黒い体――ラングストン・ヒューズの短編におけるリンチ、ジャズ、パフォーマンス」で私は、このような反復的な形式が、単なる芸術実践であるばかりではなく、既存の人種ステレオタイプを変容させ、新たなるイメージへと刷新するための社会実践でもあることを論じた。ここで、私がジャズと同様に研究を続けてきた人種暴力の問題が関連してくるのだが、人種暴力は、奴隷解放後のスペクタクル・リンチから近年の白人警官による黒人の射殺事件に至るまで、黒人が犯罪者であるというステレオタイプに強く影響されている。黒人＝犯罪者というイメージがもはや「事実」として流通する社会においては、たとえ反暴力のために作成されたメッセージやイメージすらも、主流言説に取り込まれ解釈されることにより、ステレオタイプを強化する要因になりうる。たとえば、二〇世紀初頭において、黒人が暴力にさらされる様子を映し出す写真は、白人による人種暴力の残忍さを批判するという当初の意図に反して、黒人の劣等性を証拠づけるイメージとして白人側に受容されてしまい、さらにステレオタイプを強化させてしまうという悪循環に巻きこまれてしまうこともあった。

このような状況に応答するべく、ラングストン・ヒューズは「ホーム」（一九三四年）という短編で、過去の形式を差異とともに反復する形式を取りいれた。この短編には、白人女性に声をかけたことで、その女性をレイプしようとしているのだと白人に誤認識され、最終的には労働者階級の白人たちにリンチされ、木から吊るされて死を迎える黒人バイオリン奏者の青年が描かれる。ともすれば、性犯罪者としての黒人青年というステレオタイプを反復し強化しかねないこのプロットには、しかし、リンチされて木から吊るされる死体を、「風が奏でるバイオリン」という比喩で別様に反復して言いかえる場面がある。この場面を読み、私は、アフリカ系アメリカ人の文学作品にみられる反復的な形式が、既存のステレオタイプを差異とともに反復しながら、それを転覆させていく社会的な行為でもあることを理解するようになった。リンチされる主人公の死体を、新たなる芸術が生みだされる可能性を示唆する「風が奏でるバイオリン」として別様に表わすこの文学行為のなかに、作家ヒューズの社会活動家としての意思が強く表明されているように感じたのだ。

そして、この短編は、このような反復形式が、文学だけではなくジャズにおいてもみられることを、比喩的に語っているように思えた。リンチの文脈においては木から吊るされ揺れる死体の反復的な動きを指し示す「スウィング」という語は、短編の主人公が演奏するジャズの文脈においては、既存の形式を差異と共に反復していくスウィング・リズムをも意味している。この短編は、文字通りの「スウィング」（リンチされ揺れる死体）と、比喩的な意味における「スウィング」（躍動するジャズのリズム）とを二重に想起させることで、文学と音楽とが密接に結びつきながら、芸術として、そして社会的な媒体として発展してきた歴史を物語っているのだ。

アジア人としてアフリカ系アメリカ人文学・文化を研究すること

ベイカーとゲイツは、異なる概念を使用しながらも、アフリカ系アメリカ人の文学・音楽実践に見られる反復的な形式について理論化している。ここで、ゲイツの議論においては、反復する対象が黒人文化なのか、あるいは白人文化なのかによって、異なる意味付けがされている。黒人芸術家が過去の黒人による形式を反復した場合には、過去への賞賛と尊敬のジェスチャーとなる一方で、黒人芸術家が白人の形式を反復した場合には、アイロニーやパロディーのような批判的ジェスチャーになる。

もちろん、このような明確な黒人と白人の二項対立の図式ではとらえきれない複雑な事象もある。近年では、先述した「インターセクショナリティ」という概念が注目され、人種に基づく二項対立的理解の枠組みを、いかに階級やジェンダーの要素を交差させることで複雑化させるかという点に焦点が移ってきているように思える。

とはいえ、二〇〇〇年代後半にアメリカの博士課程で勉強していた私には、黒人と白人との二項を前提とする文学・文化批評の伝統についての理解が深まれば深まるほど、アジア人としてそれらを研究する私のような研究者の意義は果たしてどこにあるのだろうかという疑問が生じるようになった。留学中、一九世紀の黒人文学のクラスを教えるアフリカ系アメリカ人女性の先生から、「あなたはなぜアフリカ系アメリカ人文学を研究しているのですか。私は黒人女性として、ユダヤ人女性文学を研究しようとは思わない」と尋ねられたことがある。この質問を私は、アジア人である自分はアフリカ系アメリカ人文学を研究するべきではないと言われているのだと解釈してしまい、当初は少なからず落ち込んだ。でも、このような質問を投げかけてくれた先生に対する感謝の気持ちは、時間が経つにつれて高まった。

留学していた二〇〇〇年代後半、私は自身の日本人であるという主体性を透明化し(意図的に無視し)、アメリカ人と同じように英語で論文を発表し認められることを目標にしていた。でも、それは、アフリカ系アメリカ人文学・文化を学ぶ場合、自分の日本人であるというアイデンティティには全く触れずに、人種について論じるということでもあり、そのような態度が、とくに米国に留学していた時代には、どれだけ不信感を与えていたのだろうかということは、いまとなって実感できる。

留学中には、自分の研究が黒人文化への敬意なのかそれとも流用なのか、という問に直面したこともあった。留学中の大学で開催された学会では、ブラック・ミュージックのサウンドおよびファッションを取り入れる安室奈美恵やラッツ・アンド・スター、日本人によるヒップホップについて紹介する発表を聞いた。そして、このようなアジア系によるアフリカ系アメリカ人文化の利用をいかに理解すべきなのか、これらはアフリカ、カリブ海、アメリカをつなぐブラック・アトランティックの文化事例に含めることができるのか否かという議論を直に聞いた。当時の議論の中では、アジア系による黒人文化表現は、敬意というよりもむしろ、模倣や流用としてネガティヴにとらえられていた。そのようなか、自身のアジア人、そして日本人という立ち位置に触れずに、アフリカ系アメリカ人文学・文化および差別をめぐる研究を続けることは、おかしいような気がしてならなかった。

経済的安定のなかで、差別や格差を研究すること

大学のアメリカ文学の授業で、人種、ジェンダー、階級格差を扱うときにも、自身の矛盾を感じることがある。アジア人としてアフリカ系アメリカ人文学・文化を研究していることと同様、専任教員として経済的に安定している地位にありながら、階級格差を扱うことをどう説明すればよいのか。高校生時代、経済的に大学の学費が大きな痛手となる家庭環境だったため（現在では、当時よりもずっと多くの家庭が、学費による経済的困難を抱えているだろう）、大学の文学研究が、いかに貴族的かつ浮世離れしたものに見えたことか、いまでも鮮明に思いだす。私自身は、研究を続けるなかで、このような文学研究に対する偏見から解放され、文学研究が人種、ジェンダー、階級などの社会的な不平等についての議論を含む分野であることを知るようになった。言語社会研究科で出会った先生方が、文学・文化研究がどれほどに社会や世界に開かれているのかについて教えてくださったおかげである。しかし、このような文学の社会性についての認識は、いま、どれだけ一般に根付いているだろうか。文学研究で大学院に進学したいという相談を学部生からされることもあるが、みな異口同音に、文学の勉強は続けたいけれど、保護者の理解をなかなか得ることができないのだと漏らす。文学研究が、社会から乖離していく行為として、そして、就職の可能性を自らすすんで狭める行為として世間一般に認知されていることを実感する瞬間である。

大学院を修了し、非常勤講師として働いていた少し前の自分を振り返れば、私自身もまた、将来についての常なる不安と格闘していた。大学の専任教員として就職できた現在の環境が訪れたことに心から感謝している。しかし、経済的に安定した研究環境の中で見えてきたこともたくさんあるが、見えなくなったもの、感じることができなくなったものの方が、実はたくさんある。アフリカ系アメリカ人作家のゾラ・ニール・ハーストンは、『彼らの目は神を見ていた』という小説で、主人公の女性に彼女自身の体験を物語として語らせ、最後にこう言わせている――「そこで起こっていることを知るためには、そこに行かなければならない」。日本、そして大学という安全地帯から、人種暴

力や経済格差について研究している場合、どれだけ「そこに行く」ということができるのだろうか。もちろん、第三者的な立場から客観的に分析する研究にも意義があることは否定しない。

最近、このような状況のなかで感じていることは、私自身の現在の立ち位置こそを、自身の研究成果の中に、一つの「特権」の証として記す必要があるということ。もう一つ感じることは、日本の大学という現場へと話を移せば、私自身が、「そこで起こっていること」を、身をもって直に体験していることもあるということだ。学内においてしばしば見過ごされるジェンダー不平等や多数のハラスメント、コロナ禍における学生たちの経済的困難、専任教員と非常勤講師の格差、大学における人文学の軽視、英語教育における文学・文化分野は実践的ではないという誤解。学部時代に英語教育を専攻し、教育学部の教員となったいま、文学と教育分野とを横断しながら活動することで、私自身が変えていけることもあるかもしれない。

アフリカ系アメリカ人文学・文化研究は、既存の社会が期待する形式や構造を習得した上で、それらの形式・構造自体を変化させていくことも可能なのだということを教えてくれた。そして、変化のためには、習得した知識を批判的に見直し、再構築していく必要があるということをも。このようなアフリカ系アメリカ人文学・文化批評が洗練させてきた変革という方法論を、いま、私自身が、自らが置かれる文脈の中で、実践する番なのだと感じる。

【註】

（1）ヒューストン・A・ベイカー『モダニズムとハーレム・ルネッサンス――黒人文化とアメリカ』小林憲二訳、未来社、二〇〇六年。

（2）ヘンリー・ルイス・ゲイツ・ジュニア『シグニファイング・モンキー――もの騙る猿――アフロ・アメリカン文学批評理論』松本昇／清水菜穂監訳、南雲堂フェニックス、二〇〇九年。

そうできなかったかもしれないけれど……、そうできないかもしれないけれど！

――一橋大学大学院言語社会研究科での一〇年

申知瑛／高橋梓・訳

あなたと私の暗闇の前で

おそらく、一橋で過ごしながら得た力と慰労が大きいものだったからなのかもしれない。二五周年記念の原稿依頼があった時、これは書かなければならないと思った。見知らぬ地だった国立は、一〇年間で築いてきたさまざまな関係をとおして「私の場所」になった。

しかし、「私の場所」というのは、決して落ち着いた場所でも、楽しさだけがある場所でも、私一人だけが存在した場所でもない。むしろ、一橋の大学院に通っていた頃の私が感じていたこと、そして現在研究者として生きていくために頑張っている大学院生が感じているであろう暗い状況を考えると、いったいどこから書き始めればいいかわからない。韓国において韓国国籍を持つ者として、そして大学という場に身を置いている今の私が、一橋の言語社会研究科で経験した「大学」に限定されないさまざまな関係の力と、その関係をとおして得た深い慰労について書くことがどのような意味を持つことができるだろうか。私の感謝と共感の言葉が、時にはある状況に置かれた誰かにとっては剥奪と排除の言葉になりうるという点を忘れてはならない。そのため、私はこの文章を過ぎ去った思い出のように書くことができない。

この状況が、また別のあなたと私の現在であり現実であるからこそ、一橋の周辺のことを考えると、どこか胸がいっぱいになる。懐かしさや満たされた気持ちだけではなく、不安や苦しさだけでもない、危なっかしかった瞬間のさまざまな感情が、今の私が直面している悩みの中にも位置を占めているからだ。私にとってそれは、三〇代の記憶である。二〇代は延世大学の大学院生だったが、その時はスユ＋ノモという大学の外の知識共同体で過ごしながら、研究と社会運動を初歩から学んでいた。三〇歳になった年に日本に留学し、初めて独立することになった。韓国では大学、スユ＋ノモ、家族と親戚、活動家、長い付き合いの友人たちなど、さまざまな関係の中で暮らしてきたが、日本に来た瞬間私の周りが静かになった。吹く風さえもよそよそしい場所に来てしまったと思った。韓国で長い間関係を築いてきた研究や活動のグループと少し距離を起きたいという思いから選んだ留学だったが、三〇代という責任感を感じなければならない状況で、不慣れな地でのスタートは大変なものだった。はたして独立した「研究者」、経済的に独立した「生活者」として生きていけるのだろうか。さらに、外国人という立場から政治的な活動に参加することができるのだろうかと、私は自分に何度も問いかけていた。

延世大学の教員になって、一〇年ぶりに韓国に戻った。帰国する直前は、つらい時期だった。多くの講義を担当して生計を立てながら、博士論文を書いていた。韓国と日本の大学に公募書類を出していたが、最終面接で何度も不採用になっていた。不採用が続く中、ある日こう考えた。「一生懸命やったけれど、教授にならないまま一生を終えるかもしれない……」。その時、研究者、もの書きとしての人生を選んだことを後悔しているかどうか、自分に何度も問いかけてみた。「教授」は夢ではなかった。ただ、生活する中で、研究者が思いつく安定的な位置だった。胸の中を占めていた正体不明の鬱憤がすっと消えることはなかったが、社会活動をとおして友人たちと一緒に過ごすことができる場所を作りながら、一生学びながら文章を書くことができればいいと考えた。そんな力が、私の中の奥底にあるのだと感じた。このように肯定的に考えることができたのは、一橋で過ごす中で築いてきたさまざまな関係をとおして力と慰労を得ることができたからだと思う。

生活の場として「選択」した言語社会研究科

その力と慰労がどのようなものであったか考えてみると、はっきりと表現することは難しい。ただ、一〇年間で出会ってきた、複雑にもつれ合った関係の全体のようである。しかし、一つ言えることは、一橋の言語社会研究科は私が「選択」した場所であったという点である。もちろん、言語社会研究科の先生方が私を大学院生として受け入れてくれたわけだが、私は日本で研究しながら研究していくコミューン、あるいは村として、ここを自分で選択したのだと、呪文を唱えるように考えていたようだ。

もちろん、悩むこともあった。当時私は韓国で博士学位を取得した直後だった。延世大学では、博士学位を取得した数年間は講師の資格が与えられる。多くの大学院の同期たちは、韓国で二―三つの科目を担当しており、今後就職する時にも大学の先輩・後輩の関係をしっかりと作っておく必要があったので、日本にいるということに現実的な不安を感じた。しかし、ちょうど興味を持ち始めていた九州の「サークル村」の思想家たちについてもっと知りたかったし、植民地期の朝鮮と台湾の関係についてより研究したいと思った。迷いながらも決心して、大学院に足を踏み入れた最初の年に、東日本大震災、津波、原発事故が起きた。心が大きく揺れた。その時間をとおして、これまで知り得なかった日本社会の複雑な素顔に出くわすことになった。一方で、いまだにつらい時間を生きている人びとのことを考えてみても、また私自身の経験を振り返ってみても、あのような災害は起きてはならないものだった。

しかし、災害は起きてしまったのであり、多くの留学生は故郷に戻っていった。それと逆行する形で、私の大学院生活は始まった。二〇一一年春、鵜飼哲先生のゼミは決して忘れることはできない。大変な思いをしている被災者が、家族、知人、友人だった受講生とともに、誰も安全であるとはいえなかった緊張の中でゼミが行われた。一橋の言語社会研究科を選んだのは、鵜飼先生の「ある情動の未来」(『主権のかなたで』岩波書店、二〇〇八年)を読んで、もっと先生から学んでみたいと考えるようになったからだった。しかし、鵜飼ゼミが私の心を捉えたのはそれだけではなかった。

鵜飼ゼミは大学院生以外の人にも開かれており、一緒にゼミに参加している人びとが各自の研究と活動に没頭していて、互いに競い合うことはなかった。研究が自分や世界の助けになればと望むのは当然なことだと考えてきたが、実際にそう考えて実践している人に出会うのはたやすいことではない。鵜飼ゼミでは、そんな友人たちに出会うことができた。ゼミは一回始まると、四―五時間は続いたが、私は安心して考えに没頭できるその長い時間が好きだった。時には疲れることもあったが、ゼミが終わるころにようやく糸口を見せる深い思考と出会うことができた。二〇一一年の震災直後の鵜飼ゼミは、まさにそのような特性をとおして、最も敏感で政治的な問題を歴史と現在の中で、東京という地域性を超えて分かち合う、終わりのない広がりを持った時間だった。そのためか、大学院の一・二年のコースワークが終わった後も、鵜飼ゼミの初回の授業には必ず出席していた。毎学期最初の授業に行われる鵜飼先生の講義は、研究と活動が交差する地点において、私自身の位置をはっきりと自覚させてくれたためである。また、鵜飼ゼミを通じて出会った在日朝鮮人文学を研究する先輩方(呉世宗先生、宋恵媛先生)は、韓国、文学、男性という範疇の権力性を柔らかくかつ深く内破する力を示してくれた。今後先輩方とどのような研究を一緒に行うことができるかについて考えると、ワクワクする。

イ・ヨンスク先生のゼミの第一印象は、強く記憶に残っている。偶然にもゼミの最初の日に、手話通訳をとおして受講する学生がいた。イ・ヨンスク先生は他の学生にゆっくりと話すようにと念を押していた。その後も、イ・ヨンスク先生のゼミにはさまざまな国籍の学生が参加し、互いの発言の速度を合わせることが、対話から阻害された人を作らないためには重要であるということを感じることができた。実は、イ・ヨンスク先生の授業をはじめて聞いたのは、日本に来る前のことだった。『国語という思想』(岩波書店、一九九六年)の著者として有名だった先生の特別講義が延世大学で開かれ、当時修士課程の一年生だった私はその特別講義を受講した。そして、初めてアイヌの言葉で近代の暴力を表現することが難しいということを学び、生物が多様性を持つように言語の多様性が大切な価値を持つものであることを知ることになった。日本でイ・ヨンスク先生のゼミに参加しながら、このような思想的な側面での学びも深まることになった。一方で、イ・ヨンスク先生のゼミは、植民化を行った国家において被植民の歴史を持つ女性研究者が研究活動をする時、どのような敏感さを持っておかなければならないかについて示してくれる、心の拠り所でもあった。

星名宏修先生のゼミを思い浮かべる時、あたたかい気持ちになる。星名先生のゼミでは、一緒に勉強する学生同士が助け合い、信頼し、待つことの必要さを学んだ。学問的に植民地期の台湾と朝鮮の関係について深く考えることができる時間でもあったが、何よりも星名ゼミがよかったのは、素朴で自然な雰囲気であったということだ。唯一日本語が間違っているかもしれないという不安感から抜け出して発言することができる時間でもあった。それは、ゼミに留学生が多かったからだというわけではない。新しく修士課程に入ってきた台湾と中国の留学生のエネルギーが、憂鬱になりがちだった私を何度も助けてくれもしたが、星名先生は誰に対してもたやすく評価を下したり、諦めたり非難することはなかった。いつも変わらぬ姿で待ってくださり、重要な資料を惜しむことなく紹介してくださり、誰に対しても最後まで信じてくださった。

長い時間をとおして行われた政治的で哲学的な対話、他者の発話の速度に合わせる方法、待つことができる信頼と包容力——このような点が、焦りがちな年齢になっていた留学生の私に与えてくれた力と慰労は信じられないほどに広く、痛いほどに深い。

ここは太平洋を泳ぐ村

一橋は、私にとって大学院としての名前だけを持つものではない。一橋をとおして出会った友人たち、周りの大学の先生や友人たち、カフェ・れら（https://www.cafe-rera.com/）のようなアジト、一橋の周辺の社会運動家たち、心の支えになっていたキャンパスの木々、その村全体の名前である。

その中で、友人と共に行ってきた研究会〈太平洋を泳ぐ村〉は心強いものだった。説明しようにも、多くのことが思い浮かぶので、どう書けばいいかわからない。研究会の友人たちがいてくれたおかげで、私は私がここで暮らしているということを実感することができた。留学していた時期の生活、研究、活動、感情の共有の座標となった。研究会でのすべての時間と、これからの時間が私にとって大切なものである。何よりも、狭い部屋の中にうずくまって座り、しびれた足の位置を直しながら夜中の一時や二時まで互いに遠慮することなく真剣に議論することができた友人たちの情熱が、各自が望む形で実を結べばいいと思っている。また、これからもずっと共に学ぶことができればと思う。このような研究会をすることができたのは、学生会や自治による学生寮など一橋の自律的な雰囲気、社会主義大学院と呼ばれるほどラディカルで自由な学風、市民運動が活発な街の雰囲気のおかげだろう。研究会をしようと私が言った時、ためらうことなく「いいよ」と言ってくれた瞬間、一人の友人がまた別の友人を連れてきてくれて繋がりができていった。困難なことがあっても、信頼を持ちながら続ける姿が私に与えることになった安定感と慰労は実に大きい。

一橋の自律的な学風と自由な雰囲気は、国立・国分寺・三鷹のさまざまな大学との関係の中にある。そのためか、私は一橋のことを考える時、東京外国語大学の米谷匡史先生とそのゼミで出会った友人たち、特に日本に来たばかりの時に住む家を一緒に探してくれた曺恩美さんへの感謝と、高橋梓さんとの友情が思い浮かぶ。米谷匡史先生は、何の肩書もない私が日本で研究員として留学できるように手助けをしてくださり、日本で歴史と思想を研究する研究者として持つべき態度について教えてくださった。今でも先生と会えば、四時間でも五時間でも研究について話してくださる。米谷先生からは、権威を持つことになっても権威を振りかざすことのない心、徹底した資料の読解、発話の位置をめぐる繊細な認識などを学んだ。米谷先生との対話をとおして、私は日本の研究と植民地朝鮮の研究の差異を敏感に感じ取りながら発言し、文章を書かなければならないと誓うことになった。

一方で、武蔵大学の渡辺直紀先生と波田野節子先生が中心となっている〈人文評論研究会〉に参加することで、韓国文学の研究者としてのアイデンティティを保つことが出来た。特に、渡辺直紀先生は、多くの研究者と交流する機会や、研究発表の機会をくださっただけではなく、生活のために非常勤の授業が必要になった時にすぐに対応してくださった恩人である。一橋の近くの吉祥寺にある成蹊大学の李静和先生は、政治と芸術の接点において消えることなく揺れ動く感情に道を開く芸術家たちと出会うことができる機会をくださった。研究者との関係だけではなく、反貧困・反オリンピックの活動や、沖縄の「ゆんたく高江」の活動を知ったのは、政治的な立場を形作る決定的な基盤になった。しかし、何よりもいちむらみさこの活動と、彼女をとおして知ることになった野宿生活者女性の日記は、最も根本的な起点において私の政治性を形成した。このような話について、「一橋と何の関係が?」と疑問に思う方もいるかもしれない。だが、少なくとも私にとってはこのすべてが一緒になってこそ、一橋という私の中に刻み込まれた記憶と近づくことになるのである。

しかし、私の中に刻み込まれた一橋の関係には、研究者、活動、人間だけが存在するのではない。一橋は、私にとってカフェ・れらで食べたエマさんの料理である。カフェ・れらは、北海道のスープカレーのお店だが、飲食店というよりはアジトに近かった。「れら」という言葉は、アイヌ語で「風」という意味であるように、風のアジトだった。トイレには、アイヌ語のカレンダーや名札が貼られていて、ある詩人が「ここには角張ったものが一つもない」と言ったというカフェ・れらに、私は母のご飯を食べに行くように、毎日のように通った。元気がない時も、お腹の調子が悪い時も、少し寂しさを感じた時も、年末年始にも、急に寒くなったり暑くなったりする季節の変わり目にも、集会や公演のチラシを見たいと思う時も、そしてただ思いついたらカフェ・れらに行っていた。二〇一一年三月一二日、東日本大震災の翌日、ただ人の顔が見たくなって行った場所もカフェ・れらだった。そこで原発事故でメルトダウンが起きているというラジオのニュースも聞いた。家に帰ろうとする私を引き留め、あのゆっくりとした語調で大丈夫なの？と心配してくれたエマさんの顔を今でも覚えている。

カフェ・れらに行けば、先生や大学院生にもよく会った。私はそんな偶然の出会いに負担を感じる方ではあるが、カフェ・れらには通い続けた。ある時には、カフェ・れらは荷物を預かってくれる場であり、また手紙を届けてくれる役割もしていた。その中でも、障害者運動をとおして知り合うことになったTさんの手紙は忘れることができないだけでなく、返事をできず今でも心の片隅に申し訳無い気持ちが残っている。私がこれ以上国立に住まないということを誰かが残念がってくれるということがどれほど大きな贈り物だったのか、Tさんは知っているだろうか？　今カフェ・れらは「風に吹かれて以来」長野県松本市に移転したという。コロナによるパンデミックで、一足遅れてそのことを知った。移転したカフェ・れらにも行ってみたいが、一橋の傍にカフェ・れらがないということは全く想像ができず、実に悲しい。だが、国立にはカフェ・れらだけではなく、店ともアジトとも区別できないような場所が多く存在する。広い心で迎え入れてくれるロージナ茶房、公演が行われるかけこみ亭、小規模な集まりや活動に場所を提供している国立市公民館などがある。すべての小さな店と、小規模な集まりができる空間と、ゆっくりと散歩することができる大学通り、一人引きこもってもよい場所など、さまざまな「隠れ家」があり、あちこちで秘密の地下組織の活動を行うのにちょうどいい場所が一橋という場所、大学院に限定されない関係の全体である。

関係作り、「異邦人」の存在証明

韓国に帰国する飛行機の中で、誓ったことがある。韓国に帰ったら、母語を日常的に使う韓国国籍者として暮らすことになり、安定した職を持つことになる。けれども、国籍や安定した職というものは、どれだけ権威的で無礼な位置になりやすいだろうか！　したがって、韓国で何かを発言したり主張する時、韓国語が母語ではない存在、そして当然与えられるべき権利が剝奪されている存在がいること、そんな存在を作り出すシステムの中で私が暮らしていることを忘れないようにしようと考えた。

一橋での一〇年間が影響したのか、一橋の言語社会研究科に提出した私の二本目の博士論文のテーマは、延世大学の大学院の最初の博士論文のテーマとは大きく変わったものになった。延世大学の博士論文は、朝鮮の近代啓蒙期から一九四五年までの演説・討論・座談会の文学的な記録をとおして、さまざまな関係（植民／被植民、階級、ジェンダーなど）の変化を分析した。このようなテーマを選んだのは、おそらく私が多層的で複雑なネットワークの中にいたためであるかもしれない。一方で、一橋に出した博士論文は、一九三〇年代末から一九四七年頃にかけて東アジアの流民および被植民者（特に朝鮮と台湾）内部の関係を論じ、どのようにそれらを互いに比較し競争させ合う枠組みから抜け出すことができるかについて考察した。このテーマに行き着いたのは、留学生として過ごしながら、ディアスポラのように根を持たない者同士の感情と繋がりを考えるようになったためであると思う。自分の状況が悪くなった時、似たような状況やより厳しい状況に置かれた存在とつなぎ合わせようとするのは、思ったより難しい。しかし、この「〜より難しい」という比較の尺度を変えることで新たな関係を模索してみたかった。

韓国に戻って、最近では一九四五年前後の東アジアの流民が残した記録文学を少しずつ調査しながら、現在の韓国の難民および難民化された存在（動物など非人間を含む）との経験とつなぎ合わせる研究を行っている。今の最も大きな悩みは、社会活動に積極的に参加する時間が絶対的に足りない中で、どのように研究、活動、教育のバランスを保つことができるだろうかということだ。法を守りながら死んだり、生きるために法にそむかなければならないと絶叫する韓国の難民の生に接するたびに、留学生という身分がどれほど保障されたものであったかを改めて気付かされもし、忙しいと言っている自分自身が恥ずかしくなりもする。どのような領域においても常に自分の力不足を感じてはいるが、少なくとも研究者・もの書きであるという点においては恥ずべきことがないようにありたいし、そうあるように努力したい。

このように、一橋という関係全体は、私にとって研究と実践と生活が接し合う地点について、絶え間なく考えることが求められるような、やわらかくも強い力である。たとえ一橋で過ごした一〇年間で私がそうできなかったとしても、あるいは今私がそうできないとしても、いつかはそうできるのだと信じて待ってくれ、言葉をかけてくれ、新しい知識と刺激をくれる、古く新しい関係に深くつながれていると感じる。この繋がりの感覚が、もっと努力して生きようというエネルギーになる。または、この繋がりの感覚は、当時の私はそうできなかったとしても、現在の誰かはそうできるだろうという期待、つまり見知らぬ存在への期待にもなりうるのである。

もちろん、これはあくまでも「私の経験」である。この中には、消し去られた存在の経験もあるだろう。たとえ私が誰かの立場を完全に理解することができるとしても、「私たち」は同じ瞬間につらいと感じたり、嬉しいと感じることはできないだろう。しかし、私は私が選んだ村が、その村の中で私に反する存在も含めて、大切である。二五周年を迎えた言語社会研究科ではさまざまな難しさもあると聞くようになった今、もっと多くの呪文を唱えるように、大切だと伝えたい。

なぜなら、異邦人ということは存在が消されるという経験であるからだ。そのため、異邦人はある存在を消してしまおうとする瞬間において、しっかりと立ち向かう生の方式であるといえないだろうか。一橋という関係は私にとって「異邦人」の存在証明を国家や権力に頼ることない方法で創造できることを経験させてくれた。このような「私の記憶」が、私が知らない誰かにも関係と繋がりを作り出す力と慰労になればと思う。たとえ、当時そうできなかったかもしれないけれど……、また現在そうできないかもしれないけれど……、今一橋という関係の中で生きている誰かはそうできるように、またそうであるように！

【座談会】太平洋を泳ぐ村

【司会】西 亮太

【出席者】

申知瑛　嶽本新奈　吉田 裕

片岡佑介　松田 潤

佐喜真彩　佐久本佳奈

君島朋幸　金利真

清水雄大　番園寛也

はじめに

西　本日、司会を務めさせていただきます西亮太と申します。よろしくお願いします。まずは今回の趣旨説明をしたうえで、参加者のみなさんに自己紹介をお願いしたく思います。さて、二〇二一年で一橋大学言語社会研究科が二五周年を迎えました。これを機会にこの研究科の特色と魅力を発信するために、卒業生と在学生が共に学び合う独立した研究会であり自治的なコミュニティでもある「太平洋を泳ぐ村」のみなさんに座談会の開催をお願いした次第です。個々人の背景も専門分野も異なる人々が互いに学び合うというのは言語社会研究科の最良の特色のひとつだと思いますが、このコミュニティはさらに専門ゼミの所属のちがいや研究科の垣根すら超え出た学び合いと支え合いのつながりであるという意味で、言社研のエッセンスを体現したものだともいえると思います。そうした観点から、このコミュニティのこれまでの歩みを参加者のみなさんに語っていただければと思います。

それでは自己紹介に入ります。私は二〇〇五年に修士課程に入学し、二〇一四年に満期退学となりましたが、二〇一〇年辺りからずっとこの研究会に参加しています。専門はポストコロニアル批評理論で、エドワード・サイードの研究をしています。この研究会で影響を受けて、森崎和江をはじめとした炭鉱の文化や文学についても関心を持っています。

知瑛　申知瑛です。私はこの研究会と共に一橋の大学院生活を送った気がしています。専門は韓国・朝鮮文学と東アジアの文学と思想で、特に東アジアにおける一九四五年前後の流民の記録文学について愛情を持っています。日本に一〇年ぐらいいて韓国に二〇一八年に戻りましたがＺｏｏｍを通じて研究会を続けています。可能な限り社会活動を繋ぐ目線で研究し文章を書いていきたいと思っていて、現在の難民をめぐる活動に参加しながら、歴史の流民の経験へとつなげていこうとしています。今日は、座談会というよりは話し合いの会になればと思いますが、それより、研究と生活の中で苦労している大学院生を含むさまざまな位置の研究者に向けて、私たちの研究会について語ることがどういう意義を持つことになるのか、あるいは何かを言える立場なのかということを含めて少し悩みながら参加しました。

嶽本　嶽本新奈です。専門は日本近代のジェンダー史で、具体的にはからゆきさんという明治以降に海外に渡って性売買をしていた女性の歴史や言説について研究をしています。人の移動やジェンダーが関心トピックになります。この研究会にはいつから参加したのか……気がついたら入っていました。この研究会自体がとても得難い場であると思いますし、今ここで記録を残しておくことも大事だと思います。

吉田　吉田裕といいます。元々はイギリス文学を研究していましたが、一橋に入ってから少しずつ学び始め、今は主にカリブ海地域英語圏の文学や思想を研究しております。この研究会は色んなところに足を突っ込んだりした中では、一番長く参加しているところです。自分の専門以外のことを、関心を持ってつまみ食いするっていうよりも、足場を持ってしっかり研究してる人からその姿勢や精神を学ぶっていう場だったと思います。それぞれディシプリンや学んできた来歴は個人で違うけれども得難い刺激を受けてきたので大切な場だと思っています。

片岡　片岡佑介です。私はもうこの研究会がなかったら、今どこで何をしてるかわからないぐらい、危うい感じでフラフラっと大学院に来ちゃった口で、現在の専門は原爆映画研究ですが、修論のときは別のことをしていた不届き者です。このテーマ変更も東日本大震災のときにここのメンバーと過ごしたことがきっかけで、結果的には正解だったと思うので、研究会があって本当によかったと感じています。

自己紹介を始める前にみなさんと雑談していたことですが、コロナになる前は知瑛さんのお家や大学の寮で食べ物やお酒を持ち寄り、食べながら研究会をしていましたよね。この食べることが今日はとても大事なのではないかと思っています。今、座談会と称してＺｏｏｍで映像を介しながら話し合っていますが、これが本当に会っている、座談会をしていると言えるのかが重要な気がするんですね。コロナ以降、オンライン配信で大学の授業やゼミが行われているけれど、本当にそれで大学の授業やゼミを代替できているのかというのはよく指摘されるところです。そこで欠落しているのが食べることなんじゃないかと。武村知子先生のゼミは常に食べ物がありましたが、鵜飼哲先生のゼミも終わった後に第二ラウンドとして「ロージナ茶房」（国立にある喫茶店）にご飯を食べに行って、ああでもないこうでもないってゼミの場ではくすぶってたものを消化して、一緒に噛み砕いてまろやかにする時間が私にとっては大切なものでした。この研究会でも何を読んだとか、何かを学んだっていうのとはちょっと違う余白みたいな部分が、むしろ根幹になっているんじゃないかなって。

同じように設立当初のこの研究会の名称だった「反復帰・反国家研究会」から、現在の「太平洋を泳ぐ村」という得体の知れない名前に変わっていったところに、むしろこの研究会の本質があるんじゃないかなという気がして、今日はその辺りを振り返りたいなと思っています。よろしくお願いします。

西　いきなり核心的なトピックが出てきましたね。そういえば、二〇一一年の震災の後にもいろいろ集まって話したりしていましたが、その時の集まりについて、どなたかがメールで「つぶやくように話をしましょう」みたいな表現をしていたのを覚えています。きっと、明確な意見や意図、主張をするためではなく、ただ集まって食べることが大事でそれがコミュニティだったのだと思います。この話も後で深められたらと思います。

松田　松田潤です。沖縄文学と思想史の研究をしています。研究会に参加したのは震災後です。二〇一一年に修士入学で沖縄から東京に来ましたが、あのときはあらゆる機能がストップして入学式も五月に延び、混乱していたことを記憶しています。同期の山口侑紀さんに声をかけてもらって、研究会に参加するようになりました。研究会が反復帰・反国家論の勉強会からスタートしていて、私も沖縄の復帰前後の思想と文学について研究していたので声をかけてくれたのだと思います。この研究会と一緒に東京での一〇年を過ごしてきたといえますが、私にとってこの研究会が重要だったのは、人文学の言語をいかに他者に向けて翻訳し開いていくかを学び実践する場であったからだと感じています。この時代に人文学の言語や思考方法を学ぶということは、メジャーな学問や支配的な価値から離脱して周縁性の中に分け入ることでもあり、またある種のマイノリティ性を引き受けマイノリティになっていく経験でもあるように思いますが、修士の頃は勉強すればするほど外の世界と言葉が通じなくなる感覚が大きくなっていました。そのような時に、この研究会は自分の研究や考えていることを言葉にして交わすことのできる稀有な場であり、またその方法を学ぶ場でもあり、少し大袈裟に言えば私にとってはセーファースペースのような場でした。

また研究会では時間と具体的な場所を共有してきたことも重要だと思っています。この研究会は一八時にスタートしたら終わるのが二四時を過ぎることもしばしばで、時間が長いということが特徴の一つですが、それがなぜ重要だったか、またそこにどのような配慮や困難さ、疲れがあったかを話したいです。それは同時に、場の確保や提供を通して、スペースを作り維持していく努力がこの一〇年あったことを意味しています。片岡さんと佐喜真さんが管理を担ってくれていたメーリングリストもそのような大事な場の一つであったと思います。その辺りのことも含めて今日は話せたらと思います。

佐喜真　佐喜真彩です。専門は戦後沖縄文学です。私も修士に入学してすぐ山口侑紀さんに声をかけてもらい参加しました。松田さん、佐久本さん、君島さんと同じ大学（琉球大学）出身ですが、実はその頃は接点がなく、ここでつながることができました。この研究会に参加した当初は、研究対象や分析視点がまだ定まっていない時期で、研究者として卵から生まれたばっかりという本当に歩き方もわからないような状態でした。そのような状態でしたので、この研究会でまず学んだのは、学問することや研究者としての態度などとても基本的なことです。でもその基本をここで学ぶ経験に恵まれたのは本当に重要だったなと振り返って思います。というのは、この研究会の特徴でもあるのですが、自分の生きている現実を研究内容から乖離させずに結びつける態度をもつということをみなが自然と基本にしていたからです。

先輩方はフラットで優しかったですが、ただ、優しさの中に厳しさもありました。その厳しさというのは、研究者としての歩き方を手取足取り教えてくれたというわけじゃなくて、例えるなら、泳げないのに海に飛び込んでついていかざるをえないような、泳ぎ方を身体で学ばせてくれるような、そのような感じでした。でもだから吸収することがとても多かったなと思うんですね。専門知識をもった研究者が、研究する時だけではなくて、日々の生活を送るなかで、この世とどう関わっていけるのか、あるいはどう関わっていくべきなのかという態度を含めて、学ばされることばかりでした。

佐久本　佐久本佳奈です。専門は占領下の日本文学と沖縄の文学を法制度との関係から研究しています。私は修士まで琉球大学でのんびりしていたので博士から東京に出てきて研究者人口が多いのが魅力的でした。一橋は院生寮も活発だし過しやすい環境がありました。沖縄の文学のテクスト発掘と批評はポストコロニアル理論の流入後に盛り上がりますが、沖縄で沖縄文学研究を目指し始めた私はその枠組みを相対化せずに沖縄にいたと感じました。東京では、日本文学研究の制度というかゲームを肌身で感じる機会が増えました。「あなたは一体何をしてる人ですか」と制度の中で問われることが新鮮で、大事なことでした。それでも、マイナーな作品にこだわるということを捨てずにもがこうと思えたのは、制度との折り合いがつけられる場所としてこの研究会があったからだと思います。

西　そういえば先ほど片岡さんから共に食べることの重要性、松田さんからそうした場の重要性といった話がありましたが、あわせて、参加者から「わたしはなかなか研究論議に参加できなかったので、いわば「食べる傍聴者」だった」という発言もありました。お名前は出したくないとご謙遜なさいましたが、とても面白い表現だと思いましたので、ここに残しておきたいと思います。

君島　君島朋幸です。専門は在日朝鮮人文学で、七〇〜八〇年代に活躍した宗秋月という詩人を中心にやっています。この研究会に参加したのは二〇一九年に一橋に進学した後で、同じ中和寮に住んでいた佐久本さんに連れていかれました。研究会に参加して一番ありがたかったことは、先ほど「食べる傍聴者」という表現がありましたけども、二〇一九年は本当にお金がなくて食べに行っていたので、救われていました。

去年は院生で「東アジアと同時代日本語文学フォーラム」のパネルを組んで発表する機会もあり、準備段階からみなさんが的確にコメントしてくださいました。結果的にオンラインでの研究発表になりましたが、そのときパネルコメンテーターで呉世宗先生が出てくれるってお話でしたけど、国籍の問題で一回日本を出ると、もう再入国できないかもしれないっていうことがありました。僕は恩師がそうなってしまうと本当に困るということでとても苦しかったんですが、先ほどモヤモヤを共有するとの発言がありましたように、その混乱をメールにしたらみなさんが、すぐにこうした方がいいと教えてくださって、まさに生き延びる方法をいろいろ示してくだいました。なんとなくその研究者としての生々しい生き方を共有できてここに参加できてよかったと思います。

利真　大学院から言語社会研究科に入って、今年の三月に卒業し、引き続き同じ研究科に特別研究員として所属している金利真と申します。学部の時は韓国の多文化家族をめぐる認識や表象について研究していました。その後、最初大学院に入った時は、在日朝鮮人作家が書いた文章に関心があったので、それと関連する研究をやるつもりでした。ですが、自分が文学そのものではなく、ディアスポラにまつわる作品に関心を持っていることに気づき、韓国から欧米に送られた国際養子について研究するようになりました。国際養子縁組制度は、冷戦体制の影響を受けており、朝鮮戦争後に始まってから七〇年ぐらい経っているのですが、当事者の世代によって背後にある社会的な状況やそれぞれの経験も違います。私はそれらに関する国際養子たちのナラティブを、映像表現を通して見てきました。いまは、米軍の駐屯と国際養子縁組制度の関係性についてもっと深く調べているのですが、日本の中でもとりわけ沖縄の状況と比べてみたいと考えています。沖縄の米兵と現地の女性との間に生まれた「混血」の子どもの養子について、一橋でも二〇二〇年に学位論文が出てきていましたし、これからこのような研究が増えていくだろうなと思っています。

私が研究会に参加したのは二〇一八年の一月で、韓国のイ・ジュンイク監督の映画『空と風と星の詩人～尹東柱の生涯～』を観ながら研究会の方向性を考える、新年会のような時からでした。その時も食べながら映画を観て感想を話し合ってましたね。その時から今まで研究会について思うのは、鵜飼先生のゼミだと取り上げる分野や内容が少し広すぎてわからなかったことが、ここでは自分からもう少し近づけそうな気がしたことです。また、二〇二〇年に文学系のみなさんと院生パネルを組んで「東アジアと同時代日本語文学フォーラム」で発表できたことは、自分にとって本当にありがたい経験でした。タイトルや要旨から細かく一緒に考えるのが新鮮だったし、大学院生ならではの贅沢な時間だったと思います。そして、自分が大学院に入ってから心のどこかで持っていた悩みも、ここでは打ち明けることができました。たとえば自分でよく分からない、できていないと思っていることについてそのまま言ってみたら、励ましてくれて。この場を通して少しずつ壁を乗り越えてきた気がします。いまはPDでもあり、コロナ禍で中々直接人には会えてはいませんが、研究会に支えられています。

清水　清水雄大です。専門はフランス哲学で、とくにミシェル・フーコーを中心に二〇世紀後半の哲学者たちを研究しています。言社研では鵜飼先生にお世話になっており、鵜飼ゼミでこの研究会メンバーの大半と知り合いになりました。とはいえ、私自身はわりと早くからフランスに留学していましたので、この研究会に出入りするようになったのは遅く、博論を提出した後の二〇一九年頃からだったと思います。哲学、それも西洋哲学が専門の私にとって、この研究会は東アジアの運動、実践の現場で立ち上がっている声を聞くことのできるとても貴重な学びの場になっています。もっとも、私からみなさんにその分なにかお返しできているのか定かではないのですが……。

研究会のはじまり

西　色々な面白い話題が出てきて、この研究会のある種の核心みたいなものがなんとなく見えていたような気もします。この流れでこの研究会の名前の由来も含めて、やや思い出話めいたものになるかもしれませんが、覚えている範囲でいろいろお話いただきたいと思います。

吉田　名前の前に、これまで読んだテクストの年表を見ながら思い出したことを少しお話しさせていただきます。私は大学院の修士まで早稲田大学にいて、博士後期課程から一橋大学に来たので、カルチャーがすごく違っていて驚きました。自分があまりに物を知らないと感じて呆然とした記憶があります。

一橋の言語社会研究科は、特に現代思想や哲学、フランス文学、歴史、社会言語学と、さまざまな分野を専門とする人たちがいました。そういう中で色んな人が集まってる鵜飼ゼミにたまたま迷い込んだっていうのが運の尽きで（笑）、あらぬ方向に歩みを進めることになりました。

仏文系の人と共に、エドワード・サイードやシモーヌ・ヴェイユを少しずつ読んだ記憶があり、その流れで、ＷＩＮＣ（東京外大の海外事情研究所を拠点に、岩崎稔、成田龍一、戸邉秀明の各氏を中心に二〇年くらい継続しているオープンな研究会）で面白い書評会があるから行ってみないかと小田剛さんに誘われて行きました（小田剛さんは沖縄出身のサルトル研究者で、博士課程からファノン研究に移行した）。その合評会は、社会評論社から刊行された『沖縄・問いを立てる』（全六巻、二〇〇八年）という本についてで、テクスト研究的な沖縄研究の入り口を紹介してくれる面白いシリーズでした。鼎談者が新城郁夫先生と批評家の東琢磨さん、院生の徳田匡さんで、その完成合評会に参加したのが原初的な経験で、ガーンとやられたのでした。

同じ時期に、李珍景先生というソウルでスユ＋ノモという活動プラス研究グループの主催者の方が、二〇〇九年にサバティカルで日本に来て、受け入れ教員の鵜飼先生のところにいました。李先生に、「一緒に勉強会をやりませんか」と言われ、先に述べた合評会に聴衆として参加したことと、この研究会スタートは重なっていました。反復帰・反国家論が、当時、新城先生が出された『到来する沖縄』（インパクト出版会、二〇〇七年）の主軸になっていて、それで七〇年前後の岡本恵徳、新川明、川満信一、森崎和江らの論考を収めた論集（『沖縄の思想』谷川健一編、木耳社、一九七一年）から、一つずつ読んでいこう、というのが始まりだったと記憶しています。

知瑛　そうですね。それが始まりだったと思います。私がスユ＋ノモに行ったのは二〇〇〇年の末で日本に来る前までスユ＋ノモで過ごしていました。二〇代はずっとスユ＋ノモで過ごしていましたので、そこで研究の泳ぎ方、歩き方を学んだといえます。どのような集まりも同じで、よいことばかりあるわけではないですが、それでもどこに行っても集まりを作らなければならないという気持ちが私にもありました。特に李珍景先生が一年間来られるという話を聞いた時に、勉強会をすることになるだろうと思っていました。

李先生が来られる直前には私は東京外国語大学の米谷匡史先生の所でPDをしていました。米谷先生から「植民地／近代の超克」研究会、竹内好研究会、WINC、帝国と思想の研究会などに誘われて勉強していました。その時期に鵜飼先生にも会いましたが、その場所は確か路上でした。私が日本に来たばかりの時はG8サミットの反対運動があって、私は日本語も下手な状態のまま、スユ＋ノモと日本でのG8サミット反対運動の間をつなぐ役割をしていました。ソウルにいる時に『トレイシーズ』（岩波書店、二〇〇〇年十一月）という雑誌に掲載された鵜飼先生の「ある情動の未来」を読んで感銘を受けていましたが、鵜飼先生と街で会った時はその文章を書いた方だということも知りませんでした。後にそれを知りまして鵜飼先生のゼミを聴講しようとしていた時に、李先生が鵜飼先生の所でサバティカルの一年間を過ごすことになりました。このような流れでしたので、研究会の当初は鵜飼先生のゼミで会った人々が中心でした。

最初には李先生の小平の寮で研究会をやっていました。李先生も私も沖縄の思想に興味を持っていて、沖縄出身の小田さんの推薦で、沖縄の思想を読み始めました。沖縄思想の中でも反復帰論を読みましたので、研究会の名前は「反復帰・反国家研究会」にしようと言いました。最初はゆるい感じの研究会をしていました。これもある意味でスユ＋ノモ的な部分ではありますが、研究会が終わったら一緒にご飯を食べたりました。特に美味しかったのは、和田圭弘さんが作ってくれたゆずのスープ鍋でしたね。多様なつながりができましたので、私も専門外の人との出会いもあったし、面白くて嬉しい経験でした。

一年が過ぎまして、李先生がお戻りになりましたが、作られた関係を続けていきたいと思いました。実は李先生が来られる前に、私には一回研究会を作ろうとしたが失敗した経験がありました。ですので、今回は私が何かを主導するのではなく、なりゆきに任せようと思いました。ただ研究会を作るという提案だけをして私の部屋を貸す、と吉田さんに声をかけた覚えがあります。スユ+ノモでやったように、ただ場所だけを解放して食べ物は余ってもいいからたくさん買っておこうと決めていました。

今も不思議に思うのは、そのようにこぢんまりとした形で場所だけを作っていましたが、それが今まで続いているということです。この部分で友人たちの素晴らしさを感じます。段々と自律的に集まるようになったし、次々と新しい人を誘ってくれました。いつの間にか多様な専門を持つ人々が共に研究会をすることになりました。このようにできたのは、集まった人々が自律的にコミューンを作ることを、社会運動や一橋のゼミや自治寮といったさまざまな場所でやっており、互いに学んでいたからだ思います。

このような過程で一つ気づいたのは、何かの明確な目標がなくても、場所があって何人かが集まって共に何かをしようとすれば、そこから何かが生まれてくるということです。私は留学生でしたので、生活の面でも研究の面でも頼りになる関係がこの研究会を通じて経験できたと思います。研究会の場所だった私の部屋は、李先生の所に比べるととても小さくて六~七名が入ると膝を長時間伸ばせず痛いと感じるほどでしたが、一か月で一回程度みんながきてくれると一人で閉じ込もっていた部屋が開かれ、風が通るような気もしました。

「太平洋を泳ぐ村」という名前について

知瑛　最初は研究会の名前を決めることができず、毎回呼び名が違っていました。「その研究会」、「村」、「あれ」などと呼びました。「太平洋を泳ぐ村」という名前は私が提案したのですが、心の奥には多少恥ずかしい感じもありました。「反復帰・反国家研究会」という指向性が明確に見える素晴らしい名前に比べて、「太平洋を泳ぐ村」は好きだけど何か学術的ではなくて堂々とは言えなさそうな気がしました。今もちょっとおかしい名前じゃないかと、恥ずかしいというか照れる気持ちはあります。

嶽本　恥ずかしいと思われていたんですね。あえて「研究会」ではなく「村」と名付けて、集うメンバーも「村民」であり「村人」だと仰っていたので少し意外でした。

知瑛　自分でつけたんだけどね。誇りを持ちながらも何か恥ずかしくて迷ってしまうアンビバレントな感覚を、名前を呼ぶ度ごとに感じましたね。研究会で森崎和江の文章を共に読みましたが、彼女の文体と聞き書きに深く共感した理由は、研究者の言葉とは少し違う表現を使いたくなる時があったからかもしれないです。森崎が持っている「朝鮮」に対する眼差しについては多少不満がありますが……。他の方々はいかがでしたか。この研究会の名前を作る時のことを覚えている方はいますか。

西　参加者の研究するエリアも年代も違うので、それをふまえてポジティブな意味でぼやっとした範囲としての「太平洋」がでてきたのは覚えています。

知瑛　そうですね。専門領域がそれぞれ違っていまして、特に朝鮮（韓国、共和国）、沖縄、在日朝鮮人、水俣、カリブ海、天草などがあり、東アジアをめぐる島や村とのつながりがありました。ですので、やはり「太平洋」という言葉を付けないといけないと皆で話しましたね。ただ、太平洋という言葉は植民地の歴史の中で、太平洋戦争と植民地支配の中で使われた、多少汚染された言葉でもあるので悩みはありました。

それから、「村」という言葉についてですが、スユ+ノモでは共同体という言葉の代わりにコミューンという言葉をつかいました。同一性ではなく、各々が特異性を持ってコモンなものを作っていくという意味がありましたね。私はそのコミューンの思想を、東アジアの具体的な経験の中で表現するには島や村が適切な言葉だと思いました。そして、やはりメンバーの一人ひとりが村や島のようだとも思いました。皆が研究領域が異なるし、研究と活動を共にやっている人々が多かったからですね。

こうした経緯を踏まえると、多くの人々は私たちの研究会がスユ+ノモから作り方を学んだと考えるかもしれないですね。そのような部分は確かにありますが、それだけではないですし、実は別のものだとも思います。研究会のメンバーの一人ひとりが、まさに村や島のようだったので、学んだことがとても多いです。勉強の面ではもちろんのことですが、嶽本さんからは一橋の自治寮での生活や天草環境会議などのつながりを学びましたし、番園さんと吉田さんからは活動と研究を共にやっていくことの大事さを学びましたし、松田さん、佐喜真さん、佐久本さんなどからは沖縄の感性ということを学びました。

最後に「泳ぐ」という言葉の意味ですが、一人ひとりが各々の村や島になり、それがつながる場として「公海／共海（共同の海）」を考えました。共海は、互いに泳ぐ、泳ぎ方を学ばせるという場の意味を含意しています。しかし、名前を作るときには、泳ぐという行為についてはあまり深く考えてなかったですね。むしろ研究会をやっていきながら、「泳ぐ」ということの意味が生まれたと思います。

利真　私としては泳ぎ方を学ぶイメージです。太平洋に色々な村があるとして、コロナの前までだったら飛行機で飛ぶというのが一番よく使われる移動方法だったと思います。ですが、コロナになってから、このような動きの飛躍が当たり前ではなかったことに改めて気づきました。飛行機や船が使えなかった時期に遡るような、それが現在と接続するような感じもして、そのような状況で何ができるかというときを連想させる。泳ぐというのはもがかないといけない。研究は頭で考えてやるものだともいえるけど、それ以外にも色々なものを使ってもがいているはずで。みんながやってることの地図があるとすれば、互いに近付こうと、ついていこうと頑張って泳いでいる感覚に近いと思いました。研究会に入った時、「村が泳ぐって何?」と思ったけど、いまになって泳ぐという表現が肌に触れるような感覚でわかってきたような気がします。

嶽本　この研究会の雰囲気や維持には、知瑛さんのスユ+ノモの経験が大きかったのではと思っています。知瑛さんの場の提供の努力や、来ない人たちに対して一人ひとり電話して声をかけていましたよね。それを見ていて、できるだけ誰一人欠けないようにという意識が芽生えていきました。もちろん来たい人が来たらいいという気持ちと、メンバーの入れ替えもありましたけど、ここまで一〇年続いてきた。それは李珍景先生や知瑛さんのスユ+ノモでの実践や経験がここに持ち込まれたからだと思います。

長く続けるということ

知瑛　そう言ってくれて嬉しいですね。ですが実践というよりは、個人的に研究会を通じたつながりが私の留学生活を支えてくれたというのが正しいですし、皆の力でやってきた研究会ですね。また、私のやり方が負担になった方もいるかもしれないです。何より、スユ+ノモから来た知恵もあるかもしれないですが、一橋大で会ったメンバーが偏見なく他人を受け入れてくれる心を持っていたことが大事だったと思います。そのような意味で、スユ+ノモとは異なる特性を持つ研究会になったといえるでしょう。とはいえ、二〇一〇年あたりのスユ+ノモと、今のスユ+ノモはかなり違いますし、私は最近ではあまり深く交流していないですが……。

今も不思議に思うのは、スユ+ノモの独特なやり方が、何の違和感もなく受け入れられたということです。たとえば、研究会をやりながら食べ物を一緒に食べて片付けするとか、勉強は問いを見つけて最後まで互いに問いかけるということだと思っていて、一回集まると夜一一時も朝一二時も一時も関係なく長く議論するとか、互いに信頼関係を保って、言い難くても研究で大事だと思う部分を話したり質問したりするとか、そのようなことが自然にできました。多少は面倒臭く感じられる可能性もあったと思いますが、一人ひとりが共に何かをするという感覚を、すでに豊かに持っていたからこそできたと思います。

松田　研究会に知瑛さん経由でスユ＋ノモの経験が流れ込んで来ているのは知っていましたが、詳しい来歴や研究会の名前に込められた思いやイメージを共有できて感慨深いです。スユ＋ノモについては、琉大学部生だった頃にその名前を知ったときのことを思い出しました。二〇〇八年頃のことですが、当時琉大では語学授業を半減させて単位を水増しすることで非常勤職員を減らしていくカリキュラム改悪が進められていました。その動きに抗議するための学生有志を作って抗議声明を出し、公開説明会を求め、最終的に大学の芝生の広場にテントを建ててキャンプして座り込むという抗議行動を展開したのですが、その過程で学生有志は高江や辺野古の新基地建設反対闘争、そしてスユ＋ノモの活動から多くのことを学んだ記憶があります。私たちが出した短いＺＩＮＥにもスユ＋ノモのことが言及されているはずですが、生活と運動と研究を切り離さず同時に共に行うスユ＋ノモのスタイルからは大きな影響を受けました。抗議行動は二週間くらいで終わったのですが、その後もたびたび大学で集まってティーチ・インをするようになり、毎回ご飯を作って話を聞きたい人たちを沖縄に呼ぶということが続いて、その中の一人に鵜飼先生もいました。このような運動のなかでつながりができたことがきっかけで私は大学院の進学先を言社研に決めました。琉大でのアクションはいわば大学を大学に取り戻すための運動で、制度的な場を利用しながら大学のなかに非制度的なネットワークや空間を作っていくことの重要さを学びましたが、そこでの経験が鵜飼ゼミや研究会の出会いにも折り重なっていることを感じています。

知瑛　そうですね。そう考えてみれば、すでに研究会で出会った人々がそれぞれ共同の場を持っていて、そのネットワークが重なっていたと思います。嶽本さんと片岡さんが関わっていた一橋の自治寮のネットワーク、嶽本さんの天草での環境運動、松田さん・佐久本さん・佐喜真さんが関わっている沖縄での反基地運動、番園さんの水俣の訴訟運動と障害者運動、ロビン・ヴァイヒャートさんのテント芝居である「野戦の月」とのつながりなどがあげられるでしょう。このように、大学院で研究と活動を共にやっていきながら、大学院という枠にとどまらずネットワークを作っていくことができる言社研の特徴は、これからもずっとそうあってほしいですね。

片岡　私もここの研究会での経験があったから、武村先生のゼミの方で国立市民の方と一年もワークショップをやったり、国立市の公民館講座に関わるようになったりできたと思うんですよね。そこから更に別の地域の映画祭にも携わるようになったんですが、元来内向的な性格なので、大学のような自分のよく知るところから半歩外に出て、その場に参加するなんてこの研究会がなかったらできなかったかもしれない。

でも、そういう場づくりが今難しいのは、コロナで物理的に会えなくなる前から、ゼミには出席するけど飲み会には参加しないという人が増えてると思うんです。古い言葉ですが所謂「飲みュニケーション」みたいなものは、ともすると上下関係を強化しかねないし、必ずしも「食べること＝良いこと」だとはいえない。特に若い世代にその傾向は顕著な気がします。食べる場や宴会は、嫌な意味でのムラ的なものにもなりやすいですしね。

その一方で、先生方の話を伺っていると、やっぱり食事などのゼミの外での交流も深まらないとメインのゼミでの議論もうまく機能しないのではないかとも感じます。理系の研究室での実験とちがって人文学の研究は基本的に結局一人でやるものだけど、それでも共同性がないと実は成り立たない。だから食べることとフラットな関係をどう両立させればいいのかが難しいところだなと。

嶽本　食とフラットな関係がどう結びつくのかという点も重要だけれど、学際的な院生が集まっている言社研の特徴で、自分の知らないことを専門にしている人に対するリスペクトがあるようにも思います。ゼミと研究会が違うのは、たとえばゼミなら二次会に行って先生が話し始めるとみんな聞くけど、研究会だと対話になる、あるいは自分の領域ならこうだ、と言い始める。知らないことは知らないと言えるし、互いへのリスペクトがあるという印象があります。

西　一人ひとりが村と言われて何となく腑に落ちました。人格や経験に還元できない、集まる人が持ち寄ってできたものがある。それぞれの村を引っぱって来て変えながら維持するというイメージがもてました。みんな泳いでいるわけで、一緒に泳いでくれるのが重要なのだな、と。

知瑛　一緒に食事をすることで、研究会の村人についてもより深く理解できたことが多かったです。この人は食べるのが遅い・早いとか、お酒飲むとこうなるなとか。どんな食べ物が好きかなどを互いに知ることで、理解と信頼も深められたのかもしれないです。互いに違う部分が多いけれど、少なくとも共に泳いでいるという信頼がありましたね。互いに向けて泳いでいるという信頼がどこからきたのかはまだ分からないですが……。

清水　しかしながら、現在は新型コロナのために、対面で食事を囲むということも難しくなってきました。やはり音声とイメージだけでは伝わらない表現の襞や機微といったものがあることをみなさんと同様に痛感しています。とはいえ、では早くコロナが終わって対面に戻れば良いかというとそういう話でもない気もするんです。障害者運動に深く携わっている番園さんが指摘されたように、遠隔通信の技術が整備されることで初めて教育の場に関われる人も現にいるわけです。言い換えると、それまでの「対面」は、対面できない人の存在を計算から外すことで成立していた側面があります。そうなると、安易に対面を称揚することもできない。音声とイメージを媒介する身体は、本当に生身の身体でないといけないのか。デジタルな「身体」というものはありえないのか、ということを原理から考えてみたいなと最近は思っていますし、そういうことをみなさんと議論したいところです。

出会いと関係醸成の場としての言社研

西　ここまで、「村」の来歴についてお話しいただきましたが、この「村」は「オリジンがあって綿々と続いてきた」といった時系列的な整理や語り方にそぐわないということがよくわかりました。維持のための各人の努力はあったものの、それぞれが経験とつながりというそれぞれの「村」を持ち寄ってできた村である、というのが名前との整合性も含め見えてきたかと思います。ここからは、これまで研究会で読んできた本や論文で印象深かったもの、みなさんの関心の変化についてお話いただきたいと思います。そこには、二〇一一年三月の東日本大震災以降、みなさんがどのように集い、変化してきたかという点も含まれます。今回のコロナもそうですが、社会的に大きなインパクトに対してそれぞれがなんとかして泳いでいくために色々話をしてきた姿がみえてくるだろうと思います。そういえば、研究会でパネルを組みカルチュラル・タイフーンに参加したことも重要なイベントでした。これらのトピックについてお話をお聞きしたいです。

知瑛　そうでしたね。二〇一三年のカルチュラル・タイフーンでパネルを組んで、皆が共に準備して参加しましたね。それぞれのパネルのテーマを議論することから、報告の練習まで共にやりました。修士課程でも博士課程でも、研究会のメンバーの一人も外すことなく参加したい人は全員参加するという方針でできたのがとても嬉しかったです。

研究の面だけではなく、日本や太平洋で起きる社会問題について語りながら、研究会で議論したり後で参加したりすることも意識的にやってきたと思います。すべての社会運動に積極的に参加できたわけではなかったですが、状況を共有する場があるだけで互いに勇気づけられることが多かったですね。

西　そういえば反G8もやりましたっけ。

知瑛　二〇〇八年に北海道の洞爺湖で行われた第三四回主要国首脳会議に反対した反G8運動への参加は研究会を作る前の時期でしたから、みなさんとはまだ関わっていなかったですね。その時期は私は友人の一人と共にスユ+ノモと日本の活動を繋ぐ役割を担当することになっていましたので、会議に参加してその内容を整理してスユ+ノモへ手紙を送ったり、スユ+ノモの提案を伝えたりしていました。

二〇一一年の震災以降に、鵜飼先生のゼミでやった看板づくり、また集会へ行くことなどは一緒にやったのを覚えています。

嶽本　私は知瑛さんとはまた別に反G8のサポートに参加していて、院生寮で反G8に集まった人たちへの大量のおにぎりなどを作ったりしていました。

知瑛　じゃあ、もしかすると私はそのおにぎりを食べたかもしれないですね。

嶽本　多くの人たちがヴィーガンだったからメニューにも工夫が必要で、大量にポテトサラダを作って、それを鵜飼先生に運んでもらったり。

西　個人的な思い出としては連続的にはつながってるんだけど、研究会とは別の話ですかね。

嶽本　先ほど知瑛さんが話していた色々な村を持ち寄って、というのにつながりますが、それが一橋や言社研の特色なのだと思います。院生寮やマーキュリータワーの院生研究室など、それぞれの集まれる場があったことが大きいんじゃないかな。自分の専門のゼミだけに出るのではない、というのが意外に大切だったのではと思います。

西くんとの出会いだって、マーキュリータワーで夜タバコ吸ってたら火を貸してくださいってきたのが最初の遭遇。とても怪しい人だった。でもそれから色々お喋りするようになって、一緒にフリスビーしたり院生寮にご飯食べにきてもらったりして。知瑛さんと吉田さんが沖縄の運動の場で会うとか、院生寮で会うとか、この研究会で初めて会うのではなく分散した場やネットワークがあったことが大きいと思う。

西　わたし、学部は学芸大だったんですけど、それまでの研究室のイメージは一つの分野の専門家がそれぞれ別個に集まっているというものでした。言社研にきて最初に驚いたのは、研究室にいろんな人がいて、フランス文学研究者と一緒になったりしたことでした。面倒見の良い先輩がたくさんいらして、幸運な出会いとなりました。そういった出会いと関係醸成の場となるマテリアルな下地があるというのが言社研の特徴であり、研究教育機関としてとても大事なものなのだと思います。

集団的に読むという経験

西　この研究会ではあまり体系立てたテクスト選択はせず、どの本を読むか自体が研究会の重要な話題の一つとなってきました。ただ古典だから読もうというのではなく、参加者の研究的な要請だったり、社会的な事象への関心からだったり、ある種のアクチュアリティがあって選んできたと思います。たとえば、比較文学を専門としてる方がご参加くださっていた時には川口恵子『ジェンダーの比較映画史』(彩流社、二〇一〇年)を輪読し、そのあとには沖縄の「復帰」運動を研究されていた方の推薦で與那覇潤『翻訳の政治学』(岩波書店、二〇〇九年)が続いたり、といった具合でした。二〇一一年の東日本大震災以降は、谷川雁や森崎和江など『サークル村』関連のテクストを集中的に読んだり、また、サバルタン・スタディーズのテクストを集中的に議論したりもしました。

知瑛　そうですね。本を選ぶ時にその時期の社会問題とのつながりは意識していたと思います。たとえば、植民地主義と脱植民地主義は一つの大きいテーマでしたが、日本の歴史研究の中で「植民地近代性論」に対する批判的な指摘が出てきた時期がありました。その時期に関連した書籍を読んで深く議論した覚えがありますね。研究会でそのような話し合いができたのは個人的にも貴重な経験でした。なぜなら、デリケートな議論がなされているときには、まだ自分のスタンスを明確にすることが難しい場合もありましたが、信頼できる友人と共に率直に話し合いながら自分の視座を検討できたからです。安心して深いところまで議論できる場はとても大事だと思いました。

このような側面とは別に、基本的に研究会の進み方は大きく二つの軸があったと思います。一つは学位論文や論文報告を予定している場合、個人報告をして意見を聞くことですね。もう一つは共通のテーマを決めて読んでいくことですね。共に勉強するテーマや本を決める時には、各々の関心テーマと関連書籍を探して一頁程度の提案を書いてきて共有しました。そうすることで、多様な研究領域の最新書籍や流れも知ることができましたので、このような時間だけでも勉強になりました。提案書を書く時には、自分の研究と関心を中心におきますが、そのテーマや本を他のメンバーと共に読みたいという理由を考えてきました。私としてはそのような過程で自分の研究を専門外の人々の眼を通して考え直す練習になったと思います。

片岡　私は元々、修論でクリス・マルケルの『レベル5』（一九九六）という沖縄戦を扱った映画を論じたのがきっかけで、研究会に誘ってもらいました。でも博士では武村先生のもとで映画研究の方が専門になったので、研究会で読む本からは離れて行ったかもしれません。ただ、『翻訳の政治学』にしろサークル村関連のものにしろ、専門分野を超えてテクストへの関心がこの研究会の一つの軸だった気がします。特に「沖縄」や「琉球」という語の意味の史的変遷に着目するというアプローチは、博論で被爆者表象の構築と解体を構成の軸にした発想の元になっているので、巡り巡って大きな影響を受けていますね。

西　わたしはポストコロニアル批評を学んでいましたが関心の中心が批評理論だったので、研究会に入るまでは具体的な歴史事象についてはつまみ食いでした。齋藤一先生の『帝国日本の英文学』（人文書院、二〇〇六年）などからポストコロニアリズムとか帝国主義を日本で、しかも英語を用いて考えることと近代日本の歴史との結びつきを考えるヒントをもらってはいましたが、まだぼんやりとしていたと思います。そこで戸邉秀明「ポストコロニアリズムと帝国史研究」（日本植民地研究会編『日本植民地研究の現状と課題』、アテネ社、二〇〇八年）などを読む中で、英語圏のポストコロニアル研究ばかりをやっているだけでは植民地近代性論などの議論がちゃんと理解できないということが分かってきました。自分の住んでいるところの歴史として理解する文脈が当時の自分には無かったので、こうしたテクストを集団的に読む中で、抽象的だった批評や理論が、想像力を用いつつ具体的な文脈につながることを実感していったのでした。理論的な革新性とか歴史評価への妥当性に対する判断はできませんでしたが、色々なものの見方が変わりました。

吉田　一九九〇年代以降、日本語圏に英語圏のポストコロニアル批評や関連する思想が翻訳紹介されていきましたが、その大きな流れとして批評の枠組みを日本に当てはめて、再発見していく動きがありました。『批評空間』や『現代思想』をはじめとする雑誌が特集を組んだり、小熊英二『単一民族神話の起源』（新曜社、一九九五年）、『〈日本人〉の境界』（新曜社、一九九八年）などもその流れで出てきたと記憶しています。それで、日本で長らく見えないことになっていたものを、もう一度見ていくという動きがありました。それに対して、ポストコロニアル批評を翻訳していた英米文学系の人たちがどうリアクションしていくかという中で、齋藤一先生の『帝国日本の英文学』が刊行されたのでした。西欧の植民地主義批判を日本語で行うことの身ぶりは、戦前の日本の帝国主義者たちが西洋近代に対しやっていたこと、すなわち、侵略の波から日本以外のアジア諸国をアジアの盟主として救い出していくという発想の反復なんだ、と論じた本でした。そういった議論枠で、帝国日本に共犯的な英米文学者を批判的に摘出し、明治後期から第二次大戦後までの系譜学を提示するものとなっていました。要するに英文学のメタ批評をしていて、自分が修士論文を提出し終えたころに読んで、衝撃を受けたことを覚えています。

私自身、植民地や帝国主義の問題を真剣に考えている時に、翻訳あるいは思想の輸入だけじゃないものをどういう風に行うかということに悩みました。自分がヨーロッパ文学、英語圏の文学をやる中で、帝国日本をはじめとした支配の歴史を視野に入れながら、(こういう言い方しかできないと思うが)「ポジショナリティ」を問い直しながら、どう書くかということです。いまだに答えはないけど、悩みつつ、言葉を探しながら書いて行くことを促すような、ビビッドな緊張関係がこの研究会にはありました。

微妙で語りにくい部分ですが、自分が無知だったことを学んで、自分が変って行くプロセスは決して心地いいものではないと思います。もちろん、長時間、人と話していくなかで、言葉遣いについての後悔や恥、「あんな言い方をしなければよかった」、などの反省もあります。

この研究会の参加者は、どちらかというと研究対象の足場を東アジアに据えているので、自分の研究は中途半端に見えることが多々ありました。「自分はこの場に居ていいのか」と考え込んでしまうこともあったけど、一緒に話して共有するなかで、少しずつ、そのような迷いがゼロにはならないが、ときほぐれていく瞬間があり、それはそれで貴重な経験でした。自分の場合は、書く内容や研究対象も、この研究会に依存しているといえるくらい、変わったといえます。そういうプロセス自身を、ようやく楽しめるようになってきました。時期によっては、苦しいと感じたり、向き合いきれないときもあったし、「しんどさ」のようなものは、最終的にはなくならないものかもしれない。とはいえ、そのような中にも喜びがあるのだと思います。

知瑛　二〇一一年の震災以降は、エネルギー産業とコミューン論へと関心が動いていて、サークル村の活動と思想家、水俣病関連運動などを読みましたね。また、片岡さんが原爆映画をテーマにしていましたのでそこから学んだことも多いです。とりわけ、佐喜真さんと佐久本さんが入ってきて、もともと嶽本さんを通じて学んでいたジェンダー研究の流れを深めることができたと思います。実は、研究会の方向性を決めて、本も作ってみようという議論も何回かしましたが、そんなにうまくは行かなかったですね。メンバーの専攻領域があまりにも多様で一つの中心みたいなことを決められませんでした。

片岡　一つのディシプリンで系統立てて学んできたわけではなく、めいめいの持ち寄りでその都度あっち行ったりこっち行ったりしてきたのが実情だと思います。でも森崎和江が、いつの間にか西さんのお仕事の重要な部分になっているように、つまみ食いをしたものが自身の血肉になっているというのが面白いですよね。

嶽本　研究会の特徴として、系統だってないからこそのフラットさがあるのではないかな。系統立ててやっていたら、どうしても昔からいる人間の方に蓄積が溜まって後から来た人はおいつかなくちゃいけないという序列ができてしまいます。そうなると、どうしても権威主義的になってしまう。この研究会では、読んだことないけどとりあえずやってみようかという所から始めて、「言い出しっぺの法則」で言い始めた人がレジュメを切るけど、皆が自分の専門に引き付けて言いたいことを言う、というスタイルですよね。もちろん、系統立てて読んでいないことについては良し悪しあると思いますが。

泳ぎ方を学ぶ

佐喜真　私は二〇一二年から研究会に参加しています。参加させていただいてすぐに、研究会のメンバーでパネルを組んでカルタイで発表する機会がありました。その準備段階では、清田政信（一九三七年、久米島生まれの詩人）を対象に選び、その詩に出てくる絵画やオブジェについて沖縄の現実と乖離させて論じてしまっていました。その時に知瑛さんと松田さんに当時の沖縄の社会や政治、歴史はどうなってたかと問われたんですね。つまり現実とつながるような批評の方向にアドバイスを受けました。私にとってそれが研究対象を現実との関わりから描き出すことの意義を教えてもらった初めての体験となりました。でもその当時はその意義をまだ十分に理解していませんでした。というよりたぶん拒否したかったのかもしれませんが、とにかく大事なことを言われたという衝撃だけはその後しばらく残っていて、修士課程の時はその課題との葛藤の時期だったと思います。

そのことと関連して、その当時もう一つ学んだこととして鮮明に覚えているのは、研究は自分との対話なんだということです。修士課程の時期は、自分が否認していることを発見していく過程でした。おそらくそれは自分一人ではいつまでもできなかったことだと思います。尊敬していて信頼する仲間と交わされる言葉を通じてなされるんだと、振り返って改めて実感しています。ただ、自分の発見というのは、すでに自分の中にあるものを見つけるというのとはちょっと違う意味で言っています。自分の言葉と他の人の言葉が重なったり、反対に反発したり、またはズレつつも絡まりながら別の意味が見えてきたりなど、そういう経験をくりかえしていくうちに、今までに見ない自分が見えてきて、そして新しく視野が開けてくる感じでしょうか。これについては話している自分がまだ曖昧にしか捉えられていないところがあるのですが、とにかく自分という存在は置かれた場によって他の人との言葉と共に作られていくのかなと思っています。今は戦後沖縄文学をジェンダーの視点から研究していますが、研究会に参加した当初はそうではありませんでした。たぶん、沖縄の現実や女性の問題も自分と関係することだからこそ見たくなかったんだと思います。でも今は自分の中の傷のようなものを差し出すことなしでは、現実と結びついた研究を深めることはできないと感じています。

知瑛　ああ〜覚えてます。研究会の日ではなく他の日だったとおもいますが、キャンパスで会ったときに、佐喜真さんが沈んでいるように見えたので、声をかけて話したことを覚えています。佐喜真さんは繊細で鋭い方だと思っていましたので、多少私の話し方が強く感じられたかもしれないなと、私も後でかなり悩みましたが、よい転換点として話してくださいまして、ありがとうございます。どのようなコミューンも集まりも関係も、互いに水平的に語られる関係を作るために絶え間なく頑張らないといけない、ということをもう一回考えました。不足した部分も多くあったはずですが、「太平洋を泳ぐ村」のメンバーたちは平等な関係を作るために互いに頑張っていたと思います。私もそのような雰囲気から慰められる時もありました。

利真　佐喜真さんから否認していたものと向き合うという話がありましたが、わたしは自分がやりたいと思っていることを通していい、とみんなに励ましてもらった気がします。国際養子縁組について研究する時、「子ども」の視点を軸に据えてやりたかった。けれど、韓国では、未婚の母が子どもを出産しても、大概父は何もしないし、社会的偏見が重なって子どもが養子縁組に出されている。だから、ジェンダー（女性）の視点から捉えないといけないということもあります。ただ、自分自身が当事者でもある国際結婚家族の問題を扱っていた時、韓国では主に結婚移住女性にスポットが当てられていたけれど、子どもはどうなってるのか、ということがずっと気になっていました。なので、ここが自分の問題意識の根幹だと思ったんです。でも、やはりジェンダーの視点が必要なのでは、という意見も聞いて混乱していた時に、子どもの目線を通していいんじゃないかと言ってもらえたんです。論文を書くとき、自分を貫くということの難しさをつくづく思うのですが、そのおかげで結局やりたいようにやり抜くことができた。そうしたら結局、いまはこれまで否認していたような（？）ジェンダーの問題が自分の課題になってきています（笑）。

西　共同作業しながら自分の関心がその中で作られていくっていうのは不思議な経験ですよね。

利真　泳ぎながら障害物になっていたものと向き合うことになり、それがやりたくなる。（笑）

松田　私も佐喜真さんの発表にコメントしたときのことは覚えていて、沖縄の現実と向き合う必要性や切迫性をどうしても伝えておきたかったのだと思います。ただ、この研究会は院生たちがマウンティングしたり馴れ合いで集まったりする場ではなく、思いやりをもって相互批判をしていくことが可能な場だったというのが重要でした。そのような行為を通して互いの関係性が変わりながらも、現在も交流が持続していることを嬉しく思っています。私もまた、詩人の清田政信について発表したとき、清田のステレオタイプな女性表象の詩とそれに対する男性詩人・批評家たちの高い評価を注釈なく引用したことに対して、知瑛さんと嶽本さんに鋭く突っ込まれ、批判されました。博論を書くときもお二人の顔が浮かんできましたし、そのときの批判は私にとって抜き去るべきではない棘のようなものとして残っています。

私が研究会に参加しはじめた二〇一一年の夏頃は、ラナジット・グハやスピヴァクなどのサバルタン・スタディーズの研究書（『サバルタンの歴史――インド史の脱構築』竹中千春訳、岩波書店、一九九八年）を読んでいたことが記憶に残っています。脱植民地化をめぐる歴史叙述と主体の問題について、ポストコロニアルスタディーズの一つの集大成とでも言うべき本から学んだことで、沖縄の研究を地域研究に閉じ込めることなくいかに開き、脱構築していくかを強く意識するようになりました。今でも難しい問いであり課題ですが。

また、戸邉秀明さんの「「在日沖縄人」、その名乗りが照らし出すもの」（『占領とデモクラシーの同時代史』同時代史学会編、日本経済評論社、二〇〇四年）という論文を読んだのも印象的でした。「在日沖縄人」という言葉の歴史性を紐解きながら、沖縄と朝鮮（の人びと）の出会いと出会い損ねについて、またそのような主体化や名乗りの意味を問い直す論文をみんなで読んだことで、「沖縄」という場や名乗りが持ってしまう力あるいはそれが排除してしまうものがあることにも気づくことができました。研究会でジャンルレスに乱読・精読した経験は、博論で運動・思想・文学とディシプリンを横断する研究方法を構築する際の大きな助けになったと感じています。

佐久本　泳げるからっていって、泳ぎ方を教えられるわけではないし、泳ぎ方を教えるのが上手い人とそうじゃない人もいる。場合によっては、どうにかそれを見よう見まねで学ぶ必要がありますよね。先ほど、気づいたら研究関心が変っていたと言われてましたが、誰かの視線が、読者として自分の中に入っていて、この人ならこう言うだろう、こう読むだろうと呼びかけて来るような変化はありました。本を通じた出会いもありますが、具体的な出会いは大きいです。

君島　研究会に入ったのが最近だと思ったらすでに、二、三年経っていました（笑）。佐喜真さんが指摘していたように、否認したいものに気づかされるという経験は忘れがたい。自分にとっては、宗秋月がずっと避けてきた詩人でした。琉球大学でお世話になった呉世宗先生に一橋大学大学院への進学を報告したとき、宗秋月を研究してもいいんじゃないですか、とやんわり勧められたことがありました。ひるがえって、自分がこの詩人を避けようとしていたのは、なんだったのか、少しずつ気づくことができるようになってきました。宗秋月が肯定的に描く母性に関わるものを避けていたことに気づくことができたことで、母性に紐づけられる概念を相対化できるようになってきたからだと思います。だから、向き合いたくなかったのではなく、研究対象への近づき方を知らなかったのだ、ということを知りました。

私は二〇一九年入学なので、院生寮じゃなくて中和寮になった時期に当たります。院生寮で近くにいた佐久本さんが研究会にいたので、信頼できる人の信頼できる人がいるというつながり方でした。そういった意味でも村の概念に納得しました。

知瑛　研究会をしてからは文章を書いたりする時に、関連した人々の顔が浮かび上がります。私一人では見ることができなかったかもしれない部分も、研究会の人々の顔が浮かび上がることによって気づかされる場合がありました。研究をしながらよく理解できない分野がある時に、あの人に聞いてみればわかるだろうと心強く感じる場合もありました。学術報告をすると一般的には勇気づけることも言ってくれますが、研究会では厳しいことも率直にコメントしてくれるので、実は研究会で発表するのが一番怖いですね。（笑）。

西　抽象的な想定読者ではなく、具体的な読者としてこの人に読まれたらまずい、というのがはっきり浮かぶ、というのはよくわかります。この研究会のみなさんは、信頼できる仲間であると同時に、私にとっては一番怖い読者でもあります。

片岡　否認とはちがうかもしれないけど、食べ方にも嫌いなものは食べないとか、効率よく栄養価の高いものだけ食べようみたいな選択肢もあると思うんですよね。でも、嫌いなものを無理やり食べるというか、この人が持ってきたから取り敢えず食べなくてはいけないというようなやり方をこの研究会はしてきました。普通の研究会や学会は、テーマやディシプリンがあらかじめ決まっていて、自分で取捨選択したり、今回は面白そうじゃないから行かなかったりできるけど、でも、だからこそ嫌いだったはずのものが自分の主食になったり、趣味が変わったりしていると思うし、特定のことだけやっていたら少なくともこの研究会は別のものになっていたと思います。ここまで続くあいだに、橋本恭子さん（台湾研究・比較文学）や小田剛さん（フランス現代思想）のように私の前にいた人、社会学研究科の森啓輔さん（社会学、沖縄研究）のように今は参加しなくなった人、時々ふらっと立ち寄って去って行く人たちなどがたくさんいましたが、そういう人たちの置き土産もきっと研究会の糧になっていると感じます。

すでに「競争させられている」状況で、いかにそうではない場をつくるか

吉田　一橋では、さまざまな研究会が同時並行で行われています。たとえば、「資本論」研究会が同時並行でいくつもある。勉強会カルチャーって一橋ならではなのかなと思います。

一緒に何かの本を書くとか出版するとかなると、別種のコンフリクトが出ます。そういう計画も、この研究会であったことはありましたが、たち消えになりました。何かプロダクトを生み出すより、純粋に学問と社会をつなげる興味を優先させて、結果や利益を優先させずに続けてきたのがよかったのだと感じます。業績を出すのは重要だけど、それは人を摩耗させる世界でもある。そういうユートピアは、最終的には不可能かもしれないけど、歩み寄りや気配りは大事かなと思いました。

知瑛　吉田さんの今の話は大事だと思います。互いに業績を作ろうとすると、競争的な関係になったり業績だけを基準にして互いを評価してしまいます。パネルを作ってカルチュラル・タイフーンに出る時も、そのような感覚が研究会に広がるとよくないだろうと思って少し心配した覚えがありました。そのような意味で、一人も抜けないで三つもパネルを組むことになってもよいから、とりあえずみんなでやる、ということを心掛けました。

嶽本　「研究会を生産性あるものにしたい」「論集出そう」など、実はそういう話もあったよね。でも、たまたま、片岡さんが「博論書いているので、そんな余裕全くないです」ってはっきり言った。あの発言は、すごく大事だと思っています。研究会を何かしら業績に結び付けるのは、あってしかるべき話ではあります。ただ、みんながあのとき院生で、博士論文書いているときに、誰かしんどい時にそっちに

合わせるということができていました。「参加できないならしょうがないよね、こっちはこっちでやるから」ではなくて、「じゃあその方向はやめよっか」というゆるさがあったな、と。

片岡　すいません……。

松田　覚えています。あれはターニング・ポイントだったと思います。研究会はどうしてもプロダクトを生産していく方向になっていく。そうすると現実的な問題が出てきて、予算獲得や出版社との事務手続きを誰がするかとか、研究会内で仕事のバランスの偏りが必ず出て来る。けれども、あの時はそれをやらない、という決断をしたのは、しんどくない方向に軌道修正できたということでもありました。私たちが大学院に入ってきたのは、大学院重点化以後、大学院の数や定員数自体が増えて、言語社会研究科のような独立大学院ができた経緯とも重なっている。端的に言って、無いポストを奪い合わざるを得ない状況に追い込まれ、制度的に競わされているわけですよね。だから制度がもっているひずみのなかで、自分たちが病まない場、しんどくない場を、意図せざるかたちで作っていったといえます。生きにくい場で、生きやすいように食ったり飲んだりしながら研究をしていた。あとで振り返ると、日本の酷い大学院制度のなかでよく生き延びてこれたなと思うこともありますが、そのような場で出会えたことで、共に生き延びることが可能な場を作って維持してこれたのだと思います。

知瑛　考えてみれば研究会は、友人たちと共に活動と研究をやっていく方法を模索する、もう一つの厳しい現場だったと思います。だからこそ研究報告を聞いてコメントをする時は、人の顔色をみたり言葉を選んだりするのではなく、率直な感想を語りながら問題の核心まで近づいていこうと互いに頑張りました。そのような過程を通じて、研究者として社会問題との接点を持ちながら勉強を深めるまで、また確信を持って一つのスタンスを決めて話すことができるまでは、かなり時間がかかるということも分かりました。そのような意味で研究会は、各メンバーが自分自身のスタンスを持つことができるように待ってくれる、言い換えれば、互いに時間を「あげる」という場所でもありました。

西 松田さんの言うように、研究はそれ自体、競わされる場ではあります。ゼミはどうしてもそうなるから、そこから完全に自由だとはいえないと思います。だけど、この研究会はそこから少し離れ、互いに時間を「あげる」ということをした。この経験が大事だったと強く感じています。食のメタファーで言えば、「つまみ食い」のたくさんできた場でした。しかも、どれもハズレがなく美味しい（笑）。長い時間のなかで、そういったことを積み重ねていけたのは本当に大きいと思います。とはいえ、大学が整備してくれたハードとネットワークの上にこの研究会があるのもまた、事実です。原理的に競争から逃れられない場で、その上に乗っかりつつそこから逃れる場所を作ってきた、と言っても良いのかもしれません。

知瑛 今日の座談会をする前に、今の院生たちやより若い研究者に向かって何を言えるかと多少心配もありました。私たちが一〇年前に研究会を始めた時と比べると、今は大学院もより激しい研究環境になっているだろうと思うからです。ですが、そのような大変な状況だからこそ、世の中で与えられた尺度とは違う、互いに支えてくれる関係を作っていくことは大事かもしれないと、皆の話を聞きながら感じます。

番園 （電話参加）仕事で座談会に参加できなかったため、職場から知瑛さんに電話をかけています。自分は、仕事しながら研究する中でなかなか大学に行けないけど、研究会は自分を研究に繋ぎ止めてくれる場です。言語社会研究科も、そんなゆるやかな幅を持った場所です。細く長くでも関わることができたのは本当によかったです。

知瑛 番園さんのおかげで私たちは障害や水俣の運動

のことを考えながら勉強することができたと思います。他の活動について話すときにも、番園さんがいると深く関心を持ってくれたので、研究と活動を共にやって行こうという姿勢を持ち続けることができました。今日は仕事のために参加できなかったですが、電話でも彼の意見や声を入れたかったのはそのためです。(笑)。

嶽本　この研究会から直接何かを学んだというより、姿勢や考え方について多くを学んだと感じます。番園さんがいて水俣や障害（者運動）のことを学んだし、知瑛さんがいるから植民地主義のことをちゃんと考えなくてはと気づかされる。自分だけだと狭くなる視点を、外から補ってくれた。結果的に、無理矢理にでも自分の視点を広げることになりました。

知瑛　震災の直後にロージナで研究会の村人と集まったことを覚えています。留学生というのは守られる立場ではありましたが、災難があった時には、情報を得ることも難しかったし頼る所も必要だと感じました。その時に研究会のメンバーととりあえず会おうということで、ロージナで会って食事をして、ああ少しは安心できる、と感じました。当時研究会は私の部屋でやっていましたが、外から人がたくさん入ると部屋の中で放射線量が高くなる可能性があるからということで、ロージナで会うことになりました。皆の遠慮深さも有難かったですね。

何処か逃げる場所があるのかなどを相談しましたが、自治寮では逃げる所がない人々と共に逃げる計画をしたということを嶽本さんが聞かせてくれて、とても素敵だと思いました。そして私は一人ひとりで逃げることしか考えてなかったなと反省もしました。震災の中で頼りになる人々がいるということもとても安心でしたが、共に逃げるという方法を現実的に考えられたのがよかったですね。

このように、研究会での経験は、色んな意味で「(出) 会わせて」みることだったといえます。質問が一つあれば、各々の研究領域と合わせながら、みんなで考えて深めたり、より複数の質問へとつながったりしました。だからこそ意見が一つに見事に纏まることはなかなかなかったですね。生活と活動と研究を重ねながらやっていこうという姿勢だけは維持されましたが、やる時にいつも研究者の違う顔があらわれるような、まとまりのない場だったかもしれません。

利真　いま手元に、韓国で二〇一六年に出版された知瑛さんの本（『マイノリティー・コミューン（마이너리티 코뮌）』）があるのですが、この中に二〇一一年四月頃に書かれた「離れてきたものたちと去っていくものたち（떠나온 자와 떠나는 자들）」という文章があります。そのとき自分は、大阪大学の山奥の留学生寮にいたから、メディアがなければ震災のことも、原発のことも知ることができなかったのですが、そのあと韓国に一時帰国すると、日本から離れたからこそ色々な情報が入ってきました。

　その後、原発が近い筑波大学の学部課程に進学し、いざ筑波に行くと周りには何もなく、原発との距離はもっと近いはずなのに、静かすぎる。一人きりの留学生として、この状況をどう理解すれば良いのか全く分からないし、無力感と不安を覚えていました。その時の記憶が生々しく蘇り、先ほど挙げた知瑛さんの文章を長らく読み進めることができなかったです。十年経って読むと、コロナ禍の現在は、放射性物質をめぐる分断とはまた違うけど、人と人とが会えない。でも一応はつながれる。原発事故があった時、自分は日本滞在二年目で、コロナ以降のいまは十二年目を迎えています。このように時間が経過している間に、なにかあった時に話せる場ができたことが、私にとっては一番大きな違いです。知瑛さんがご著書で、研究会のメンバーについて触れていて、夜まで議論して互いに経験を共有することができる。このような集まりこそが、コミューンとしての経験であると書かれていますが（同上、三〇頁）、私もその一員としていられるということが嬉しいです。

言語社会研究科の良さ
――国立という街で学び生き延びる

吉田　英語圏文学を研究していると、その中だけでの問いの立て方のフォーマットができてしまいます。そのなかで、自分は居心地がもともと悪かった。どこにいても居心地の悪さはつきまとうと思うけど、できれば面白いところに開いていきたい。かといって、単なるアイデンティティ探しではなく、歴史の中に根付いたものを書く、または政治的な介入を意識しつつ書くことが、ここで学んだ大きなことでした。問いのあり方を変えてくれるし、未だに刺激をもらっていて、みなさんに感謝しています。

スユ＋ノモの話で始まったのでスユ＋ノモの話で終えたいと思います。知瑛さんの友人、金友子さんが編著の『歩きながら問う――研究空間〈スユ＋ノモ〉の実践』（インパクト出版会、二〇〇八年）っていう本があります。とても素敵なタイトルです。この本のように、問いをつねにやめないで、問いながら自分も周りも変容させていくっていうことを、理想としては出来たらいいと思います。また、この研究会にも一時期出ていらした今津有梨さんが翻訳した高秉權先生の『哲学者と下女――日々を生きていくマイノリティの哲学』（インパクト出版会、二〇一七年）があります。こういった本や、その著者たちとの出会いから多くを学びました。新たな知をみなさん持ち寄って、大変貴重だと思うし、有難く感じています。

佐久本　楽しい座談会であっという間でした。言語社会研究科のことに触れずに終わってしまったので、最後に（笑）。一橋を受験したのは、ポストコロニアル研究を専門とする先生方が研究科に多いことが理由でした。また、なにより、院生寮に月八千円という破格の家賃で住めるのが、単身で上京しても安心できました。今日の話では寮での共同生活経験もゆるやかに合流しているところがあって面白かったです。先ほどの、競争させられる中でどうやって関係を作っていくかという話は松田さんが前にもしてくれたのを覚えています。この言葉はそれ以降、どこかで私と周りの人をつなぐルールになっています。自助努力が当然とされる社会では、人を頼るのも生き延びるための大事な練習だと思います。

知瑛　人に頼る力というのは素敵ですね。研究会で互いに頼っているし、研究会の場所の変化を考えてみますと、一橋がある国立という街に頼っていたといえる。たとえば、研究会をする場所は、私の部屋から自治寮へ、また公民館へと変化しました。自治寮でやる時期には集まるメンバーのために、片岡さんが寮でいつも場を作ってくれました。寮で研究会をすると、寮に住んでいる院生たちと偶然につながる場合もあったので面白かったですね。その後は公民館でやりましたが、たまにロージナでも、マーキュリータワーでも、「れら」（北海道式のスープカレー屋で、一橋のアジトのような場所だった）でもやったと思います。このように、研究会は一橋の周辺の場所と共に動いていましたが、このようなやり方ができたのは、市民運動が強い国立市の歴史のおかげかもしれないとも思います。

松田　私は修士受験の時に入寮申請を忘れ、当初は国立にアパートを借りて住んでいましたが、文字通り生きていくのに精一杯でした。研究会でそのことを話したら、嶽本さんの力添えのおかげで年度の途中から入寮することができ、助かりました。私の研究生活は院生寮と研究会がゆるやかにつながりながら始まったのを思い出しました。私の場合、練習と意識する以前に誰かに頼らずには東京での院生生活をサバイヴできなかった。この研究会やゼミで読んだ障害学の文献から得た知見ですが、障害者の自立生活運動が明らかにしてきたように、「自立」とは依存先を増やすことであったはずです。この発想の転換はとても大事なもので、今後も大切にしていきたい指針となっています。

片岡　今回は言語社会研究科二五周年の企画ですよね。ただ、言社研も設立当初に在籍していらした巨人のような先生方が抜けていって、少々こぢんまりとした感は否めません。他大学でも学際性と言いつつ内実は狭い領域の人たちが横のつながりもないままに喘いでいる状況はよく目にしますし、「人文学がこれで保てるのか」と内部の先生がこぼしているのを耳にしたこともあります（ですから、これは言社研に限らず大学全体が直面している問題だとも思いますが……）。

言社研で博論を書くと博士号の名称は「博士（学術）」になるじゃないですか。自分がもらったとき「学術」って何だそりゃ!? って思ったんですが（笑）。でも、もはや時代遅れかもしれないけれど、学際性とか教養とか人文学って、半歩外に出る、自分の居場所じゃないところに出ることによってようやく場ができる、そういう歩みが人文学の歩みのあり方ではないかと思うんですよね。なので、たとえ言社研本体が心細い状況だとしても、言社研から生じたこの研究会が、どこかで逞しく生き延びられれば僅かでも希望はあるかな、と思いました。

清水　本当ですね。フランス語圏が専門の人間からすると、この十年そこらでの言社研の規模縮小は著しいものがありました。じっさい、私がお世話になった先生方もみな言社研を去ってしまいましたし……。

君島　研究会が国立でよく開かれていたというのが、重要な経験でした。「太平洋」、「泳ぐ」などのワードは、異邦人的なイメージに結びついています。ふわっとやってきてしまった所でどうするか、自分の土地ではないところで、どう新しい環境を作って行くか、ということが研究会の雰囲気と一致していました。とりあえず信頼している人の信頼しているところにいけば大丈夫だ、という感覚があった。自分はあまり体が強くないけど、みなさんの優しさによりかかってこられました。

研究会の場に、公民館を利用していたのが印象深いです。寮にいると、寮の人間関係で完結しがちで、国立市の東側から出ないことになってしまう（院生寮の中和寮は、国分寺市との境に近い東側にある）。言語社会研究科の先細りについての話もありましたが、競争だけじゃない別の生存の道があればいいなと思います。最近は、国立に自分を「出していける」場所が徐々に増えていって、地域の色々な場に呼んでもらえることも増えました。研究会を通して、外に出て「泳ぎ出す」きっかけがあったからです。研究会が、アカデミックなものだけでなく人格的な形成だったり、新しいものにつながったりするひとつのきっかけとなったと感じています。

西　自分にとって、色々なものを研究会に負っていると同時に、これを維持してきたみなさんの努力を強く感じました。言社研がどうなるかわからないけど、研究会を維持する努力は大事です。また、人文学の困難は言社研に限ったことではなく日本の大学全体に見られる、国の政策の帰結でもありますよね。人文学の研究をしていくなら、こういう言社研のような機関とそこで出来上がったこの研究会という場所の両方が大切なのだと思います。

嶽本　院生寮やマーキュリータワーといった場が重要な理由は、学生たちによる自治が存在するからだと思っています。院生寮も自治寮だし、（院生用の）研究室も自治会組織として、過去の院生たちが大学と粘り強く交渉し、得てきたもの。それが私たちの研究の基盤となっています。研究会がこれだけ継続できたのも、ネオリベ的な方向ではなく、競わされている場とは違った場をつくることを、無意識にやってきた結果だと思います。

西　言語社会研究科の二五周年企画ということで、今回は一〇年以上続けられてきた「太平洋を泳ぐ村」のメンバーでの座談会となりました。なんとも拙い司会でしたが、競争的な関係とは異なったつながりを求めて、なんとか泳ぎ方を学べるような場をみなさんが作り上げそして続けてきたことがよく分かりました。その最初の足場が国立という街であり、そこに根差した言社研であったということも、また、よくわかりました。ありがとうございました。

修了生からのメッセージ

二〇二一年七月から八月にかけて、言語社会研究科ではウェブ上で修了生へのアンケート調査を実施しました。アンケートに回答してくださった修了生のみなさまからのメッセージを一部、ご紹介します。ご回答くださったみなさま、掲載を許可してくださったみなさま、ほんとうにありがとうございました。

私が修士課程に入ったのは、研究科ができて間もない頃で、まだ先例がないという自由さがあり、「僕の前に道はない　僕の後ろに道はできる」という気持ちでした。異なる地域について研究していても、社会の中の言語／言語の中の社会という関心を共有し、言語に関わる多彩な問題意識をもつ院生が集まっていました。そういう環境で、視野を大きく広げることができたことは、その後の糧になりました。授業内で積極的に発言する人が少ないのが私としては不思議／不満な面もありましたが、その分、読書会や院生共同研究室、懇親会などで議論がもりあがったのは楽しい思い出です。先生と院生仲間に恵まれて、言社研で学ぶことができて本当によかったと感謝しています。

現在、学部は「ドイツ語学科」という、特定の言語や地域を扱うことが前提とされる場、大学院は「国際関係論専攻」という、なぜ言語を研究するのかが問われる場に籍をおかせてもらっていますが、このような対照的な研究教育環境において、自分の研究地域をこえた言語への視点を言社研で得たことが、大きな支えとなっています。

時が経っても、「言語社会研究科」の看板に沿う研究科であってほしいな、と願っています。

（木村護郎クリストフ・一九九七年入学）

社会人入学者としても異例の五〇代後半の入学者でした。仕事を持ちながらのバタバタした学生生活でしたが、先生方にはなんと温かく接して頂いたことでしょう！　大人数のゼミ生でしたし、本人はそのつもりではないのでしょうが、私からみると迷惑をかける学生もいました。迷惑をかけられても、イ・ヨンスク先生は『レ・ミゼラブル』に出て来る燭台を盗まれた神父のように限りなく学生の立場を許し愛情を注いでおいででした。糟谷先生もそうでした。一人では読みこなせない基本的文献を読む力

を付けて頂いた以上に、私にとって、学究の場で先生方の人間性（人を愛し育てること）を見習うことが出来たのは大きな経験でした。八〇歳になりましたが、これから朝起きての二時間は、研究に充てるようにしようかと、一旦あきらめかけた研究にまた取り組もうかと考えている生活です。身の程知らずかな？

（芳賀普子・一九九七年入学）

社会人入学だったので皆と七―八歳程度年齢差がありましたが、年齢に関係なくそれぞれの専門分野でよく語らい、一緒に研究したことは今でも大切な宝物です。大学卒業後一〇年以上働いてきて、アウトプットの連続で頭も心もからっぽになったと感じていたこと、働いてきたからこそ改めて何を学びたいのかが明確になったことで、思い切って仕事を辞め、言社研に入学したことは、当時周囲から「いい年をして今キャリアを中断して何をやっているんだ」と反対されましたが、意志を貫き通してよかったと心の底から思っています。

最近の国の大学政策は、社会人の学びを積極的に推進しようとしていますが、当時はまだそうした意識は低く、いい年をして会社を辞めて大学院に行くことはあまり理解されませんでした。しかし言社研を修了し、再度社会で働き続けていますが、やはり生涯教育は本当に必要なものだと感じます。ただ、社会人の場合、会社を辞めて大学や大学院に行くことはかなりハードルが高いものです。経済的な問題もセットでついてきます。現代はオンライン授業が当たり前になってきたことで、そのハードルを下げることはできる状況にあります。今後社会人がより学びやすい媒体として推進していかれることを望みます。また、科目ごと、あるいは何か専門ごとに認定がされ、資格や証明書が与えられるといいと思います。

（伊藤優美・一九九八年入学）

田辺秀樹先生のゼミに在籍し、先生やゼミ生の仲間と闊達な議論を繰り広げる時間は、なにものにも代えがたいものでした。いま、自分がゼミを率いる立場となり、そのような場を主宰することの愉しさと難しさをあらためて噛みしめています。さまざまなバックグラウンドを持つ研究者が集まり、新たな知が生まれる場として、言社研のますますのご発展をお祈り申し上げます。

（広瀬大介・二〇〇〇年入学）

現在の言社研がどのように運営されているかは、もう離れて一〇数年経ちますので、存じ上げません。また、私が学んだ先生でも退職された方も多いと思います。ただ、幅広い人文知、批判的思考、そして社会科学の厳密さを同時に学べたことは、大変にありがたく、まだまだ学恩を返せる程には遠く及びませんが、現在の私の研究や教育の基礎となっています。二一世紀のグローバリズムの中で、言社研が示す知こそが求められていると思います。今では他大での同業者ですが、言社研がますます発展することを祈念しております。

（岡田泰平・二〇〇〇年入学）

とにかく諸先生方が院生である私たちの将来を真摯に考えて、ご講義、ご助言をしてくださったと思います。学ぶ機会をいただけたこと、そしてその後のサポートなしには、今の自分はないと思います。心から感謝しています。将来、日本語教育は幅広い分野に貢献していく可能性があります。日本語教育部門の拡充、発展を祈願いたします。

（志村ゆかり・二〇〇五年入学）

私が在籍していた二〇〇〇年代の中後期は、第一部門と第二部門の間の仕切りが高くなく、私は第一部門所属でしたが、たくさんの第二部門の講義を取ることができ、ありがたかったです。修論は内容的には日本手話のポライトネスに関する研究だったので、鶴田庸子先生のゼミに参加させていただいていました。現在でも第二部門の方々との仕事上の関係の方が強いです。最近は第一部門と第二部門が厳格に分かれていると聞き、やや残念に思っています。

主ゼミは糟谷ゼミで人数的にも巨大、領域的にも膨大で、ともかくいろいろな人がいたのが面白かったです。二期生の木村護郎クリストフ先生の授業もありましたし、ゼミには修了生の方々も時々来てくださって楽しかったです。出身国も年齢もバラバラで、多様性を体現したゼミでした。言社研での学びは私の第二のキャリアの基盤となりました。

（岡典栄・二〇〇五年入学）

もともと商学部経営学科を出て民間企業に就職したのち、自分は学問を追究する生き方がしたいしその方が向いていると感じ、会社を辞め、研究者を志して大学院への進学を決意しました。しかし、当初は「アメリカ研究」と「現代思想」という非常に曖昧模糊とした研究の方向性しかもたない、未熟と呼ぶのもはばかられるような劣等生でした。そんな人間にも可能性を見て門戸を開いてくれたのが言社研であり、先生方は学問の奥行きと幅広さと厳しさを、そして何よりも、知ることの豊かさをいつでも教えてくださりました。多種多様な学問領域を探求している院生仲間たちと教室の内外で交わした無数の会話もまた、かけがえのない学びの機会でした。アメリカ文学専攻に決めて博士課程に進学したのち、アメリカの大学院に留学して博士号を取得しました。留学先で学んだこともちろん無数にありますが、根底的な問題意識や学問への姿勢といった研究者としての土台の部分は、言社研で培われたものだと感じます。そして、そのことは現在都内の大学に就職してアメリカ文学を教えるようになってもあまり変わらないように思います。二五周年おめでとうございます。言社研のさらなるご発展を心よりお祈り申し上げます。

（木原健次・二〇〇七年入学）

Es war einmal… 言社研に入学を許されたものの、私の修論のテーマがドイツ移民に関する内容であったため、『本当は社研を受験すべきだったのでは……』という一抹の不安を抱えての院生生活スタートでした。

主ゼミ選びではそんなことは表に出さず、「僕、ドイツ語出来ます！」という力任せの怪しいアピールで尾方（一郎）ゼミに潜り込ませていただきました。同じ手口で副ゼミは社研の内藤（正典）ゼミに出入りしていました。尾方ゼミでのトーマス・マンの輪読、藤野寛先生の授業でのミニマ・モラリア輪読など、ゼミ、授業を通じて基礎から鍛えていただきました。

そうした中で多くの方と接する機会にも恵まれ、今でも連絡を取り合う友人を得られたのは、人生の中で貴重な時間でした。

当時はリーマン・ショックの影響もあり就職活動は難儀しました。が、何とかシステム開発会社に就職し、現在は日系メーカーの情報システム部門で働いています。いつの間にか言語は言語でも機械言語の方が専門になってしまいました……。

この度は創立二五周年誠におめでとうございます。

（川島一晃・二〇〇八年入学）

大学院の思い出と言えば、ゼミと合宿。この時間と空間は濃密濃厚で、歩けば数十秒の距離を、匍匐前進で進むようなものでした。睡眠時間を惜しんでレジュメを作り、発表と質疑応答を終える頃には息も切れ切れ、傷だらけ。担当の重圧から解放されて立ち上がると、ずっとずっとその先に、先生やゼミ仲間が歩いており、その差を縮めようと次に備えるものの、こちらは相も変わらず匍匐前進、その繰り返しでした。視点の高さを変えて、地を這うようにじっくりと進み、研究対象に向き合う。このプロセスの連続が、研究の基礎体力になっていると気づき始めたのは、つい最近のことです。

（矢野隼人・二〇〇八年入学）

興味のあることにひたすらに向き合い、「書く」「読む」という義務教育課程から当たり前にやってきたことに真摯であることの難しさを痛感しながらも、根本から姿勢を正すことができた時間でした。他分野の研究者と交流も多く、現在も言社研で出会った人々との縁は公私ともに大きな支えとなっています。人文知のダイナミズムを講師からも学生からも学べる、本当に豊かでかけがえのない時間を過ごさせてもらいました。

（安原真広・二〇一〇年入学）

勤めていた会社を辞めて言社研に入学した当初、修士を出たら田舎に戻り高校教員になろうと考えていました。しかし、あまりにも言社研での学びが楽しく、全てのゼミ、全ての講義がたまらなく刺激的で、ずっとここで学んでいたいと願った結果、気づいたら博士課程に進学しており、在籍可能年数マックスまで言社研ライフを満喫し、先日ようやく博士論文を提出しました。思い出は数え切れないほどですが、最も楽しかった思い出は三浦玲一ゼミで、最も悲しく辛かった思い出も三浦玲一先生の逝去です。私が修士に入った当時、博士の先輩から「英語圏文学を研究するにはここは間違いなく日本で最高の場所だ」と誇らしげに言われました。多くの先生が去りましたが、今も素晴らしい先生たちが言社研にはいます。これから先もずっと言社研の素晴らしい研究環境が続くことを祈っています。

（青木耕平・二〇一〇年入学）

私は修士課程を言社研の第二部門で過ごしました。この二年間は私の人生の転換点となりました。私はもともと国際関係の仕事をしていましたが、日本語教育について勉強するのは修士が初めてでした。そんな日本語教育初心者であっても、先生方や先輩方、同級生たちは寛大にそして真剣に教えてくれ、様々な視点から議論を交わすことができました。修士修了後は、家庭の事情や地理的な制約から、日本語教育の第一線では活躍できない時期が続きました。人生の各時期に優先すべきことが違うのは仕方のないことです。しかし、細々と日本語教育に関連する仕事を続け、大学の非常勤講師を経て、現在は山梨の大学で留学生教育と日本人への日本語教育に携わっています。自分でも不思議なめぐり合わせだと思います。確実にいえるのは、言社研で学んだことが核となり、人生経験すべてが無駄にならずに、今の私を形作っているということ。言社研で学んだことや経験したことは、なんの誇張もなく、私の人生の宝物です。

（三井さや花・二〇一〇年入学）

金曜日の夕方は古澤ゆう子先生の研究室で「餌付け」され、日付が変わってから帰宅することを繰り返していた。ドイツ直輸入のワインが箱で常備され、先生が買ってきてくださったサンドイッチやチョコレートなどを食べながら、先輩たちと何時間もドイツやギリシャのこと、文学や映画、音楽について話をした。私が「貧乏なのに舌ばかり肥えてしまう」と不安になると、古澤先生はマルボロを吸いながら「若い時に良いものを知っておくのは大事なことよ」とおっしゃっていた。言社研にいた当時に学んだ個々の知識よりも、あのサロンのような空間を肌で感じたことが、私の人生にとって財産になったと感じている。他にも、鵜飼ゼミの仲間たちとティーチインや佐野書院での結婚式を企画したり、同級生

と一晩中（警備の目をかいくぐって）野外でお酒を飲んだり……と思い出は尽きないけれども、やっぱり何より先に古澤先生、ありがとうございました。

（山口侑紀・二〇一一年入学）

年齢、国籍を問わず様々なバックグラウンドを持つ人々とともに考え、議論し、学んだ二年間は本当に充実した日々でした。ゼミはいくつかのゼミに参加させていただきましたが、先生方をはじめ、先輩、同期の仲間たちの様々な考えに触れ、自分の考え方を見つめ直し、視野を広げることができた楽しい時間でした。講義は知的好奇心をくすぐるものが多く、修士論文を書く際、そして修了後の仕事にも学んだことが生きていると感じています。

現在は韓国で日本語学習者向けのサービスを提供するスタートアップ企業に勤めています。言社研での日々、そして修了後の日本での日本語教師としての経験が今につながっているなと実感しています。素敵な日々をありがとうございました。そして言社研の皆さまのこれからのご活躍を願っております。

（茂木早・二〇一二年入学）

私は、在籍していた当時から、自分が興味のあるトピックを自由に、かつ批判的な視点から探求することのできる言社研がとても好きでした。修士・博士合わせて七年ほど在籍していたため、当時の思い出としてはどれを選んで書くべきかというくらいたくさんあり、そのどれもが、いまの自分の支えにな

ると同時に教訓を与えてくれるものになっています。ただ、中でも特に思い出すのは、修士で入学して一、二年ほどのあいだ、授業やゼミ、先輩たちが開いていた研究会への参加などを通して新しい見方を日々学び、これまでの自身の経験と社会構造とのあいだのつながりに対する理解が急速に深まり、自分自身の世界の見方が大きく転換していったことです。それはこれまでにない体験でした。私はいまも研究を続けており、言社研で知り合うことのできた友人や先輩・後輩、先生方との関係は、私自身の生活および人生の重要な基盤になっています。

(田尻歩・二〇一二年入学)

私は、還暦と同時に言社研に入学した少し異色の院生でした。五年間の在籍中は、深く広い学識に根ざした先生方のご指導を受け、また多彩な背景を有する院生の皆さんにフランクに親しく接していただきました。新たな知見や斬新な角度からの情報を得て、刺激的で心躍る日々を過ごせたことは、本当に幸運だったと感謝の気持ちでいっぱいです。

しかし大学の外では、排他的な潮流や功利性を重視する風潮が年々加速されています。多様性と調和が語られるいっぽうで、格差と分断とが社会を覆ってきたことが、今回のパンデミックでひときわくっきりと見えてきたのではないでしょうか。望ましくない変化に対し迎合することなく、真摯に状況を変革しようとの発信を受け止めて共有し、自分の中の偏見や責任逃れの気持ちとも向き合っていくべきことも言社研で学びました。

知性の色濃い自由の鐘の音が、国立から多くの人々の胸に響き続けることを願ってやみません。

(吉岡佳子・二〇一二年入学)

二年間という短い在籍期間でしたが、言社研の思い出は鮮明に残っています。色々な分野に興味をもった人が、自由な思想で集まる場所だったので、非常に良い雰囲気で居心地が良かったです。大学卒業後は、ドイツ文学には関わらない職業に就いていますが、言社研で学んだ「物事を自分の頭で考え、人に伝わるように説明する」ことの大切さはどこで働いても役立っています。また、卒業して早六年経ちますが、同級生とは今でもやり取りをする大切な友達です。

（引田珠璃・二〇一三年入学）

私が、言語社会研究科を修了してから、早くも六年が経ちました。

慌ただしい院生生活で心に残っていることは沢山ありますが、「ことば」というものに真剣に向き合うことのできた二年間であったのではないかと思います。作品を読むときは書かれている「ことば」と余白になっている「ことば」について考え、日々頭を抱えた数多の発表では、聞き手にどのようにしたら伝わるのか苦心しながら「ことば」を選択し、学芸員課程の授業では「ことば」の展示発表に挑戦し、ノートテイクのボランティアを通じて、人と人との繋がりに「ことば」が大切な役割を担っていることを垣間見ることができました。

現在私は、研究とは離れてしまいましたが、コロナ禍の影響も相まって、「ことば」の大切さをあらためて実感しています。お互いの顔の見えないやり取りが増え、意図や要望を汲み取れているだろうか、伝わっているだろうか、不快な想いをされないだろうか、要望に添えているのだろうかと、己の拙い「ことば」を絞り出し、苦慮しながら日々過ごしている中で、「ことば」と懸命に向き合うことのできた院生生活は、大きな励みとなっています。

言社研で過ごした二年間は、あっという間に過ぎてしまいましたが、どの瞬間を切り取ってもとても充実していました。お世話になった先生方、不安や喜びを共有できた友人たち、言語社会研究科を通じて出会うことのできた全ての方に感謝の気持ちでいっぱいです。

（淵田有香・二〇一三年入学）

マーキュリータワーと言社研を往復しながら、年齢や出身地、国も違う方々と喧々諤々の議論を繰り返した日々は楽しいものでした。自分が書いた拙い文章と研究を教員とゼミ生が真剣に議論し、批判してくださる空間の貴重さが、今となっては黄金で敷き詰められた道よりも貴重なものだったなぁと感じます。現在は廃校利用、町おこし団体の運営をしながら細々と研究を続けておりますが、いつか四国の片田舎の廃校に、言社研のようなハイレベルな人文学の学校を立ち上げるのが夢です。「天文を觀て以て時變を察し、人文を觀て以て天下を化成す」。言社研で学んだ人文学の価値を世に広め、それを以て世に貢献し、恩師と友たちへの恩返しとしたいと思っています。

（村山淳・二〇一四年入学）

修士課程を卒業して六年目ですが、修士課程の二年間は本当に豊かな時間を過ごすことが出来たと思います。面白い授業をしてくださった先生方や、インターンで非常に貴重な経験をさせて頂いたこと、一緒に修論を書いた友達との思い出が一番強く残っています。今は結婚して関西に転勤していますが、東京に帰るタイミングにまた国立に寄りたいと思います。

（伊藤そのえ・二〇一四年入学）

言社研の二五周年お祝い申し上げます。現在、大学や高校で非常勤講師をしながら、地域日本語教育に携わっています。言社研では、外国語文献の翻訳や国内外の研究者や芸術家、作家の講演を聞いたり、海外に研究活動に出かけたりとても楽しく充実した時間を過ごすことができました。イ・ヨンスク先生、糟谷啓介先生、鈴木将久先生はじめ言社研の先生方や研究科の皆様に感謝申し上げます。これからも変わらず「人文学の魅力や奥行き」を広く世に伝える主体として存在していただきたいです。

（市川章子・二〇一五年入学）

設立二五周年おめでとうございます。私が修論のテーマとしたカリブの詩と文化は二一世紀になる前後に地縁ができ、強い衝撃と示唆を受けたものです。独学でクレオール詩や詩劇を含めた翻訳と出版を進めていて、その流れで東キャンパスの門をくぐりました。接点のあった先生方も多くが学際的・領域横断的で魅力的でした。留学生や社会人が多い研究科の院生は狭いバリアや縛りに捕われない稀有な環

境下にあり、その点をとても貴重に思います。ただ予測不能だった家人の病気と自身の怪我で、自らの時間とエネルギーを思うように使えなかったことが心残りです。

難しいけれど楽しく人口に膾炙するクレオール詩の魅力と共に、東アジアを含めた世界の植民地主義を俯瞰しつつ、引揚者の末裔として「わが詩の源流」を探ることとなり、現在は九州に拠点を置く『引揚詩』記録の会」の末端に名を連ねる共同代表として、出版を前提にした一二〇〇篇を超える膨大な量の詩や手記の蒐集・記録・デジタル化を進めています。

（谷口睦枝・二〇一六年入学）

僕は美術大学出身であり、文学や社会学など言社研らしい学問を修める学部にいなかったため、大学院に入るまでは一人で人文書を読み、ものを考えていました。そのため言社研の学生になったとき、まずは教授やほかの院生とそういった学問について自由闊達にトークできるということに感動しました。とくに主ゼミだった中山（徹）ゼミは先生のフラットな雰囲気のおかげか風通しが良く、未熟な自分でも引け目を感じず意見を交わすことができたと思います。僕のように美術系の学部出身で独特な研究テーマ（物語という概念の精神分析的な考察）を持っていた学生が楽しく過ごせたのは、言社研の懐の広さゆえなのかもしれません。ここまで良く書くと優等生的過ぎて気恥ずかしい気はするのですが……。

修士課程を修めて卒業してからは、漫画やアニメのニュースを扱うWebメディアで記者として働いています。大学院時代に学んだ知識や思考方法が、具体的な業務に直接活かされることはありません。しかし自分の生き方を省みたり、漫画・アニメをはじめとしたフィクションをより楽しむ上で、大きな財産になっていると思います。

（齋藤高廣・二〇一七年入学）

私は学部生時代、全く異なる分野を勉強しておりその学問規範の影響もあって、修士入学時点では「いかに複雑な世界を精緻に図式化していくか」を重視していました。それが言語社会研究科での生活を経て、「世の中にはすでに図式化されたもの、単純化されたものがあって、それをいかに解凍し、複雑性を復活させるか」が私の研究にとって必要なことだと気づきました。

言社研の主な研究領域の一つが文学研究です。恥ずかしながら、「文学の研究」とは何なのか、何の意義があるのか、過去の私は良く分かっていませんでした。本研究科の修士課程で、（例外はあるにせよ）文学は、作者によるこの複雑な世界の丁寧な記述であること、それはとても面白いことなのだと分かりました。また、それは昨今の「弱者切り捨て」論が一部でもてはやされる状況において、他者について想像をめぐらす訓練にもなるのだと思います。言社研のこうした営みが続くことを願っております。

（高橋彩葉・二〇一七年入学）

博士課程からお世話になった言語社会研究科では、どんなに粗削りであっても院生本人にとって切実な問いを、教員や院生同士が面白がり、より豊かで精度の高い研究になるよう導いてくれる文化があったように思います。ここでは、既存の枠組みから問いを精査するのではなく、問いから既存の枠組み自体を精査するような研究を心置きなく目指すことができました。

また、普段は自身の研究対象と直接的に関わりそうだという基準で受講するゼミや講義を選んでしまいがちでしたが、学部生を主な対象としたオムニバス講義「人文学入門」を受講することで、贅沢にも言社研の多くの先生方の講義にも触れることができました。これは、人文学という大きな文脈のなかの一点として自身の立ち位置を意識することのできる貴重な機会でしたし、ここで学んだことは、現在私が非常勤先で講義を担当するなかで、学生の多様な関心に応えようとする際の重要なヒントにもなっています。

もっとも言社研での経験の重みは、修了して間もない現時点よりも、年月が経てば経つほど増していくのだろうと思っています。そのくらいに、在籍していた期間の自分のキャパシティを遥かに超えるものを、ここでは惜しみなく与えていただきました。

（井沼香保里・二〇一七年入学）

とにかく「楽しかったけどつらかった、つらかったけど楽しかった」というのが在学時の印象です。今振り返れば、言社研在籍時に感じていた「つらさ」とは、どんなに勉強したつもりでも、ゼミでは自分の知識が足りないことを痛感するつらさであったり、もっと努力している先輩や同期がつねに周囲にいて、その人たちを超えられないつらさだったと感じます。と同時に、在学時の「楽しさ」とは、ゼミや講義で新しい考えや知識を得られる「楽しさ」であったり、同期や先輩後輩、先生方と意見を交わし、自分のアイディアが広がっていくのを感じるワクワク感であったと感じています。とくに、言社研の先生方には、研究についても、私生活についても、進路についてもご助言を何度もいただき、多くの場面で助けていただきました。また、大学内での日本語授業実習や、ベトナムでの実習での経験が、今の私の仕事の根幹を形作っていると日々感じます。

（宮川ひかり・二〇一八年入学）

修士課程で得たことについてお話しします。言社研に入ってから、一番感じたのは多様性です。振り返ってみると、修士課程の二年間に出会った人はみんなが非常に個性のある個体です。日本人学生であれ外国人留学生であれ、ゼミや授業で自分の意見を明確に表明することが多かったです。そのため、このような環境の中では、いわゆる「同調圧力」がまったく感じられませんでした。そして、自分も比較的自由に意見を述べたり、求めたりすることができました。さらに、このような多様性のあるかつ高度自由な環境の中で、自己を再確認することができました。つまり、自分の個性や考えをもつことはまったく悪いことではありません。むしろ、同調主義や時流に迎合することなく、いつでもどこでも自分の頭で考えることこそ、知そのものひいてはその「有用性」を造る原動力だと思われます。ゆえに、ぜひこの段階で悟ったことを次の人生で生かしていきたいと強く思っております。

（潘俊雅・二〇一八年入学）

一橋大学大学院　言語社会研究科　沿革

一九九六年四月一日	言語社会研究科開設。第一回入試実施（四月一五／一八日）。
一九九六年五月一日	言語社会研究科第一期生入学式。
一九九六年五月一一日	言語社会研究科正式に発足。
一九九八年三月	第一期生博士前期課程（修士課程）を修了、修了者に学位記（学術修士号）を授与。
二〇〇〇年四月	言語社会研究科・留学生センター（現・国際教育センター）合同棟完成、「国際研究館」と命名。
二〇〇一年三月	最初の博士後期課程修了者、博士（学術）学位取得。
二〇〇二年四月	学芸員資格取得プログラムを開設。
二〇〇三年	「就業体験実習」科目を設置、インターンシップに対する単位認定開始。

二〇〇五年	独立行政法人国立国語研究所（現・大学共同利用機関法人人間文化研究機構国立国語研究所）との連携講座新設。従来の体制を「言語社会部門（第一部門）」とし、新設の連携講座を基に「日本語教育学位取得プログラム」を運営する「日本語・日本文化部門（第二部門）」との二部門体制を採る。
二〇〇六年	研究科紀要『言語社会』（年一回刊行）を創刊。
二〇〇七年四月	東京学芸大学との連携事業として、言語社会研究科に連携講座「アジア文化講座」を設置。
二〇〇八年一〇月	研究科初の国際的な部局間交流協定を上海財経大学国際文化交流学院（中国）と締結。以後、二〇二一年度までに中国、台湾、韓国の八つの研究教育機関と協定を結んでいる。
二〇一三年四月	研究科初の寄附講義受け入れ（「アジアをつなぐことば――言語と文化からみたアジア共同体」）。
二〇一六年	研究科英文ジャーナル *Correspondence* を創刊。
二〇一六年一二月	研究科内センターとして「一橋大学大学院言語社会研究科韓国学研究センター」を設立。
二〇一七年三月一七日	国立市教育委員会公民館とのあいだで社会連携に関する覚書を交換。以後、主な連携活動としてくにたち公民館にて「大学院生講座」「一橋大学連携講座」を開講している。

あとがき――Contribution を続ける

小岩信治

この書物を手にとられた方は、「言社研」についてどのようなイメージを抱いたでしょうか。緑豊かな一橋大学国立キャンパスの片隅に拠点を構える小さな研究科ではありますが、その四半世紀の歴史によって生まれた世界を記述する作業は、決して容易ではありません。けれども、幸いにもこうして多くの方々が、エッセイや対談、そして研究科へのメッセージをお寄せくださり、この研究科についてそして今日の人文学について、読者のみなさまに考えていただく書物ができあがりました。編者の一人としてこうしておけばといった思いは尽きませんが、それはひとえに編者の責任であり、まずはお忙しいなかさまざまな形で本書への寄稿 Contribution をご手配くださったみなさまに、編者を代表して心より感謝申し上げます。

本書が刊行される二〇二二年三月にもし新型コロナウィルス感染症 COVID-19 のことを考えなくてよくなっていたら、少なくとも編者たちが内輪で、できれば執筆者など本書に参加くださった方々にご案内して、「打ち上げ」を開催していたでしょう。出版記念パーティーというほどの大袈裟なものはできません。現実的には、みなさんお忙しいので国立のどこかの店にささやかな宴席を用意したでしょうけれども、もしかすると、国際研究館に集まりたいという元院生の方々も多いでしょうし、そもそも予算もないのですから、在籍していたころを思い出しつつ持ち寄りパーティー、としたかもしれません。「コロナ禍」が日常になってしまってともすれば忘れがちですが、少なくとも私のゼミでは、そしておそらく他のゼミでも、手間はかかっても安く上がる持ち寄りパーティーが折にふれて行われていました。持ち込むものが重ならないように、自分が持ち出せるものをあらかじめ皆に知らせて、最低限の調整だけやっておきます。自作のみごとな手料理をさりげなく、あるいはここぞとばかりにアピールの機会として（?）苦労して梱包して運んでくるゼミ生、友人が働いている店の逸品を調達するゼミ生、留学先と関係ある食材を紹介するゼミ生、そして結局はいちばん何もできずにお惣菜と乾き物を適当に買ってくる私。こうして、お互いが何を持ってくるのかぼんやりと予想しつつ、各自がそれぞれの状況のなかでアイディアをひねり出して持ち込むもの、つまりそれぞれの貢献 Contribution が、パーティーの会場を豊かにします。多少のバッティングや、意外に余ってしまう見込み違いはいつものことで、食べきれなかったものは下宿しているゼミ生など必要なメンバーが必要な量を持ち帰ります。気が利く人がいるとゴミ袋のほかに持ち帰りのための容器がちゃんと用意されているのです。

持ち寄りパーティーと、本書のような書物を編むことの間には、蓄積に基づく技術と熱い思いがつまった貢献・寄稿 Contribution に支えられる点をはじめ、いくつかの共通点があるように思います。アカデミアと呼ばれる知の世界の探求は、そもそもが「持ち寄り」の世界であるといっていいでしょう。もちろんこの種のたとえの常として、違う点もあります。いちばん重要なのはおそらく、対象の拡がりでしょう。「打ち上げ」はその場かぎりの楽しい時間として完結するのに対して、知の世界はどんなに長く関わっても、いくら持ち寄っても「埋まる」ことはありません。巨大な宇宙のなかで各自が一生探求をつづけても、小さな点のような足跡を残せるかどうかです。先述のとおり、言社研の四半世紀という一つの世界を記述するだけでも簡単ではありません。けれども、一人一人が記述できるのは「片隅」にすぎないとして、そこに「世界」を切り出して見せることができるのも、人文学に与えられた力です。映画についての評論は筆者の手に余りますが、二〇一六年の片渕須直監督『この世界の片隅に』は、それこそたった一人の女性の生涯を示すことによって、あなたにもあった／起こりえた現実、戦争という権力が個を押しつぶしていく社会の現実を、描きました。本書に掲載されている文章もまた、言社研と関わりを持ってきた人々が、それぞれのやり方で「片隅」から「世界」を描き続けた記録です。

この文章を目にしている学部生（や高校生）がいれば、大学院の教員や院生は事典のように知識で溢れているかのように想像するかもしれません。そういう方も（かつてよりは少なくなったかもしれないとしてなお）いらっしゃいますが、そのような「歩く〇〇事典」のような人にとっても誰にでも、大切なのは知の世界の果てしなさや孤独を感じつつそれでも自分のContributionを続けることです。ですから言社研では広報の機会があるごとに「世界を記述せよ、そして自身を知れ。」と呼びかけてきました。世界の記述と、自らの「無知の知」との往復のなかで生きること。それは受験生への課題というよりは、ゲンシャに連なるすべての人々へ、言社研が現在進行形で贈り続ける言葉です。

この「あとがき」を書いているのは一月で、筆者のSNSのタイムラインには各大学で卒業論文を指導する先生方の嘆きが流れてきます。学士課程でかつてのような論文指導が困難になっているとすれば、卒論がまともに書けなかった人が社会人になってから、いわばリベンジとして修士課程に進むということがあるのかもしれない、あってもいいのではないかと思わされます。現在言社研には、学士課程で始めた研究を継続して深めたい（入試のカテゴリ：一般入試）人のほかに、学士課程での研究を一旦就職したあとに再開したい（社会人入試）、日本に／言社研に／言社研の教員のもとに海外から留学したい（留学生入試）、社会人として活躍したのち定年後に新たに学び始めたい（社会人入試）、といった方々が学んでいます。けれども、特定のテーマの追求に自分の適性や手応えを感じてきたそうした人だけでなく、単に卒論をやりなおしたいという人が（社会人を中断して）学ぶ場所になってもいいのかもしれません。問いを立て、先人の思考を確認し、自らの方法を考え出し、答えを導く作業、それらが連動していることを意識しつつ、それらを切り分けて論述するトレーニングは、言語を使う生き物としての人間のさまざまな活動において、日本の社会で一般に思われているよりもはるかに「役に立つ」からです。頭と足をフルにつかって、人文学に、世界の記述に挑んでみようという人。あなたが考えたことを「持ち寄る」場所を言社研は用意しています。

本書の編集は中井と小岩がテクスト部分を、写真提供などデザインに関する部分は小泉が担当しました。また原稿のとりまとめにあたって、座談会の文字起こしや校正作業を手伝ってくださった言語社会研究科博士課程の高橋彩葉さん、佐久本佳奈さん、君島朋幸さんに感謝します。

最後になりましたが、小鳥遊書房の高梨治さんには、こちらのさまざまなお願いにいつも柔軟に対応していただきました。これまた良心の塊のような出版社と繋がっていられることも、言社研の強みであり、今後への励みです。心より御礼申し上げます。

二〇二二年一月

小岩信治

本書の刊行にあたっては、一橋大学大学院言語社会研究科より出版助成を受けました。

◉堀 祥子（ほり・しょうこ）
会社員、文筆家／音楽研究、ノンフィクション・書評・小説執筆／ 2005 年入学

◉番園 寛也（ばんぞの・ひろや）
一橋大学言語社会研究科在籍／水俣病事件研究、障害学／ 2010 年入学

◉松田 潤（まつだ・じゅん）
日本学術振興会特別研究員 PD ／沖縄・日本文学、思想史／ 2011 年入学

◉山城 雅江（やましろ・まさえ）
中央大学准教授／アメリカ文化／ 1996 年入学

◉吉田 裕（よしだ・ゆたか）
東京理科大学准教授／カリブ文学／ 2007 年入学

◉綿野 恵太（わたの・けいた）
文筆業／ 2012 年入学

◉重藤 暁（しげふじ・ぎょう）
伝統芸能研究家、常磐津節演奏家／ 2014 年入学

◉清水 雄大（しみず・ゆうだい）
獨協大学ほか非常勤講師／フランス哲学・思想／ 2008 年入学

◉申 知瑛（しん・じょん）
延世大学准教授／東アジアの記録文学、朝鮮近現代文学／ 2011 年入学

◉嶽本 新奈（たけもと・にいな）
明治学院大学・国際平和研究所助手／日本近代史、ジェンダー研究／ 2003 年入学

◉田浪 亜央江（たなみ・あおえ）
広島市立大学准教授／中東地域研究／ 1997 年入学

◉中嶋 泉（なかじま・いずみ）
大阪大学准教授／美術史、フェミニズム理論／ 2000 年入学

◉成相 肇（なりあい・はじめ）
東京国立近代美術館主任研究員／近現代美術／ 2002 年入学

◉新野見 卓也（にいのみ・たくや）
ピアニスト、音楽批評／ 2011 年入学

◉西 亮太（にし・りょうた）
中央大学准教授／ポストコロニアル・環境主義文学、炭坑研究／ 2005 年入学

◉西山 雄二（にしやま・ゆうじ）
東京都立大学教授／フランス思想・文学／ 1998 年入学

一橋大学言語社会研究科修了生及び在籍生（五十音順）

◉長名 大地（おさな・たいち）
東京国立近代美術館研究員／20 世紀美術史／2010 年入学

◉呉 世宗（お・せじょん）
琉球大学教授／在日朝鮮人文学、沖縄歴史文化研究／1999 年入学

◉片岡 佑介（かたおか・ゆうすけ）
一橋大学ほか非常勤講師／映画研究、表象文化論／2006 年入学

◉君島 朋幸（きみしま・ともゆき）
一橋大学言語社会研究科在籍／在日朝鮮人文学／2019 年入学

◉金 利真（きむ・いーじん）
東亜大学・ジェンダー・アフェクト研究所専任研究員／東アジアにおける移民研究、表象文化論／2015 年入学

◉小柳 暁子（こやなぎ・あきこ）
会社員／フランスの精神分析フェミニズム（リュス・イリガライ）／1996 年入学

◉佐喜真 彩（さきま・あや）
一橋大学言語社会研究科在籍／戦後沖縄文学／2012 年入学

◉佐久間 由梨（さくま・ゆり）
早稲田大学教授／アメリカ文学・文化／2005 年入学

◉佐久本 佳奈（さくもと・かな）
一橋大学言語社会研究科在籍／日本近現代文学、沖縄文学／2018 年入学

【寄稿者・対談、座談会参加者】

一橋大学言語社会研究科教員（五十音順）

◉有賀 暢迪（ありが・のぶみち）
一橋大学言語社会研究科准教授／科学史

◉鵜飼 哲（うかい・さとし）
一橋大学名誉教授／フランス語圏文学・思想、ポスト植民地文化論

◉尾方 一郎（おがた・いちろう）
一橋大学言語社会研究科教授／ドイツ文学

◉糟谷 啓介（かすや・けいすけ）
一橋大学名誉教授／言語社会学

◉川本 玲子（かわもと・れいこ）
一橋大学言語社会研究科教授／英米文学（20 世紀小説、物語論）

◉小関 武史（こせき・たけし）
一橋大学言語社会研究科教授／フランス文学・思想史

◉高橋 梓（たかはし・あずさ）
日本学術振興会特別研究員（PD）、一橋大学言語社会研究科非常勤講師／朝鮮近代文学、植民地期の朝鮮人作家の日本語創作

◉中山 徹（なかやま・とおる）
一橋大学言語社会研究科教授／英文学

◉安田 敏朗（やすだ・としあき）
一橋大学言語社会研究科教授／近代日本言語史

【編著者】

◉中井 亜佐子（なかい・あさこ）
1966年生／一橋大学大学院言語社会研究科教授／英文学、批評理論／オクスフォード大学博士課程修了（D. Phil.）／主著『〈わたしたち〉の到来——英語圏モダニズムにおける歴史叙述とマニフェスト』（単著、月曜社、2020年)、『他者の自伝——ポストコロニアル文学を読む』（単著、研究社、2007年）など。翻訳に、ウェンディ・ブラウン『いかにして民主主義は失われていくのか——新自由主義の見えざる攻撃』(みすず書房、2017年)、ポール・ビュール『革命の芸術家——C・L・R・ジェームズの肖像』(共訳、こぶし書房、2014年)など。

◉小岩 信治（こいわ・しんじ）
1968年生／一橋大学大学院言語社会研究科教授／音楽学／ベルリン芸術大学博士課程修了（Dr. phil.）／主著『ピアノ協奏曲の誕生——19世紀ヴィルトゥオーソ音楽史』（単著、春秋社、2012年)、M. ペッツォルト『バッハの街——音楽と人間を追い求める長い旅へのガイド』（共訳、東京書籍、2005年)、『ピアノを弾く身体』（共著、春秋社、2003年)、*Das Klavierkonzert um 1830: Studien zur formalen Disposition*（単著、Studio社、2003年）など。

◉小泉 順也（こいずみ・まさや）
1975年生／一橋大学大学院言語社会研究科教授／美術史、博物館学／東京大学大学院総合文化研究科博士課程修了（学術）／主著『《悪魔のロベール》とパリ・オペラ座——19世紀グランド・オペラ研究』（共著、上智大学出版、2019年)、『ジェンダーと身体——解放への道のり』（共著、小鳥遊書房、2020年)。翻訳監修に、ギィ・コジュヴァル『ヴュイヤール——ゆらめく装飾画』（創元社、2017年)。

〈言語社会〉を想像する
一橋大学言語社会研究科25年の歩み

2022年3月30日　第1刷発行

【編著者】
中井亜佐子、小岩信治、小泉順也

発行者：高梨 治
発行所：株式会社**小鳥遊書房**
〒102-0071　東京都千代田区富士見1-7-6-5F
電話 03 (6265) 4910（代表）／FAX　03 (6265) 4902
https://www.tkns-shobou.co.jp

装幀　渡辺将史
印刷　モリモト印刷株式会社
製本　株式会社村上製本所
ISBN978-4-909812-79-7　C0090